P9-DCM-807

UN LLAMADO a la FE

NIVEL D

Our Sunday Visitor

Curriculum Division

www.osvcurriculum.com

Nihil Obstat
Revdo. Dennis J. Colter

Imprimátur
✠ Rvdo. Mayor Jerome Hanus, OSB
Arzobispo de Dubuque
5 de enero de 2004
Día de San John Neumann

El Comité Ad Hoc para Supervisar el Uso del Catecismo, de la Conferencia de Obispos Católicos de los Estados Unidos, consideró que esta serie catequética, copyright 2005, está en conformidad con el *Catecismo de la Iglesia Católica.*

La níhil óbstat y el imprimátur son declaraciones oficiales de que un libro o folleto no tiene error doctrinal o moral. Lo presente no implica que aquellos a quienes se les otorgó la níhil óbstat y el imprimátur están de acuerdo con el contenido, las opiniones o las declaraciones expresadas.

© 2005 by Our Sunday Visitor Curriculum Division, Our Sunday Visitor.

All rights reserved. No part of this publication may be reproduced or transmitted in any form or by any means, electronic or mechanical, including photocopy, recording, or any information storage and retrieval system, without permission in writing from the publisher.
Write:
Our Sunday Visitor Curriculum Division
Our Sunday Visitor, Inc.
200 Noll Plaza, Huntington, Indiana 46750

Call to Faith is a registered trademark of Our Sunday Visitor Curriculum Division, Our Sunday Visitor, 200 Noll Plaza, Huntington, Indiana 46750.

For permission to reprint copyrighted materials, grateful acknowledgment is made to the following sources:

Catholic Book Publishing Co., New Jersey: "Oración al Espíritu Santo," and El " 'Memorare' " from *Libro Católico de Oraciones,* edited by Rev. Maurus Fitzgerald, O.F.M. Text copyright © 1984 by Catholic Book Publishing Co. "Ave María" from *Libro Católico de Oraciones,* edited by Rev. Maurus Fitzgerald, O.F.M. Text copyright © 2003, 1984 by Catholic Book Publishing Co.

Confraternity of Christian Doctrine, Washington, D.C.: Scriptures from the *New American Bible.* Text copyright © 1991, 1986, 1970 by Confraternity of Christian Doctrine. All rights reserved. No part of the *New American Bible* may be used or reproduced in any form, without permission in writing from the copyright owner.

Editorial Verbo Divino: Scriptures from *La Biblia Latinoamérica,* edited by San Pablo — Editorial Verbo Divino. Text copyright © 1998 by Sociedad Bíblica Católica Internacional (SOBICAIN).

Confraternity of Christian Doctrine, Washington, D.C.: Scriptures from the *New American Bible.* Text copyright © 1991, 1986, 1970 by Confraternity of Christian Doctrine. All rights reserved. No part of the *New American Bible* may be used or reproduced in any form, without permission in writing from the copyright owner.

Editorial Verbo Divino: Scriptures from *La Biblia Latinoamérica,* edited by San Pablo — Editorial Verbo Divino. Text copyright © 1998 by Sociedad Bíblica Católica Internacional (SOBICAIN).

The English translation of the "Come, Holy Spirit" (Retitled: "Prayer to the Holy Spirit"), Litany of Saint Joseph, *Angelus* and *Memorare* from *A Book of Prayers* © 1982, International Commission on English in the Liturgy Corporation (ICEL); excerpts from the English translation of *The Roman Missal* © 2010, ICEL; the English translation of "Psalm 117: Go Out to All the World" from *Lectionary for Mass* © 1969, 1981, 1997, ICEL; the English translation of the Act of Contrition from *Rite of Penance* © 1974, ICEL.

International Consultation on English Texts: English translation of Glory to the Father, *Kyrie Eleison,* The Lord's Prayer and Hail Mary by the International Consultation on English Texts (ICET).

Obra Nacional de la Buena Prensa, A.C.: From "Acto Penitencial," "Improperios I," "Invitatorio al presentar la santa Cruz" (Retitled: "Adoración de la Santa Cruz"), and Untitled prayer (Titled: "La Oración del Señor") in *Misal Romano.* Text copyright © 1999 by Obra Nacional de la Buena Prensa, A.C. Published by Conferencia Espiscopal Mexicana.

Un Llamado a la Fe/Call to Faith Nivel D Bilingual Student Edition
ISBN: 978-0-15-901378-6
Item Number: CU0505

11 12 13 14 15 16 17 18 015016 19 18 17 16 15
Webcrafters, Inc., Madison, WI, USA; February 2015; Job# 120560

Contenido

Recursos católicos

Contents

Catholic Source Book

Acerca de tu vida

Líder: Dios de amor, ayúdanos a seguir tus caminos.

"¡Bendito seas, Señor;
enséñame tus preceptos!".

Salmo 119, 12

Todos: Dios de amor, ayúdanos a seguir tus caminos. Amén.

Actividad Comencemos

Mirar hacia el futuro Bienvenido a la clase de religión.
Te espera un año lleno de experiencias. Tendrás un maestro
nuevo, nuevas clases y seguramente nuevos amigos.
Aprenderás más sobre tu fe y sobre tu vida como hijo de Dios.
Eres especial. ¿Qué es lo mejor de ser tú mismo?

¿Cuáles son tus cosas favoritas?

Momento del día

Vacaciones

Libro

2

About You

Let Us Pray

Leader: Loving God, help us to learn your way.
"Blessed are you, O LORD;
teach me your laws."
Psalm 119:12

All: Loving God, help us to learn your way.

Activity — Let's Begin

Looking Ahead Welcome to the fourth grade. You have a whole new year of experiences ahead of you. You will have a new teacher, new classes, and possibly even new friends. You will learn more about your faith and about your life as a child of God.

You are special. What is the best thing about being you?

What are some of your Favorite Things?

Time of Day

Holiday

Book

3

Acerca de tu fe

Estás a punto de empezar un nuevo trayecto en tu viaje de fe. Pero no viajas solo; te acompañan tu familia, tus amigos y toda la comunidad de tu parroquia. Este año leerás relatos de la Biblia y aprenderás más sobre lo que significa formar parte de la Iglesia Católica.

AUTOBÚS ESCOLAR

Actividad

Comparte tu fe

Reflexiona: Piensa en algo que ya sepas acerca de ser católico.

Comunica: Cuéntale a un compañero cómo lo aprendiste.

Actúa: Escribe algo que sepas acerca de ser católico.

_____

_____

_____

_____

_____

_____

About Your Faith

You are about to begin the next mile of your faith journey, but you do not travel alone. Your family, friends, and the whole parish community travel with you. This year you will read Bible stories and learn more about being a part of the Catholic Church.

Share Your Faith

Reflect: Think about something you already know about being Catholic.

Share: Share with a partner how you learned this.

Act: Write down one thing you know about being Catholic.

_____

_____

_____

_____

_____

_____

Acerca de tu libro

Tu libro te ayudará a aprender más acerca de tu fe, de algunos siervos de la fe importantes y de las maneras en que los católicos celebran su fe.

Activity Connect Your Faith

Busca y encuentra Al leer el libro, encontrarás muchas cosas diferentes. Para familiarizarte con el libro, busca los títulos que aparecen a continuación. Escribe dónde puedes encontrar cada uno.

✝ LA SAGRADA ESCRITURA Página _____

UNA BIOGRAFÍA Página _____

Palabras† de fe Página _____

Datos de fe Página _____

Siervos de la fe Página _____

Oremos Página _____

Análisis Página _____

About Your Book

Your book will help you to learn more about your faith, important people of faith, and ways Catholics celebrate faith.

Activity Connect Your Faith

Go On A Scavenger Hunt As you read your book, you will find lots of different things. To get to know your book, look for the features listed below. Write down where you find each of them.

✝ SCRIPTURE   Page _____

BIOGRAPHY   Page _____

Words of Faith   Page _____

Faith Fact   Page _____

People of Faith   Page _____

Let Us Pray   Page _____

◎ Focus   Page _____

Un llamado a la fe

Juntos

Hagan la señal de la cruz.

Líder: Bendito sea Dios.

Todos: **Bendito sea Dios por siempre.**

Líder: Oremos.
Inclinen la cabeza mientras el líder reza.

Todos: **Amén.**

Escucha la Palabra de Dios

Lector: Lectura del santo Evangelio según San Mateo.
Lean Mateo 9, 9–13.
Palabra del Señor.

Todos: **Gloria a ti, Señor Jesús.**

Diálogo

¿Por qué crees que Jesús fue a comer con Mateo después de llamarlo a ser su discípulo?

¿Cómo puedes responder al llamado de Jesús que te invita a seguirlo?

Oración de los fieles

Líder: Señor, los primeros discípulos respondieron a tu llamado. Creyeron en ti y te siguieron. Nosotros también creemos en ti. Te rogamos que escuches nuestras oraciones.
Respondan a cada oración con estas palabras.

Todos: **Señor, escucha nuestra oración.**

A Call to Faith

Gather

Pray the Sign of the Cross together.

Leader: Blessed be God.

All: **Blessed be God forever.**

Leader: Let us pray.
Bow your heads as the leader prays.

All: **Amen.**

Listen to God's Word

Reader: A reading from the holy Gospel according to Matthew.
Read Matthew 9:9–13.
The Gospel of the Lord.

All: **Praise to you, Lord Jesus Christ.**

Dialog

Why do you think Jesus went and ate with Matthew after he called him to be a disciple?
How can you answer Jesus' call to follow him?

Prayer of the Faithful

Leader: Lord, the first disciples answered your call. They believed in you and followed you. We believe in you, too. Please hear our prayers.
Respond to each prayer with these words.

All: **Lord, hear our prayer.**

Responde al llamado

Líder: Mateo respondió al llamado de Jesús invitándolo a seguirlo. Aceptó a Jesús tanto en su vida como en su hogar. Ustedes también pueden aceptar a Jesús en su vida.

Acérquense cuando oigan su nombre. Inclínense ante la cruz y digan en voz alta: "Yo te seguiré, Jesús".

Todos ustedes son discípulos de Jesús. Salúdense unos a otros dándose la paz.

¡Evangeliza!

Líder: Aceptemos a Cristo en nuestra vida.

Todos: **Demos gracias a Dios.**

Canten juntos.

¡Dios nos llama a obrar con justicia,
Dios nos llama a amar con ternura,
Dios nos llama a servirnos unos a otros;
y a seguirle con humildad!

"We Are Called" © 1988, 2004, GIA Publications, Inc.

Answer the Call

Leader: Matthew responded to Jesus' call to follow him. He welcomed Jesus into his life and his home. You can welcome Jesus into your life, too. *Come forward as your name is called. Bow to the cross and say aloud "I will follow you, Jesus."*

You are all followers of Jesus. Welcome one another with a sign of his peace.

Go Forth!

Leader: Let us go forth to welcome Christ into our lives.

All: **Thanks be to God.**

Sing together.

We are called to act with justice,
we are called to love tenderly,
we are called to serve one another;
to walk humbly with God!

"We Are Called" © 1988, 2004, GIA Publications, Inc.

Los tiempos de la Iglesia

En las distintas épocas del año ocurren cosas diferentes. En el otoño, empiezan las clases y las hojas cambian de color. En el invierno, los árboles están sin hojas y los días son cortos. Al llegar la primavera, florecen las plantas, los días se hacen más largos y la gente pasa más tiempo fuera de su casa. El verano trae días más cálidos, las vacaciones de la escuela y muchas horas de diversión.

La Iglesia también tiene distintos tiempos. Los tiempos del año litúrgico conmemoran acontecimientos importantes de la vida de Jesús, de María y de los santos. En cada tiempo, la Iglesia reza unida para recordar todos los dones que provienen de Dios y su Hijo, Jesús.

La Iglesia reza usando distintas palabras y acciones. En la siguiente tabla encontrarás algunas de ellas.

Palabras y acciones

Honramos la Biblia inclinándonos y sentándonos ante ella en silencio.

Honramos la cruz arrodillándonos frente a ella o besándola.

Ofrecemos la paz de Cristo dándonos la mano.

Hacemos la señal de la cruz sobre la frente, el corazón y los labios.

Utilizamos el agua bendita como recordatorio del Bautismo.

Tu clase usará estas palabras y acciones para celebrar los diferentes tiempos del año litúrgico.

El año litúrgico

Adviento

Navidad

Tiempo Ordinario

Tiempo Ordinario

Pascua

Cuaresma

Triduo Pascual

The Church's Seasons

Different things happen at different times during the year. During fall, school starts and the leaves change color. In winter trees are bare and the days are short. When spring comes the flowers bloom, the days get longer, and people want to spend time outside. Summer brings warmer days, school break, and long hours of fun.

The Church has seasons, too. The seasons of the Church year recall important events in the lives of Jesus, Mary, and the saints. In every season the Church prays together to remember all the gifts that come from God the Father and his Son, Jesus.

The Church prays using different words and actions. Here are some of them.

Words and Actions

The Bible is honored by bowing and sitting before it in silence.

The Cross is honored by kneeling in front of it or kissing it.

The sign of Christ's peace is offered with a handshake.

The Sign of the Cross is marked on foreheads, hearts, and lips.

Holy water is used as a reminder of Baptism.

Your class will use these words and actions to celebrate the different seasons.

The Church Year

Advent

Christmas

Ordinary Time

Ordinary Time

Lent

Triduum

Easter

La Madre afligida

La Iglesia honra a María en todos los tiempos del año litúrgico. Los días de fiestas marianas suelen conmemorar acontecimientos felices de la vida de María, como el día de su nacimiento o su Asunción al cielo. Sin embargo, el 15 de septiembre, durante el Tiempo Ordinario, la Iglesia honra a María como Nuestra Señora de los Dolores. Esta fiesta de la Iglesia es un tiempo para recordar algunos de los momentos dolorosos de la vida de María.

María, nuestro modelo de fe

En la vida de María hubo momentos tristes. Su hijo nació lejos de su casa, en Belén. María y José tuvieron que escapar rápidamente a otro país para proteger a su hijo Jesús del rey Herodes. Herodes temía que Jesús fuera el Mesías largamente esperado y quería matarlo. María vio a muchas personas rechazar el mensaje de amor de su hijo, y padeció a los pies de la cruz cuando Jesús murió.

En los momentos difíciles y tristes, María siempre creyó en su Hijo. Actuó con valor y se preocupó por los demás. María también puede ser un modelo para ti en los momentos tristes de tu vida.

❓ ¿Qué otras personas son modelos en tu vida?

Celebremos a María

Juntos

Hagan la señal de la cruz.

Líder: Bendito sea Dios.

Todos: Bendito sea Dios por siempre.

Canten juntos.

Tómame tal como soy,
muéstrame tu voluntad.
Sella hoy mi corazón
   y vive en mí.

"Take, O Take Me As I Am" © 1994, Iona Community,
GIA Publications, Inc., agent

Líder: Oremos juntos por la misericordia de Dios.

Señor Jesús, tú nos perdonas y nos rescatas del
dolor del pecado.
Señor, ten piedad.

Todos: Señor, ten piedad.

Líder: Cristo Jesús, nos diste a María como modelo de
valor y de paciencia.
Cristo, ten piedad.

Todos: Cristo, ten piedad.

Líder: Señor Jesús, al recordar el dolor de María,
expresamos dolor por nuestra falta de amor.
Señor, ten piedad.

Todos: Señor, ten piedad.

Líder: Oremos.

Inclinen la cabeza mientras el líder reza.

Todos: Amén.

Escucha la Palabra de Dios

Lector: Lectura del santo Evangelio según san Lucas.

Lean Lucas 22, 2–35
Palabra del Señor.

Todos: Gloria a ti, Señor Jesús.

Diálogo

¿Por qué apenó a María el mensaje de Simeón?

Si hubieras estado en el templo, ¿qué pregunta le habrías hecho a Simeón?

Meditación

Siéntense en silencio ante la cruz mientras el líder los guía en una meditación sobre Nuestra Señora de los Dolores.

Líder: Oremos...

Todos: Amén.

¡Evangeliza!

Líder: Vivamos con el espíritu que tenía María de fe, esperanza y amor hacia su Hijo.

Todos: Demos gracias a Dios.

Canten juntos.

Tómame tal como soy,
muéstrame tu voluntad.
Sella hoy mi corazón
   y vive en mí.

"Take, O Take Me As I Am" © 1994, Iona Community, GIA Publications, Inc.

Compasión

María vio a su Hijo sufrir y morir en manos de aquellos que no lo comprendieron. Hoy día, también sentimos dolor cuando vemos que hacen daño a un ser querido. Sin embargo, de tu dolor puede surgir una mayor preocupación y compasión por el sufrimiento que hay en el mundo entero. La compasión por los demás es más poderosa que el dolor. Ese es el mensaje del Evangelio.

? **¿En qué ocasión sentiste dolor al ver sufrir a un ser querido?**

(ACTIVIDAD)

Los misterios dolorosos

Los misterios dolorosos conmemoran cinco acontecimientos de la Pasión de Jesús. Cada misterio te puede enseñar también una virtud que te fortalecerá como cristiano. En una hoja aparte, haz un dibujo sobre los misterios dolorosos, o representa una manera de aprender a vivir su virtud. Reza un misterio del rosario el martes o el viernes de esta semana y reflexiona sobre el misterio que elegiste:

- La oración en el huerto (arrepentimiento)
- La flagelación (pureza)
- La coronación de espinas (valor)
- Jesús con la cruz a cuestas (paciencia)
- La crucifixión (sacrificio).

Sorrowful Mother

The Church honors Mary in every season of the year. The feast days of Mary often remember happy events in Mary's life, such as the day of her birth or her Assumption into heaven. But on September 15 during Ordinary Time, the Church honors Mary as Our Lady of Sorrows. This feast is a time to recall some of the sorrows in Mary's life.

Mary, Our Model of Faith

There were sad times in Mary's life. Her son was born far from her home, in Bethlehem. Mary and Joseph had to travel quickly to another country to protect the child Jesus from King Herod. Herod feared that Jesus was the long-awaited Messiah and wanted to kill him. Mary watched as many rejected her Son's message of love. And she stood sorrowfully at the foot of the cross as he died.

In difficult and sad times, Mary always believed in her Son. She acted with courage and cared for others. Mary can be a model for you, too, in the sad times of your life.

❓ **Who are some other role models in your life?**

Celebrate Mary

Gather

Pray the Sign of the Cross together.

Leader: Blessed be God.

All: **Blessed be God forever.**

Sing together.

Take, O take me as I am;
summon out what I shall be;
Set your seal upon my heart
    and live in me.

"Take, O Take Me As I Am" © 1994, Iona Community,
GIA Publications, Inc., agent

Leader: Let us pray together for God's mercy.

Lord Jesus, you forgive us and rescue us from
the pain of sin.
Lord, have mercy.

All: **Lord, have mercy.**

Leader: Christ Jesus, you have given us Mary as
a model of courage and patience.
Christ, have mercy.

All: **Christ, have mercy.**

Leader: Lord Jesus, as we remember Mary's sorrows,
we express sorrow for our failure to love.
Lord, have mercy.

All: **Lord, have mercy.**

Leader: Let us pray.

Bow your heads as the leader prays.

All: **Amen.**

Listen to God's Word

Reader: A reading from the holy Gospel according to Luke.

Read Luke 2:22–35.

The Gospel of the Lord.

All: **Praise to you, Lord Jesus Christ.**

Dialogue

Why did Simeon's message cause Mary sorrow?

If you had been in the Temple, what question would you have asked Simeon?

Meditation

Sit in silence before the cross as the leader leads you in a meditation on Our Lady of Sorrows.

Leader: Let us pray . . .

All: **Amen.**

Go Forth!

Leader: Let us go forth in Mary's spirit of faith, hope, and love for her Son.

All: **Thanks be to God.**

Sing together.

Take, O take me as I am;
summon out what I shall be;
set your seal upon my heart
    and live in me.

"Take, O Take Me As I Am" © 1994, Iona Community,
GIA Publications, Inc.

Compassion

Mary watched as her Son suffered and died at the hands of those who did not understand him. Sorrow is still felt today whenever someone sees a loved one hurting. But from your sorrow can grow greater caring and compassion for the suffering of the whole world. Compassion for others is more powerful than pain. That is the message of the gospel.

❓ **When have you felt sorrow when someone you loved was hurting?**

(ACTIVITY)
The Sorrowful Mysteries

The Sorrowful Mysteries name five events in Jesus' Passion. Each mystery can also teach you a virtue that will make you a stronger Christian. On separate paper, make a drawing of one of the Sorrowful Mysteries, or show a way that you can learn and live its virtue. Pray a decade of the Rosary on Tuesday or Friday of this week and reflect on the mystery you chose:

- The Agony in the Garden (repentance)
- The Scourging at the Pillar (purity)
- The Crowning with Thorns (courage)
- Carrying the Cross (patience)
- The Crucifixion (self-denial)

Preparémonos para Jesús

La Iglesia celebra el tiempo de Adviento durante las cuatro semanas que preceden a la Navidad. El Adviento es un tiempo de espera y preparación para la segunda venida de Jesús. También es un tiempo para hacer un examen de conciencia y ver cómo puedes ser mejor discípulo de Jesús. El color del tiempo de Adviento es el morado, que simboliza la penitencia.

Abre tu corazón

Las semanas que preceden a la Navidad suelen ser tiempo de hacer listas de cosas que deseas, de adornar el árbol de Navidad, o de comprar regalos. Sin embargo, la Iglesia dedica tiempo a hacer más cosas. Los católicos se preparan para la Navidad reflexionando sobre el don de la Encarnación. Dios envió a su único Hijo para que se convirtiera en el Salvador de todas las personas.

Rezar con tu familia una oración diaria ante la corona de Adviento te da tiempo para reflexionar sobre el amor de Jesús. Los pequeños actos de sacrificio y penitencia te pueden ayudar a abrir el corazón a Jesús y a mostrar más amor por los demás.

❓ **¿Cómo puedes prepararte para la venida de Jesús?**

Celebremos el Adviento

Juntos

Canten juntos el estribillo.

¡Ven, oh Señor, cambia mi corazón!
Dios con nosotros, Emanuel.

"Come, O Lord" © 1997, GIA Publications, Inc.

Hagan la señal de la cruz.

Líder: Nuestro auxilio es el nombre del Señor.

Todos: Que hizo el cielo y la tierra.

Líder: Oremos.

Inclinen la cabeza mientras el líder reza.

Todos: Amén.

Arrodíllense e inclínense cuando se indique.

Yo confieso (inclínense) ante Dios Todopoderoso,
y ante ustedes hermanos que he pecado mucho
(inclínense) de pensamiento, palabra, obra
y omisión.

Por mi culpa, por mi culpa, por mi gran culpa. Por
eso ruego a santa María, siempre Virgen, a los
ángeles y a los santos, y a ustedes hermanos
(inclínense) que intercedan por mí ante Dios,
Nuestro Señor.

Líder: Dios Todopoderoso ten piedad de nosotros, perdona
nuestros pecados y concédenos la vida eterna.

Todos: Amén.

Escucha la Palabra de Dios

Lector: Lectura del santo Evangelio según san Marcos.

Lean Marcos 1, 1–8

Palabra del Señor.

Todos: Gloria a ti, Señor Jesús.

Diálogo

¿Cómo dijo Juan a la gente que se preparara para la venida del Mesías?

¿Qué significa arrepentirse?

Alcen las manos en oración

Siéntense en silencio ante la corona y reflexionen sobre cómo van a tratar de cambiar su vida.

Líder: Señor, queremos que tu Espíritu cambie nuestra vida y nos prepare para tu venida. Permanece entre nosotros mientras rezamos.

Pónganse en pie, alcen las manos y recen la Oración del Señor.

Líder: Ofrezcámonos unos a otros un saludo de paz como símbolo de nuestro deseo de cambiar nuestra vida.

Salúdense unos a otros dándose la paz.

¡Evangeliza!

Líder: Preparemos el camino del Señor.

Todos: Demos gracias a Dios.

El sendero del amor

Juan dijo a los que esperaban al Mesías que tendrían que cambiar. Dijo: "Preparen el camino del Señor, enderecen sus senderos". (*Marcos 1,3*).

 ¿Qué cambios puedes realizar para enderezar tu sendero y acercarte a Jesús?

ACTIVIDAD
Muestra tu amor

Haz un libro de cupones de actos de amor que puedes hacer por los miembros de tu familia. Puedes incluir cosas como leerle un libro a tu hermanito, bañar al perro sin quejarte, limpiar tu habitación o tomar el turno de otro para lavar los platos. Cada día de esta semana, entrégale un cupón a un miembro de tu familia.

Prepare for Jesus

The Church celebrates the Season of Advent for the four weeks before Christmas. Advent is a time of waiting and preparing for Jesus' second coming. Advent is a time to look into your heart and see how you can be a better follower of Jesus. The Advent seasonal color of purple stands for penance.

Change Your Heart

The weeks before Christmas are often a time for making wish lists, decorating the tree, or shopping for presents. However, the Church takes time to do more. Catholics prepare for Christmas by reflecting on the gift of the Incarnation. God sent his only Son to be the Savior of all people.

Taking time for daily prayer before the Advent wreath with your family gives you time to reflect on Jesus' love. Small acts of sacrifice and penance can help you to turn your heart toward Jesus and to show greater love for others.

❓ **How can you prepare for Jesus' coming?**

Celebrate Advent

Gather

Sing together the refrain.

Come, O Lord, change our hearts!
Emmanuel, God is with us.

"Come, O Lord" © 1997, GIA Publications, Inc.

Pray the Sign of the Cross together.

Leader: Our help is in the name of the Lord.

All: **Who made heaven and earth.**

Leader: Let us pray.

Bow your heads as the leader prays.

All: **Amen.**

I confess to almighty God
and to you, my brothers and sisters,
that I have greatly sinned,
in my thoughts and in my words,
in what I have done
and in what I have failed to do,

Gently strike your chest with a closed fist.

through my fault, through my fault,
through my most grievous fault;

Continue:

therefore I ask blessed Mary ever-Virgin,
all the Angels and Saints,
and you, my brothers and sisters,
to pray for me to the Lord our God.

Leader: May almighty God have mercy on us, forgive us
our sins, and bring us to everlasting life.

All: **Amen.**

Listen to God's Word

Reader: A reading from the holy Gospel according to Mark.

Read Mark 1:1–8.
The Gospel of the Lord.

All: **Praise to you, Lord Jesus Christ.**

Dialogue

How did John tell the people to prepare for the coming of the Messiah?

What does it mean to repent?

Raise Hands in Prayer

Sit before the wreath in silence and reflect on ways you will try to change your heart.

Leader: Lord, we want your Spirit to change our hearts and prepare for your coming. Be with us as we pray.

Stand, raise your hands, and pray the Lord's Prayer.

Leader: Let us offer one another a greeting of peace as a sign of our desire to change our hearts.

All exchange a sign of peace.

Go Forth!

Leader: Let us go forth to prepare the way of the Lord.

All: **Thanks be to God.**

The Path of Love

John told the people who were waiting for the Messiah that they would have to change. He said, "Prepare the way of the Lord, make straight his paths" (*Mark 1:3*).

❓ **What changes can you make that will straighten your path and bring you closer to Jesus?**

ACTIVITY

Show Your Love

Make a coupon book of loving actions you can do for members of your family. You might include things like reading a book to a younger sibling, washing the dog without complaining, cleaning up your room, or taking someone's turn doing the dishes. Give one person in your family a coupon each day this week.

El mayor don de Dios

El tiempo litúrgico de la Navidad comienza con la Misa del Gallo, el 24 de diciembre, y dura casi tres semanas. La fiesta de la Epifanía se celebra a mediados del tiempo de Navidad. El tiempo finaliza en enero con la fiesta del Bautismo del Señor, el domingo después de la Epifanía.

La palabra *Epifanía* significa "manifestación". En la Epifanía, la Iglesia recuerda la visita de los tres Reyes Magos al Niño Jesús.

Los Reyes Magos partieron de tierras remotas siguiendo una estrella brillante para encontrar al Niño Jesús, lo honraron y glorificaron a Dios. La Epifanía celebra la creencia de que Jesús vino a la tierra para salvarnos a todos.

Regalos preciosos

Para honrar al Salvador y mostrarle su devoción, los Reyes Magos le llevaron regalos de oro, incienso y mirra. El regalo del oro, un metal precioso, demostraba que creían que Jesús era digno del más alto honor. El incienso, de aroma agradable, representaba la santidad de Jesús. La mirra es un símbolo de conservación y salvación. Este regalo era signo de que Jesús moriría por la salvación de toda la humanidad.

❓ **¿Qué regalos de devoción y de adoración puedes ofrecerle a Jesús?**

Celebremos la navidad

Juntos

Hagan la señal de la cruz.

Líder: Alabado sea el nombre del Señor.

Todos: Ahora y siempre.

Canten juntos el estribillo.

Oh, bella estrella de amor
grande es tu fuerza y tu fulgor,
tu sendero aún nos lleva
al eterno esplendor.

"We Three Kings of Orient Are". Tradicional.

Líder: Oremos.

Inclinen la cabeza mientras el líder reza.

Todos: Amén.

Escucha la Palabra de Dios

Lector: Lectura del santo Evangelio según san Mateo.

Lean Mateo 2, 9–11.
Palabra del Señor.

Todos: Gloria a ti, Señor Jesús.

Diálogo

¿Por qué honraron los Reyes Magos al Niño Jesús?

¿Cómo honras a Jesús hoy día?

Procesión de regalos

Líder: Ante él se postrarán todos los reyes, y le servirán todas las naciones.

Salmo 72, 11

Todos: Todas las naciones te adorarán.

Canten mientras avanzan en procesión llevando las estatuas de los tres reyes. Coloquen las estatuas y sus promesas de Navidad en el nacimiento.

¡Evangeliza!

Líder: Llevemos los regalos navideños de la paz, el amor y la alegría a todas las personas con las que nos encontremos.

Todos: Demos gracias a Dios.

Canten juntos el estribillo.

Oh, bella estrella de amor
grande es tu fuerza y tu fulgor,
tu sendero aún nos lleva
al eterno esplendor.

"We Three Kings of Orient Are" Traditional

Los dones de Jesús

La estrella guió a los Reyes Magos hasta Jesús. Los tres Reyes adoraron a Jesús, la Luz del Mundo, llevándole regalos dignos de un rey. Jesús te da los mismos regalos o dones que le dieron. Al convertirse en uno de nosotros, Jesús dio a todos los seres humanos la oportunidad de salvarse (mirra), de ser santos (incienso) y de recibir honores (oro).

? **¿De qué maneras has visto en acción los dones de Jesús de la salvación, la santidad y la dignidad en el mundo?**

ACTIVIDAD

Hagan un mural en grupo

Hagan un mural en grupo titulado "Regalos para todos". Dibujen una manera en que llevarán el mensaje de Jesús a los demás en las próximas semanas.

God's Greatest Gift

The Church's Season of Christmas begins with the Mass of Christmas Eve on December 24 and continues for almost three weeks. The feast of Epiphany comes in the middle of the Christmas season. The season ends in January with the feast of the Baptism of the Lord, the Sunday after Epiphany.

The word *Epiphany* means "showing forth." On Epiphany the Church remembers the visit of the three Magi, often called wise men, to the infant Jesus.

The Magi came from distant lands, followed a bright star to find the infant Jesus, honored him, and gave glory to God. Epiphany celebrates the belief that Jesus came to earth to save everyone.

Precious Gifts

To honor the Savior and show him reverence, the Magi brought him gifts of gold, frankincense, and myrrh. The gift of gold, a precious metal, showed that they thought of Jesus as worthy of the highest honor. Frankincense, an incense with a pleasing smell, represented the holiness of Jesus. Myrrh is a symbol of preserving and saving. This gift was a sign that Jesus would die for the salvation of all people.

❓ **What gifts of reverence and worship can you offer Jesus?**

Celebrate Christmas

Gather

Pray the Sign of the Cross together.

Leader: Blessed be the name of the Lord.

All: **Now and forever.**

Sing together the refrain.

O star of wonder, star of night,
Star with royal beauty bright,
Westward leading, still proceeding,
Guide us to thy perfect Light.

"We Three Kings of Orient Are" Traditional

Leader: Let us pray.

Bow your heads as the leader prays.

All: **Amen.**

Listen to God's Word

Reader: A reading from the holy Gospel according to Matthew.

Read Matthew 2:9–11.
The Gospel of the Lord.

All: **Praise to you, Lord Jesus Christ.**

Dialogue

Why did the Magi honor the child Jesus?

How do you honor Jesus today?

Procession of Gifts

Leader: May all kings bow before him,
all nations serve him.

Psalm 72:11

All: **Every nation will adore you.**

Sing as you walk in procession, carrying the statues of the three kings. Place the statues and your Christmas promises in the crèche.

Go Forth!

Leader: Let us go forth to bring the Christmas gifts of peace, love, and joy to all we meet.

All: **Thanks be to God.**

Sing together the refrain.

O star of wonder, star of night,
Star with royal beauty bright,
Westward leading, still proceeding,
Guide us to thy perfect Light.

"We Three Kings of Orient Are" Traditional

Gifts from Jesus

The star led the Magi to Jesus. They worshipped Jesus, the light of the world, bringing him gifts for a king. The gifts given to Jesus, he gives to you. By becoming one of us, Jesus brought all people the opportunity to be saved (myrrh), to be holy (frankincense), and to be honored (gold).

? **In what ways have you seen Jesus' gifts of salvation, holiness, and dignity at work in the world?**

ACTIVITY

Make a Group Mural

Make a group mural titled "Gifts for All." Draw a way that you will bring the message of Jesus to others in the weeks ahead.

Llamados a liderar

La Iglesia celebra las fiestas de muchos santos durante el Tiempo Ordinario. La fiesta de la conversión de San Pablo celebra un acontecimiento importante de su vida y de la vida de la Iglesia. La Iglesia conmemora la conversión de San Pablo el 25 de enero.

Un cambio de vida

Pablo nació siendo judío en la época de Jesús. Su nombre judío era Saulo. Pablo era un judío fiel y le preocupaba que, tras la muerte de Jesús, el número de discípulos de Jesús era cada vez mayor. Consideraba que estos discípulos eran una amenaza para sus creencias judías tradicionales, y comenzó a llevarlos ante las autoridades para que los arrestaran.

Todo cambió cuando Pablo se encontró con Jesús cuando viajaba hacia Damasco para castigar a algunos cristianos. En el camino, experimentó a Cristo Resucitado en una visión. Jesús le dijo: "Saulo, Saulo, ¿por qué me persigues?" (*Hechos de los Apóstoles*, 22, 7). Aquella experiencia cambió el rumbo de su vida.

Pablo se convirtió en una figura central para el crecimiento de la Iglesia en sus orígenes. Como conoció al Cristo Resucitado al igual que los Apóstoles, también se le considera Apóstol. Sus viajes como misionero, sus numerosas cartas y la fuerza de sus prédicas contribuyeron a extender el cristianismo por todo el mundo.

❓ ¿De qué maneras predica tu parroquia la Buena Nueva?

40

Celebremos a Pablo

Juntos

Hagan la señal d e la cruz.

Líder: Nuestro auxilio es en el nombre del Señor.

Todos: Que hizo el cielo y la tierra.

Canten juntos el estribillo.

Los grandes, los chicos,
las madres, los padres,
hermanas y hermanos.
La familia de Dios.

"All Grownups, All Children" © 1997, GIA Publications, Inc.

Líder: Oremos.

Inclinen la cabeza mientras el líder reza.

Todos: Amén.

Escucha la Palabra de Dios

Lector: Lectura de los Hechos de los Apóstoles.

Lean Hechos de los Apóstoles 9, 19b–22.
Palabra del Señor.

Todos: Te alabamos, Señor.

Diálogo

¿Cómo cambió Pablo a raíz de su encuentro con Cristo Resucitado?

¿Qué dones llevó san Pablo a la Iglesia?

La señal sobre los sentidos

Pasen al frente uno por uno para que el líder les haga la señal de la cruz de salvación en sus ojos, labios y manos. Después de que cada persona pase, digan lo siguiente.

Todos: ¡Cristo será tu fortaleza!
¡Aprende a conocerlo y a seguirlo!

GIA Publications

Cuando les hayan hecho la señal sobre los sentidos, inclinen la cabeza mientras el líder reza.

Líder: Señor Jesús, nos ponemos por entero bajo la señal de tu cruz, en el nombre del Padre, del Hijo y del Espíritu Santo.

Todos: Amén.

¡Evangeliza!

Líder: Con el espíritu de san Pablo, llevemos a todos el mensaje de Jesús.

Todos: Demos gracias a Dios

La ayuda del Espíritu Santo

San Pablo conocía su debilidad y rezaba para que el Espíritu Santo le concediera los dones necesarios para comunicar el mensaje de Jesús a los demás. Tú estás llamado a hacer lo mismo. A veces será fácil, pero otras veces será muy difícil. En cualquier caso, el Espíritu Santo siempre estará contigo.

❓ **¿De qué maneras puedes guiar a los demás para que conozcan la Buena Nueva de Jesús?**

ACTIVIDAD
Palabras de fe

Las cartas de san Pablo a las comunidades cristianas que había fundado las alentaban a incrementar su fe en Jesús y a vivir el Evangelio. Diseña una tarjeta y escribe un mensaje para otro cristiano. Recuérdale la Buena Nueva de Jesús.

Called to Leadership

The Church celebrates the feasts of many saints during Ordinary Time. The feast of the conversion of Saint Paul highlights an important event in his life and in the life of the Church. The Church celebrates Saint Paul's conversion on January 25.

A Change of Heart

Paul was born a Jew in Jesus' time. His Jewish name was Saul. Paul was a faithful Jew, and he worried as he watched the growth in numbers of Jesus' followers after Jesus' death. He saw these disciples as a threat to his traditional Jewish beliefs. Paul began bringing them to the authorities in order to arrest them.

Everything changed when Paul met Jesus on the road to Damascus. He was traveling there to punish some Christians. Instead he experienced the Risen Christ in a vision. Jesus said to him, "Saul, Saul, why are you persecuting me?" (*Acts 22:7*). After that Paul changed his ways.

Paul became a central figure in the growth of the early Church. Because he met the Risen Christ as the Apostles did, he is called an Apostle, too. His missionary journeys, his many letters, and the power of his preaching helped Christianity to spread far and wide in the world.

? **What are some ways your parish preaches the good news?**

Celebrate Paul

Gather

Pray the Sign of the Cross together.

Leader: Our help is in the name of the Lord.

All: **Who made heaven and earth.**

Sing together the refrain.

All grownups, all children,
   all mothers, all fathers
Are sisters and brothers in the fam'ly of God.

"All Grownups, All Children" © 1997, GIA Publications, Inc.

Leader: Let us pray.

Bow your heads as the leader prays.

All: **Amen.**

Listen to God's Word

Reader: A reading from the Acts of the Apostles.

Read Acts 9:19b–22.
The word of the Lord.

All: **Thanks be to God.**

Dialogue

How did Paul change as a result of meeting the Risen Christ?

What gifts did Saint Paul bring to the Church?

Signing of the Senses

Step forward one by one as the leader signs your eyes, lips, and hands with the cross of salvation. After each person is signed, say the following.

All: **Christ will be your strength!**
          Learn to know and follow him!

GIA Publications

After the signing of the senses, bow your head as the leader prays.

Leader: Lord Jesus, we place ourselves entirely
          under the sign of your cross, in the
          name of the Father, and of the Son,
          and of the Holy Spirit.

All: **Amen.**

Go Forth!

Leader: Let us go forth in the spirit of Saint Paul
          to bring the message of Jesus to all.

All: **Thanks be to God.**

The Help of the Holy Spirit

Saint Paul knew his weakness, and prayed that the Holy Spirit would give him the gifts he needed to share the message of Jesus with others. You are called to do the same. Sometimes it will be easy, and sometimes it may be very difficult. But the Holy Spirit is always with you.

❓ **In what ways can you lead others to know the good news of Jesus?**

(ACTIVITY)

Words of Faith

Saint Paul's letters to the Christian communities he started encouraged them to increase their faith in Jesus and to live the gospel. Design a note card and write a message to another Christian. Remind him or her of the good news of Jesus.

Un espíritu generoso

Los árboles y las vides pueden crecer de forma descontrolada si nadie los cuida. Producen fruta amarga o demasiado pequeña para comerla. Por eso es importante podar los árboles y las vides. *Podar* significa cortar las ramas muertas y enfermas para que pueda crecer la mejor fruta. Los árboles y las vides también necesitan gran cantidad de tierra, agua y luz.

Disciplina espiritual

Durante el tiempo de Cuaresma, la Iglesia te recuerda que hace falta una buena poda para que brote un buen fruto. Como discípulo de Jesús, puedes producir buenos frutos si podas tus malas costumbres y tu egoísmo. Entonces podrá crecer en ti el buen fruto del amor, la caridad y el perdón.

La oración, el ayuno y la limosna son las tres prácticas principales de la Cuaresma. Son las prácticas de los discípulos de Jesús. La oración es la base de toda disciplina espiritual. Es como la tierra que necesita un árbol para crecer. Te proporciona alimento espiritual y profundiza tu relación con Dios.

❓ **¿Qué cosas podrías podar para crecer como discípulo de Jesús?**

Celebremos la Cuaresma

Juntos

Canten juntos.

Señor, escúchame,
Señor, escúchame:
respóndeme cuando te clamo.
Señor, escúchame,
Señor, escúchame.

"O Lord, Hear My Prayer" © 1982, Les Presses de Taizé,
GIA Publications, Inc., agent

Hagan la señal de la cruz.

Líder: Señor, abre mis labios.

Todos: Y mi boca proclamará tu alabanza.

Líder: Oremos.

Alcen las manos mientras el líder reza.

Todos: Amén.

Escucha la Palabra de Dios

Lector: Lectura del santo Evangelio según san Mateo.

Lean Mateo 6, 5–8.
Palabra del Señor.

Todos: Gloria a ti, Señor Jesús.

Diálogo

¿Por qué dice Jesús que es mejor orar en secreto?

¿Cómo te puede ayudar la oración a dar "buenos frutos"?

Arrodíllate en silencio

Pidan a Dios en silencio que los fortalezca para vivir de cara a su amor y para ser fieles al Evangelio.

Oración de los fieles

Líder: Dios no desea nuestra muerte, sino que abandonemos nuestros pecados y tengamos vida. Oremos para dejar de pecar y así dar buenos frutos.

Respondan a cada oración con estas palabras.

Todos: Señor, escucha nuestra oración.

¡Evangeliza!

Líder: Señor, que nuestra oración cuaresmal nos fortalezca para que podamos dar buenos frutos y ser su Buena Nueva.

Todos: Demos gracias a Dios.

Crecer espiritualmente

Tu cuerpo crece día a día. El crecimiento espiritual es tan importante como el crecimiento físico. Así como alimentas tu cuerpo, debes alimentar tu alma. La disciplina espiritual de la oración te fortalece para que puedas evitar el pecado y prepararte para la alegría de la Pascua.

? **¿Cuáles son tus hábitos de oración?**

? **¿Qué plan tienes para fortalecer tu vida de oración durante esta Cuaresma?**

ACTIVIDAD
En buena tierra

En una hoja aparte, dibuja un árbol con sus raíces. Bajo las raíces del árbol, escribe seis formas en que intentarás profundizar tu vida de oración durante la Cuaresma. Prueba una de esas maneras en cada una de las seis semanas de Cuaresma.

An Unselfish Spirit

Trees and vines can grow wild when no one takes care of them. They produce sour fruit or fruit too small to enjoy. That is why it is important to prune trees and vines. *Pruning* means cutting off dead and unhealthy branches so that the best fruit can grow. Trees and vines also require plenty of soil, water, and sunlight.

Spiritual Discipline

During the Season of Lent, the Church reminds you that good pruning is needed to produce good fruit. As a follower of Jesus, you can produce good fruit by cutting away bad habits and selfishness. Then the good fruit of love, sharing, and forgiveness can grow in you.

Prayer, fasting, and almsgiving are the three principal practices of Lent. These are the practices of disciples of Jesus. Prayer is the foundation for all spiritual discipline. It is like the soil a tree needs to grow. It gives you spiritual nourishment and deepens your relationship with God.

❓ What are some things you can prune away to grow as a follower of Jesus?

Celebrate Lent

Gather

Sing together.

O Lord, hear my prayer,
  O Lord, hear my prayer:
when I call answer me.
O Lord, hear my prayer,
  O Lord, hear my prayer,
Come and listen to me.

"O Lord, Hear My Prayer" © 1982, Les Presses de Taizé,
GIA Publications, Inc., agent

Pray the Sign of the Cross together.

Leader: Oh Lord, open my lips.

All: **That my mouth shall proclaim your praise.**

Leader: Let us pray.

Raise your hands as the leader prays.

All: **Amen.**

Listen to God's Word

Reader: A reading from the holy Gospel according to Matthew.

Read Matthew 6:5–8.
The Gospel of the Lord.

All: **Praise to you, Lord Jesus Christ.**

Dialogue

Why does Jesus say that it is better to pray in secret?

How can prayer help you to yield "good fruit"?

Kneel in Silence

Quietly ask God to strengthen you to turn toward his love and to be faithful to the gospel.

Prayer of the Faithful

Leader: God does not desire our death but rather that we should turn from our sins and have life. Let us pray that we may sin no more and so bear good fruit.

Respond to each prayer with these words.

All: **Lord, hear our prayer.**

Go Forth!

Leader: Lord, may our Lenten prayer strengthen us so that we may bear good fruit and be good news.

All: **Thanks be to God.**

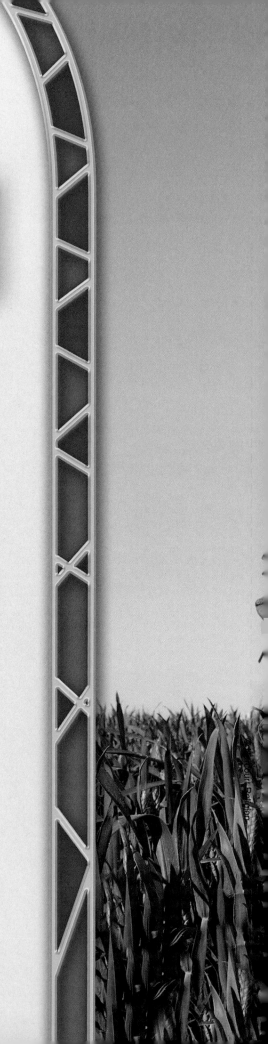

Growing Spiritually

Your body is growing every day. Growing in spirit is equally important. Just as you feed your body, so must your soul be fed. The spiritual discipline of prayer strengthens you so that you can avoid sin and prepare for the joy of Easter.

? **What habits of prayer do you already have?**

? **What is your plan for strengthening your life of prayer during this Lent?**

ACTIVITY

On Good Soil

On a separate piece of paper, draw a tree and its roots. Beneath the roots of the tree, list six ways you could try to deepen your life of prayer during Lent. Try one way during each of the six weeks of Lent.

El siervo sufriente

El Triduo Pascual es la más sagrada de todas las celebraciones. Comienza con la Misa del Jueves Santo, sigue el Viernes Santo, continúa con la Vigilia Pascual y termina con la oración vespertina del Domingo de Pascua. El Viernes Santo, la Iglesia recuerda el sufrimiento que padeció Jesús por el bien de la humanidad.

La cruz

El camino de Jesús con la cruz a cuestas desde el lugar en que lo condenaron hasta el lugar donde lo crucificaron se conoce como Viacrucis. Fue un momento de dolor físico y emocional. Los romanos usaban la crucifixión como instrumento de castigo y muerte. Sin embargo, por medio de Jesús, la cruz se convirtió en el símbolo de una nueva vida.

Por la muerte de Jesús en la cruz y por su Resurrección a la nueva vida, tú recibes el perdón de Dios y compartes su vida.

Hoy día, la cruz es un símbolo del amor de Jesús por todos nosotros. La cruz puede inspirarte a amar, tanto con palabras como con acciones. Cada vez que transmites paz y amor, estás celebrando la victoria de Jesús en la cruz.

❓ **¿Dónde ves cruces?**

Celebremos el Triduo Pascual

Juntos

Hagan la señal de la cruz.

Líder: Señor, abre mis labios.

Todos: Y mi boca proclamará tu alabanza.

Canten juntos.

¡Oh, qué bueno es Jesús!
En la cruz por mí murió.
En tres días resucitó. ¡Gloria al Señor!
¡Gloria al Señor! ¡Gloria al Señor!
En tres días resucitó. ¡Gloria al Señor!

"O How Good Is Christ the Lord". Canción tradicional de Puerto Rico.

Líder: Oremos.

Inclinen la cabeza mientras el líder reza.

Todos: Amén.

Escucha la Palabra de Dios

Lector: Lectura del libro del profeta Isaías.

Lean Isaías 53, 10b–12
Palabra de Dios.

Todos: Te alabamos, Señor.

Diálogo

El libro de Isaías se escribió mucho antes del nacimiento de Jesús. ¿Por qué crees que la Iglesia lee este pasaje el Viernes Santo?

Oración de los fieles

Luego de cada oración, arrodíllense un momento en silencio. Después levántense cuando el líder rece.

Adoración de la Santa Cruz

Líder: Mirad el árbol de la Cruz donde estuvo clavado Cristo, el Salvador del mundo.

Todos: Venid y adoremos.

Pónganse en pie y digan la siguiente aclamación tres veces, haciendo una inclinación profunda primero a la izquierda, después a la derecha y por último al centro, siempre de frente a la cruz.

Todos: Santo Dios.
Santo, fuerte.

Acérquense en silencio, de uno en uno, y muestren devoción ante la cruz inclinándose, besando la cruz u ofreciendo algún otro signo de devoción.

¡Evangeliza!

Líder: Confesando que Jesús es el Señor para gloria de Dios, vayamos en la paz de Cristo.

Todos: Demos gracias a Dios.

Márchense en silencio.

Una nueva vida

El pasaje del libro de Isaías se escribió mucho antes de que naciera Jesús. Isaías decía que, algún día, uno de los siervos de Dios padecería por los pecados de muchos. Jesús sufrió y murió para liberar a todas las personas del pecado, y para que todos pudieran volver a vivir en amistad con Dios. Por eso la Iglesia llama a Jesús el Siervo Sufriente.

❓ ¿De qué maneras puedes imitar el amor de Jesús con palabras y acciones?

ACTIVIDAD

Una cruz de flores

Haz pétalos de flores con cartulina o con papel de seda de colores. Escribe en los pétalos algún acto de bondad o de sacrificio que vas a hacer durante el Triduo Pascual. Pega las flores en una cruz de cartón. La cruz de flores te recordará que el camino de la cruz conduce a la vida.

The Suffering Servant

The Triduum is the holiest of all celebrations. It starts with the Holy Thursday Mass, moves into Good Friday, continues through the Easter Vigil, and ends with evening prayer on Easter Sunday. On Good Friday the Church remembers the suffering Jesus endured for the sake of every person.

The Cross

Jesus' journey carrying his cross from the place he was condemned to the place where he was crucified is called the Way of the Cross. It was a time of physical and emotional pain. The Romans used the crucifixion as an instrument of punishment and death. Yet through Jesus the cross became a sign of new life.

Because of Jesus' death on the cross and his Resurrection to new life, you receive forgiveness and share in God's life.

Today, the cross is a symbol of Jesus' love for all. The cross can inspire you to love in both word and action. Whenever you spread peace and love, you celebrate Jesus' victory on the cross.

❓ **Where do you see crosses?**

Celebrate Triduum

Gather

Pray the Sign of the Cross together.

Leader: O Lord, open my lips.

All: **That my mouth may proclaim your praise.**

Sing together.

O how good is Christ the Lord!
On the cross he died for me.
In three days he rose again. Glory be to Jesus!
Glory be to Jesus! Glory be to Jesus!
In three days he rose again. Glory be to Jesus!

"O How Good Is Christ the Lord" Puerto Rican traditional

Leader: Let us pray.

Bow your heads as the leader prays.

All: **Amen.**

Listen to God's Word

Reader: A reading from the Book of the prophet Isaiah.

Read Isaiah 53:10–12.
The word of the Lord.

All: **Thanks be to God.**

Dialogue

The Book of Isaiah was written long before the birth of Jesus. Why do you think the Church reads this passage on Good Friday?

Prayer of the Faithful

After each prayer, kneel for a moment in silent prayer, then stand as the leader prays.

Honor the Cross

Leader: This is the wood of the cross,
on which hung the Savior of the world.

All: **Come. Let us worship.**

Stand and say the following acclamation three times, bowing deeply first to the left, then to the right, then to the center, always facing the cross.

All: **Holy is God!**
Holy and Strong!

Step forward in silence, one by one, and reverence the cross by bowing, kissing the cross, or offering some other sign of reverence.

Go Forth!

Leader: Confessing that Jesus is Lord to the glory of God, go forth in the peace of Christ.

All: **Thanks be to God.**

Depart in silence.

New Life

The passage from the Book of Isaiah was written long before Jesus was born. Isaiah told the people that someday one of God's servants would suffer for the sins of many. Jesus suffered and died to free all people from sin and to bring them back to God's friendship. That is why the Church calls Jesus the Suffering Servant.

❓ What are some ways you can imitate the love of Jesus in word and action?

ACTIVITY

A Flower Cross

Make flower petals out of art paper or colored tissue. Write on the flower petals some act of kindness or sacrifice that you will do during the Triduum. Glue the flowers onto a cardboard cross. Let your flower-cross be a reminder of your faith that the way of the cross leads to life.

La Luz del Mundo

En la Pascua, la Iglesia celebra la Resurrección de Jesús. Cuando Jesús resucitó de entre los muertos al tercer día, venció al poder del pecado y de la muerte. La Iglesia celebra la Pascua durante cincuenta días, desde el Domingo de Resurrección hasta Pentecostés.

El tiempo de Pascua es un período de gozo y alegría. Se vuelven a cantar aleluyas. Las iglesias se llenan de flores y plantas, signos de la nueva vida que trae Cristo. Los coros cantan "¡Gloria a Dios!" y el altar se cubre con una tela blanca. Todos estos son signos de la luz que Jesús trae al mundo.

La luz en la oscuridad

En el hemisferio norte, la Pascua llega en un momento en que la oscuridad del invierno ya ha dado paso a la primavera. Aparecen hojas en los árboles y florecen las plantas. La primavera es una estación de vida nueva.

La Resurrección de Jesús es un signo de la nueva vida que surge con la luz brillante del sol. Jesús triunfó sobre el egoísmo que aleja a las personas de Dios. Convirtió la oscuridad del pecado en la luz del amor. Por eso a Jesús se le conoce también como la Luz del Mundo.

❓ **¿De qué maneras es Jesús una luz para ti?**

Celebremos la Pascua

Juntos

Hagan la señal de la cruz.

Líder: La luz y la paz en Jesucristo nuestro Señor, aleluya.

Todos: Demos gracias a Dios, aleluya.

Lector: ¡Cristo es nuestra luz en la oscuridad!

Todos: Aleluya, aleluya, aleluya.

Lector: ¡Cristo nos muestra el camino del amor y de la luz!

Todos: Aleluya, aleluya, aleluya.

Lector: ¡Cristo es el Camino, la Verdad y la Vida!

Todos: Aleluya, aleluya, aleluya.

Líder: Oremos.

Inclinen la cabeza mientras el líder reza.

Todos: Amén, Aleluya.

Escucha la Palabra de Dios

Lector: Lectura del santo Evangelio según san Mateo.

Lean Mateo 28, 1–10.
Palabra del Señor.

Todos: Gloria a ti, Señor Jesús.

Diálogo

¿Qué fue lo primero que pensaste al escuchar este pasaje del Evangelio?

¿Qué dijo Jesús a las mujeres?

Bendecir con agua bendita

Acérquense e inclínense ante el cirio Pascual.
Después metan la mano en el agua bendita y hagan
la señal de la cruz.

 Canten juntos el estribillo.

¡Aleluya, aleluya, aleluya!

"Easter Alleluia" © 1986, GIA Publications, Inc.

Líder: Oremos.

Inclinen la cabeza mientras el líder reza.

Todos: **Amén.**

¡Evangeliza!

Líder: ¡Comuniquemos la Buena Nueva
de la Resurrección de Cristo,
nuestra luz!

Todos: **Demos gracias a Dios. ¡Aleluya!**

Deja que brille tu luz

    ¿Te diste cuenta alguna vez de que, en una noche oscura, lejos de las luces de la ciudad, las estrellas parecen más brillantes? De igual modo, la luz de Cristo ilumina la oscuridad del mundo. En medio de la tristeza y la violencia, la luz de Cristo brilla con más fuerza. En medio de la soledad o del rechazo está la luz del amor de Cristo para confortar al corazón que sufre.

❓ ¿Qué cosas puedes hacer para ayudar a los demás a conocer la luz del amor de Cristo?

⟨ACTIVIDAD⟩
La Luz del mundo

Haz una vela de Cristo con cartulina. Adórnala con símbolos de Jesús como la Luz del Mundo. Dibuja siete rayos de luz que irradien de la llama de la vela. En los rayos, escribe cosas que tú y tu familia puedan hacer cada semana durante el tiempo de Pascua para llevar la luz de Cristo a su barrio y a su comunidad. Cuéntale tus ideas a tu familia.

Light of the World

On Easter the Church celebrates Jesus' Resurrection. When Jesus was raised from the dead on the third day, he conquered the power of sin and death. The Church celebrates Easter for fifty days from Easter Sunday to Pentecost.

The Easter season is one of joy and gladness. Alleluias are sung once again. Flowers and plants fill the churches, signs of the new life Christ brings. Choirs sing Glory to God! and the altar is draped in white cloth. All are signs of the light that Jesus brings into the world.

Light in the Darkness

In the northern hemisphere, Easter comes at a time when the darkness of winter has given way to spring. Leaves appear on trees and flowers blossom. Spring is a season of new life.

Jesus' Resurrection is a sign of the new life that bursts forth in the bright light of the sun. Jesus triumphed over the selfishness that leads people away from God. He turned the darkness of sin into the light of love. That is why Jesus is called the Light of the World.

 What are some ways Jesus is light for you?

Celebrate Easter

Gather

Pray the Sign of the Cross together.

Leader: Light and peace in Jesus Christ our Lord. Alleluia.

All: **Thanks be to God, alleluia.**

Reader: Christ is our light in the darkness!

All: **Alleluia, alleluia, alleluia.**

Reader: Christ shows us the path of love and light!

All: **Alleluia, alleluia, alleluia.**

Reader: Christ is the Way, the Truth, and the Life!

All: **Alleluia, alleluia, alleluia.**

Leader: Let us pray.

Bow your heads as the leader prays.

All: **Amen, Alleluia.**

Listen to God's Word

Reader: A reading from the holy Gospel according to Matthew.

Read Matthew 28:1–10.
The Gospel of the Lord.

All: **Praise to you, Lord Jesus Christ.**

Dialogue

What was your first thought as you heard this gospel?

What did Jesus tell the women?

Blessing with Holy Water

*Step forward and bow before the Easter candle.
Then dip your hand in the blessed water and make
the Sign of the Cross.*

Sing together the refrain.

Alleluia, alleluia, alleluia!

"Easter Alleluia" © 1986, GIA Publications, Inc.

Leader: Let us pray.

Bow your head as the leader prays.

All: **Amen.**

Go Forth!

Leader: Let us go forth and share the
good news that Christ our light
has risen! Alleluia!

All: **Thanks be to God. Alleluia!**

Let Your Light Shine

Did you ever notice that outside on a dark night, away from the lights of the city, the stars seem brighter? In a similar way, the light of Christ brightens the darkness of the world. In the midst of sadness and violence, Christ's light shines even more brightly. In the midst of loneliness or rejection, the light of Christ's love is there to warm the heart that is hurting.

❓ What are some things you can do to help others to know the light of Christ's love?

ACTIVITY

The Light of the World

On poster board, make a Christ candle. Decorate your candle with symbols of Jesus as the Light of the World. Draw seven rays of light radiating from the candle flame. On the rays write things you and your family can do each week during the Easter season to bring Christ's light into your neighborhood and community. Share your ideas with your family.

El poder del Espíritu Santo

La fiesta de Pentecostés es una de las celebraciones más importantes de la Iglesia. Los Hechos de los Apóstoles nos cuentan que los discípulos de Jesús estaban reunidos en Jerusalén cincuenta días después de la Pascua cuando el Espíritu Santo descendió sobre ellos.

Pentecostés hoy

Hoy día, la Iglesia conmemora con gozo la Resurrección del Señor cincuenta días después de la Pascua. En Pentecostés, la Iglesia celebra el don que el Espíritu Santo hizo a la Iglesia. El Espíritu Santo concedió a los primeros discípulos la sabiduría y el valor que necesitaban para predicar el Evangelio.

La venida del Espíritu Santo marcó el verdadero comienzo de la Iglesia. A partir de aquel momento, la Iglesia recibió del Espíritu Santo la autoridad para difundir la Buena Nueva con palabras y con obras. El Espíritu Santo fortalece la Iglesia, le confiere la autoridad para brindar servicio y es la fuente de su santidad.

❓ **¿Cómo actúa el Espíritu Santo en el mundo actual?**

Celebremos Pentecostés

Juntos

Hagan la señal de la cruz.

Líder: Luz y paz en Jesucristo nuestro Señor, aleluya.

Todos: Demos gracias a Dios, aleluya.

Canten juntos.

Si crees tú y creo yo,
Y rezamos los dos,
Descenderá el Espíritu
y nos liberará.
Liberará a su pueblo,
Liberará a su pueblo,
Descenderá el Espíritu
y nos liberará.

"If You Believe and I Believe" © 1991, GIA Publications, Inc.

Líder: Oremos.

Inclinen la cabeza mientras el líder reza.

Todos: Amén.

Escucha la Palabra de Dios

Lector: Lectura de los Hechos de los Apóstoles.

Lean Hechos 2, 1-11.
Palabra del Señor.

Todos: Te alabamos, Señor.

Diálogo

¿Qué tres cosas les ocurrieron a los discípulos a causa de la venida del Espíritu Santo?

¿Cómo puede fortalecerte el Espíritu Santo?

Ofrenda de regalos

Canten juntos "If You Believe and I Believe". Mientras cantan, avancen en procesión y coloquen regalos para los pobres a los pies de la mesa de oración.

Oración de los fieles

Líder: Oremos por la Iglesia y por el mundo, para que todos estemos abiertos al poder del Espíritu Santo.

Respondan a cada oración con estas palabras.

Todos: Envíanos tu Espíritu, Señor.

¡Evangeliza!

Líder: Que Dios nos bendiga y nos conceda por siempre los dones del Espíritu Santo. Vivamos en el amor y en el servicio a todo el pueblo de Dios, aleluya.

Todos: Demos gracias a Dios, ¡aleluya!

Los dones del Espíritu Santo

Muchos relatos de los Hechos de los Apóstoles cuentan cómo el Espíritu Santo guió a los discípulos de Jesús para que difundieran la Buena Nueva de Jesús. Los discípulos hablaron a todo el que quería escuchar sobre la vida de Jesús y su mandamiento de amor. Pero también vivieron como Jesús. Tú estás llamado a hacer lo mismo.

En el Bautismo, recibiste los dones del Espíritu Santo: la |sabiduría, la inteligencia, el consejo, la fortaleza, la ciencia, la piedad y el temor de Dios. En la confirmación, estos dones se fortalecerán en ti.

❓ **¿Cuándo te ayudó el Espíritu Santo a usar uno de estos dones?**

ACTIVIDAD
El Espíritu Santo

Lean uno de los relatos de la Sagrada Escritura que describen la obra de la Iglesia en sus orígenes. En grupos pequeños, representen el relato en clase. Expliquen cómo refleja el relato la presencia del Espíritu Santo.

Hechos 4, 32–35
Hechos 6, 1–7
Hechos 9, 26–31

The Power of the Holy Spirit

The Feast of Pentecost is one of the most important celebrations of the Church. The Acts of the Apostles tell us that the followers of Jesus were gathered in Jerusalem fifty days after Easter when the Holy Spirit came to them.

Pentecost Today

Today the Church rejoices in the Resurrection of the Lord for fifty days after Easter. Then on Pentecost, the Church celebrates the gift of the Holy Spirit to the Church. The Holy Spirit gave the first disciples the wisdom and courage they needed to preach the gospel.

The coming of the Holy Spirit marked the true beginning of the Church. From this time onward, the Church has been empowered by the Holy Spirit to spread the good news by word and action. He builds up the Church, empowers her for service, and is the source of her holiness.

❓ **How is the Holy Spirit active in the world today?**

Celebrate Pentecost

Gather

Pray the Sign of the Cross together.

Leader: Light and peace in Jesus Christ our Lord, alleluia.

All: **Thanks be to God, alleluia.**

Sing together.

If you believe and I believe,
And we together pray,
The Holy Spirit must come down
And set God's people free,
And set God's people free,
And set God's people free;
The Holy Spirit must come down
And set God's people free.

"If You Believe and I Believe" © 1991, GIA Publications, Inc.

Leader: Let us pray.

Bow your heads as the leader prays.

All: **Amen.**

Listen to God's Word

Reader: A reading from the Acts of the Apostles.

Read Acts 2:1–11.
The Word of the Lord.

All: **Thanks be to God.**

Dialogue

What are three things that happened to the disciples because of the coming of the Holy Spirit?

How can the Holy Spirit strengthen you?

Offering of Gifts

Sing together, "If You Believe and I Believe." As you sing, come forward in procession and place gifts for the poor at the base of the prayer table.

Prayer of the Faithful

Leader: Let us pray for the Church and the world, that all will be open to the power of the Holy Spirit.

Respond to each prayer with these words.

All: **Send us your Spirit, O Lord.**

Go Forth!

Leader: May God bless us and give us the gifts of the Holy Spirit forever. And let us go forth in love and service to all God's people, alleluia.

All: **Thanks be to God, alleluia!**

Gifts of the Holy Spirit

Many stories in the Acts of the Apostles tell how the Holy Spirit guided the followers of Jesus to spread the Good News of Jesus. The disciples told all who would listen about the life of Jesus and his commandment of love. But they lived the way of Jesus as well. You are called to do the same today.

At Baptism you received the gifts of the Holy Spirit—wisdom, understanding, right judgment, courage, knowledge, reverence, and fear of the Lord. In Confirmation you will be strengthened with these gifts.

❓ **When has the Holy Spirit helped you to use one of these gifts?**

(ACTIVITY)

The Holy Spirit

Read one of the Scripture stories that describe the work of the early Church. With a small group, act out this story for the rest of your class. Tell how the story shows the presence of the Holy Spirit.

Acts 4:32–35

Acts 6:1–7

Acts 9:26–31

UNIDAD 1
Revelación

Capítulo 1
El plan de Dios

¿Dónde puedes aprender acerca del plan de Dios para la creación?

Capítulo 2
Dios es fiel

¿Cómo sabes que Dios es fiel?

Capítulo 3
Los Diez Mandamientos

¿Cómo te ayuda Dios a hacer su voluntad?

? ¿Qué crees que vas a aprender en esta unidad acerca de la alianza de Dios?

UNIT 1
Revelation

Chapter 1
God's Plan

Where can you learn about God's plan for creation?

Chapter 2
God Is Faithful

How can you know that God is faithful?

Chapter 3
The Ten Commandments

How does God help you do his will?

? What do you think you will learn in this unit about God's covenant?

Capítulo

1

El plan de Dios

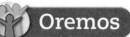

Oremos

Líder: Dios creador, te damos gracias porque nos guías.

"Yo te voy a instruir, te enseñaré el camino,
te cuidaré, seré tu consejero".

Salmo 32, 8

Todos: Dios creador, te damos gracias porque nos guías. Amén.

Actividad Comencemos

Calidoscopio ¿Has mirado alguna vez por un calidoscopio? Cuando giras el tubo, en el fondo se reflejan en dos espejos unos trocitos de colores de vidrio o de plástico. Al girar el calidoscopio, los trocitos cambian de lugar formando miles de hermosas figuras.

• Escribe un haiku (un tipo de poema tradicional del Japón) sobre la belleza de las figuras del calidoscopio que ves en esta página.

Chapter 1 God's Plan

Let Us Pray

Leader: Creator God, we thank you for your guidance.

"I will instruct you and show you the way
you should walk,
give you counsel and watch over you."

Psalm 32:8

All: Creator God, we thank you for your guidance. Amen.

Activity Let's Begin

Kaleidoscope   Have you ever looked through a kaleidoscope? As you turn the tube, small bits of colored glass or plastic at the far end are reflected in two mirrors. As you turn the kaleidoscope, the colored bits arrange themselves into thousands of beautiful patterns.

• Write a haiku—a type of poem— about the beauty of the kaleidoscope patterns on this page.

La creación de Dios

Análisis ¿Qué dijo Dios acerca de todo lo que había creado?

El mundo se parece un poco a un calidoscopio. Sus complejas figuras y movimientos nos dan pistas acerca del asombroso plan de Dios para la creación. En el siguiente poema, el poeta imagina a un Dios poderoso que camina y habla como un hombre. Léelo y sabrás qué cree el poeta acerca de lo que Dios siente con respecto a la creación.

UN POEMA

La creación

. . . Y hasta donde el ojo de Dios alcanzaba a ver
Las tinieblas lo cubrían todo.
Más negras que cien noches
En medio de un pantano con cipreses.

Entonces Dios sonrió,
Y se hizo la luz,
Y las tinieblas se encogieron y se hicieron a un lado,
Y la luz siguió brillando en el otro lado,
Y Dios dijo: "¡Eso es bueno!".

Entonces Dios extendió las manos y tomó la luz.
Hizo girar la luz entre sus manos
Y así hizo el sol;
Y puso aquel sol ardiente en los cielos.
Y la luz que había sobrado después de hacer el sol
Dios la unió en una bola brillante
Que arrojó contra las tinieblas,
Y así salpicó la noche con la luna y las estrellas.
Entonces, en el espacio que quedaba
Entre la luz y las tinieblas, allí abajo,
Dios lanzó el mundo;
Y Dios dijo: "¡Eso es bueno!".

God's Creation

 What did God say about all that he had made?

The world is something like a kaleidoscope. Its complex patterns and movements give clues to God's amazing plan for creation. In this poem the poet imagines a powerful God who walks and talks like a man. Read to learn how the poet thinks God feels about creation.

A POEM

The Creation

. . . And far as the eye of God could see
Darkness covered everything.
Blacker than a hundred midnights
Down in a cypress swamp.

Then God smiled,
And the light broke,
And the darkness rolled up on one side,
And the light stood shining on the other,
And God said: "That's good!"

Then God reached out and took the light
in his hands,
And God rolled the light around in his hands
Until he made the sun;
And he set that sun a-blazing in the heavens.
And the light that was left from making the sun
God gathered it up in a shining ball
And flung it against the darkness,
Spangling the night with the moon and stars.
Then down between
The darkness and the light
He hurled the world;
And God said: "That's good!"

Entonces Dios hizo los siete mares y todos los bosques, las plantas y los animales y hasta el arco iris. Pero Dios decidió hacer todavía más.

Entonces Dios se sentó a pensar
En la ladera de una colina;
Junto a un río ancho y profundo se sentó;
Con la cabeza entre sus manos,
Dios pensó y pensó,
Hasta que tuvo una idea: ¡Haré un hombre!

Del lecho del río
Dios tomó la arcilla;
Y a orillas del río
Se arrodilló a trabajar;
Y allí, el gran Dios Todopoderoso
Que encendió el sol y lo puso en el cielo,
Que arrojó las estrellas al rincón más lejano de la noche,
Que dio a la tierra su forma redonda ahuecando las manos;
Este gran Dios,
Como una mamá que se inclina hacia su bebé,
Se arrodilló en el polvo
Y moldeó con empeño un trozo de arcilla
Hasta darle forma a su propia imagen;

Entonces sopló en esa imagen su aliento de vida,
Y el hombre se transformó en un alma viviente.

Tomado del poema de James Weldon Johnson

❓ **¿Qué aprendiste en este poema acerca de Dios?**

Actividad — Comparte tu fe

Reflexiona: ¿De qué manera muestra el mundo el amor y el cuidado que Dios puso en su creación?

Comunica: Con un compañero, menciona algunos ejemplos.

Actúa: Diseña una postal con un paisaje de una parte del mundo que muestre el amor y el cuidado de Dios.

Then God made the seven seas and all the forests and plants and animals and even rainbows. But God decided to make even more.

Then God sat down—
On the side of a hill where he could think;
By a deep, wide river he sat down;
With his head in his hands,
God thought and thought,
Till he thought: I'll make me a man!

Up from the bed of the river
God scooped the clay;
And by the bank of the river
He kneeled him down;
And there the great God Almighty
Who lit the sun and fixed it in the sky,
Who flung the stars to the most far corner of the night,
Who rounded the earth in the middle of his hand;
This great God,
Like a mammy bending over her baby,
Kneeled down in the dust
Toiling over a lump of clay
Till he shaped it in his own image;

Then into it he blew the breath of life,
And man became a living soul.

From the poem by James Weldon Johnson

❓ **What did you learn about God from this poem?**

Activity — Share Your Faith

Reflect: In what ways does the world show God's love and care for his creation?

Share: With a partner, name some of these ways.

Act: Make a scenic postcard design of one part of the world that shows God's love and care.

El plan de Dios

Análisis ¿Dónde revela Dios su plan para ti?

Dios tiene un plan de amor para la creación. A medida que el plan de Dios se lleva a cabo, Él guarda a todas las personas y todas las cosas bajo su amoroso cuidado. Esto se conoce como la **providencia**. En el siguiente relato bíblico del Antiguo Testamento, aprenderás acerca de Jonás, un hombre que trató de evitar el plan que Dios tenía para él.

LA SAGRADA ESCRITURA
Libro de Jonás

Jonás y el gran pez

Dios pidió a Jonás que dijera al pueblo de Nínive: "El Señor ha visto sus pecados. ¡Rectifiquen su vida pecadora o perecerán!". Jonás se subió a un barco y trató de escaparse del Señor.

Dios envió una tormenta y el barco estuvo a punto de romperse en pedazos. Los marineros corrieron a buscar a Jonás y lo encontraron durmiendo. "¡Ora a tu Dios; quizás Él nos salve!", dijeron. Jonás pensó que Dios lo estaba castigando y pidió a los marineros que lo tiraran al mar. En cuanto Jonás cayó al agua, el mar se calmó.

El Señor ordenó a un gran pez que tragara a Jonás. En el vientre del pez, Jonás tuvo tiempo de pensar y decidió seguir al Señor. Tres días después, el pez escupió a Jonás en tierra firme. Dios tuvo misericordia de Jonás y también del pueblo de Nínive, que escuchó a Jonás y decidió cambiar sus costumbres.

Basado en el libro de Jonás

? ¿Por qué crees que Jonás trató de huir de Dios?

? ¿Alguna vez trataste de evitar algo que sabías que debías hacer? ¿Qué sucedió?

God's Plan

 Focus Where does God reveal his plan for you?

God has a loving plan for creation. As God's plan unfolds, he keeps everyone and everything in his loving care. This is called **providence**. In this Bible story from the Old Testament, you will learn about Jonah, a man who tried to avoid God's plan for him.

✝ **S C R I P T U R E**   **Book of Jonah**

Jonah and the Big Fish

God told Jonah to tell the people of Nineveh, "The Lord has seen your sins. Change your sinful ways, or you are doomed!" Jonah got on a ship and sailed away to hide from the Lord.

God made a storm come up, and the ship was about to be broken to pieces. The sailors ran and found Jonah sleeping. "Pray to your God, that he may save us!" they cried. Jonah thought that God was punishing him, so he asked the sailors to throw him into the sea. As soon as they did, the sea became calm.

The Lord sent a giant fish that swallowed Jonah. Inside the fish, Jonah had some time to think, and he decided to follow the Lord. Three days later the fish spit him onto dry land. God was merciful to Jonah and also to the people of Nineveh, who listened to Jonah and changed their ways.

Based on the Book of Jonah

❓ **Why do you think Jonah tried to run from God?**

❓ **Have you ever avoided doing something that you knew you should do? What happened?**

Seguir el plan de Dios

El relato de Jonás se encuentra en el Antiguo Testamento de la Biblia. La Biblia, también conocida como la **Sagrada Escritura,** es la palabra de Dios escrita en palabras humanas. En el Antiguo Testamento hay muchos relatos que te muestran cómo distintas personas siguieron el plan de Dios. Más adelante, en el Nuevo Testamento, puedes ver cómo el Hijo de Dios, Jesús, respondió al llamado de su Padre de manera perfecta. A través de Jesús puedes aprender a responder al plan que Dios tiene para ti. Te ayudará el Espíritu Santo, que fue enviado por Jesús a la Iglesia.

La revelación de Dios

Dios se ha dado a conocer poco a poco a través de la historia por medio de palabras y hechos, y mediante la experiencia de las personas. La verdad que Dios contó al mundo acerca de sí mismo se conoce como la **revelación.** La revelación se encuentra en la Sagrada Escritura y en la Tradición de la Iglesia.

❓ **¿Qué hizo Jonás para poder comprender cómo debía seguir el plan de Dios para él?**

❓ **¿Cuál crees que es el plan de Dios para ti?**

Palabras† de fe

La **providencia** es el cuidado amoroso que Dios tiene de todas las cosas, la voluntad y el plan de Dios para la creación.

La **Sagrada Escritura**, otro nombre que se da a la Biblia; es la palabra de Dios escrita en palabras humanas.

La **revelación** es la forma en que Dios habla a los seres humanos de sí mismo y da a conocer su plan.

Actividad — Practica tu fe

Tu mejor pensamiento Piensa en lugares tranquilos y hermosos que hayas visto en un programa sobre la naturaleza o en otro programa de televisión. Dibuja en la pantalla de este televisor un lugar tranquilo donde puedas dedicar tiempo a pensar en cosas importantes. Luego, imagina que estás en ese lugar y piensa en el plan que Dios tiene para ti.

Following God's Plan

The story of Jonah is in the Old Testament of the Bible. The Bible, also called **Scripture**, is God's word written in human words. There are many more stories in the Old Testament that can show you how others have followed God's plan. Then, in the New Testament, you can see God's Son, Jesus, answering his Father's call perfectly. Through Jesus you can learn how you are to respond to God's plan for you. The Holy Spirit, whom Jesus sent to the Church, will help you.

God's Revelation

God has made himself known gradually throughout history by words and deeds and the experience of people. The truth that God has told the world about himself is called **revelation**. Revelation is found in Scripture and in the Tradition of the Church.

❓ **What did Jonah do to figure out how to fit into God's plan for him?**

❓ **What do you think is God's plan for you?**

Words of Faith

Providence is God's loving care for all things, God's will and plan for creation.

Scripture, another name for the Bible, is the word of God written in human words.

Revelation is the way God tells humans about himself and makes his plan known.

Activity — Connect Your Faith

Your Best Thinking   Think about quiet and beautiful places you have seen on a nature program or on another TV show. Draw in the TV screen a peaceful place where you could spend time thinking about important things. Then imagine yourself in this place, and think about God's plan for you.

Salmo de esperanza

 Oremos

Reúnanse y comiencen con la señal de la cruz.

Canten juntos el estribillo.

El Señor me guía y cuida,
siempre a mi lado está.
El Señor me guía y cuida,
mi vida preservará.

"Psalm 121" © 1988, GIA Publications, Inc.

Líder: Dios de amor, escucha nuestra oración.

Grupo 1: Dirijo la mirada hacia los montes:
¿de dónde me llegará ayuda?

Mi socorro me viene del Señor, que hizo el cielo y
la tierra.

Todos: *Canten el estribillo.*

Grupo 2: Dios no deja que tu pie dé un paso en falso.
Jamás lo rinde el sueño o cabecea el guardián de Israel.

Todos: *Canten el estribillo.*

**Te preserva el Señor de todo mal. Él te guarda al salir y
al regresar ahora y para siempre.**

Canten el estribillo.

Basado en el *Salmo 121*

Líder: Oremos.

Inclinen la cabeza mientras el líder reza.

Todos: **Amén.**

Psalm of Hope

 Let Us Pray

Gather and begin with the Sign of the Cross.

Sing together the refrain.

Guiding me, guarding me, the Lord is by my side;
guiding me, guarding me, the Lord upholds my life.

"Psalm 121" © 1988, GIA Publications, Inc.

Leader: Loving God, hear us today as we pray.

Group 1: I raise my eyes toward the mountains.
From where will my help come?
My help comes from the LORD,
the maker of heaven and earth.

All: *Sing refrain.*

Group 2: God will not allow your foot to slip.
Truly, the guardian of Israel
never slumbers nor sleeps.

All: *Sing refrain.*

**The LORD will guard you
from all evil.
The LORD will guard your
coming and going both
now and forever.**

Sing refrain.

Based on *Psalm 121*

Leader: Let us pray.
*Bow your heads as
the leader prays.*

All: **Amen.**

Repasar y aplicar

A **Comprueba lo que aprendiste** Encierra en un círculo la palabra Verdadero si el enunciado es verdadero o la palabra Falso si el enunciado es falso. Corrige los enunciados falsos.

1. El plan de Dios para las personas se revela poco a poco.

   Verdadero   Falso _____

2. La revelación se encuentra únicamente en la creación.

   Verdadero   Falso _____

3. El plan de Dios para la creación ha sido destruido.

   Verdadero   Falso _____

4. La providencia es el cuidado amoroso que Dios tiene de toda la creación.

   Verdadero   Falso _____

5. Jesús siempre siguió el plan de su Padre Dios para Él.

   Verdadero   Falso _____

B **Relaciona** Escribe brevemente cómo puedes aprender más acerca del plan que Dios tiene para ti.

_____

_____

Actividad vive tu fe

Haz un plan En el siguiente calendario, escribe cómo vas a buscar a Dios y su dirección cada día de la próxima semana.

DOMINGO

LUNES

MARTES

MIÉRCOLES

JUEVES

VIERNES

SÁBADO

Review and Apply

A **Check Understanding** Circle True if a statement is true, and circle False if a statement is false. Correct any false statements.

1. God's plan for people is revealed gradually.

    True   False _____

2. Revelation is found only in creation.

    True   False _____

3. God's plan for creation has been destroyed.

    True   False _____

4. Providence is God's loving care for all of creation.

    True   False _____

5. Jesus always followed God his Father's plan for him.

    True   False _____

B **Make Connections** Write a brief response. What are some ways that you can learn more about God's plan for you?

_____

_____

Activity **Live Your Faith**

Make a Plan Use this calendar to list one way you will look for God and his guidance each day next week.

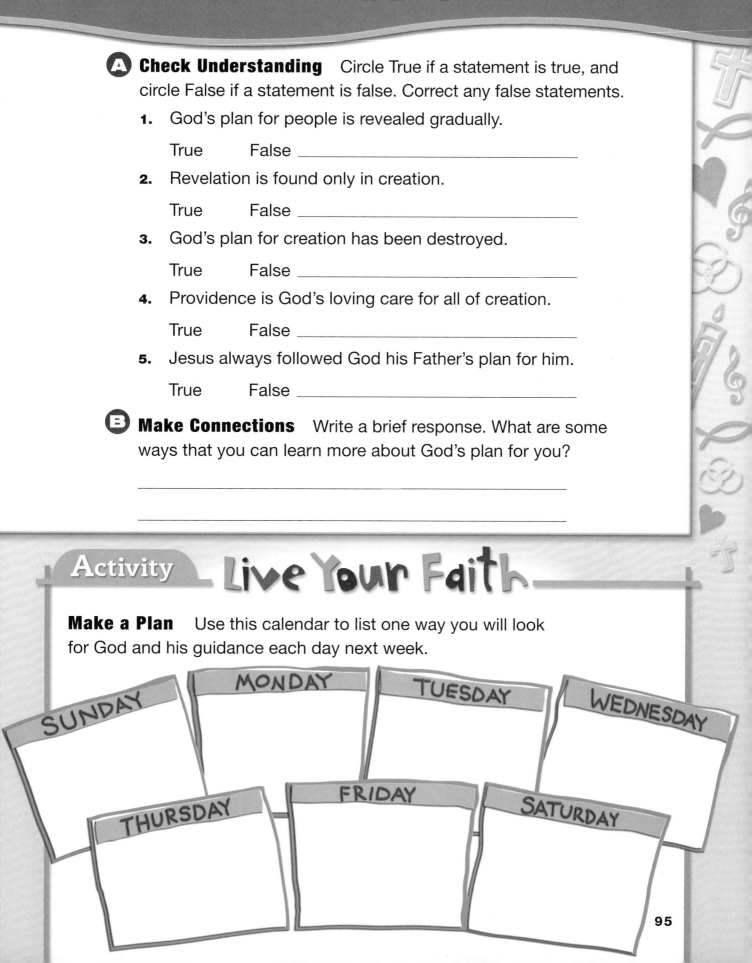

SUNDAY

MONDAY

TUESDAY

WEDNESDAY

THURSDAY

FRIDAY

SATURDAY

La fe en familia

Lo que creemos

- Dios ama y cuida de toda la creación y tiene un plan para el mundo.

- Todo lo que Dios quiere que sepas acerca de Él está en la Sagrada Escritura y en la Tradición de la Iglesia.

✝ LA SAGRADA ESCRITURA

Lee *2 Samuel 7, 12–17* para aprender sobre la providencia de Dios para el pueblo de Israel.

APRENDE en línea Visita **www.osvcurriculum.com** para encontrar recursos basados en el año litúrgico y lecturas semanales de la Sagrada Escritura.

Actividad

vive tu fe

Haz un calidoscopio Habla con tu familia acerca de lo que has aprendido sobre la providencia de Dios. Luego diseña un calidoscopio. Recorta papeles de colores con la forma de los trozos de vidrio de un calidoscopio. Dale dos de ellos a cada familiar. Pídele a cada uno que dibuje o pegue en sus papeles una imagen que represente el cuidado amoroso que Dios pone en su creación. Pega los papeles en una hoja más grande para formar la hermosa figura de un calidoscopio.

Siervos de la fe

▲ María, Madre de Dios

María colaboró con el plan de Dios. Gracias a su colaboración, Jesús pudo revelar totalmente el plan de su Padre para la creación. Cuando María dijo "sí" al anuncio del ángel Gabriel, abrió las puertas al nacimiento del Hijo de Dios por el poder del Espíritu Santo. María abrió su corazón para escuchar la voz de Dios. Fue una mujer de oración y silencio que siempre dijo "sí" a Dios. María es el modelo de santidad de la Iglesia. El 1 de enero es la fiesta de María, Madre de Dios.

Una oración en familia

María, Madre de Dios y madre nuestra, ayúdanos a decir siempre "sí" a Dios. Amén.

CIC *Consulta el Catecismo de la Iglesia Católica, números 80–83 y 302–308, para obtener más información sobre el contenido del capítulo.*

Family Faith

Catholics Believe

- God loves and cares for all creation and has a plan for the world.

- Everything God wants you to know about him is contained in Scripture and in the Tradition of the Church.

✝ SCRIPTURE

Read *2 Samuel 7:12–17* to learn about God's providence for the people of Israel.

GO online www.osvcurriculum.com
For weekly scripture readings and seasonal resources

Activity

Live Your Faith

Make a Kaleidoscope Talk with your family about what you have learned about God's providence. Then make a kaleidoscope pattern. Cut some colored paper into shapes like the pieces of colored glass in a kaleidoscope. Give two pieces of paper to each family member. Ask each person to draw or glue pictures on the pieces that show God's loving care at work in creation. Glue the pieces to a large piece of paper to make a beautiful kaleidoscope pattern.

People of Faith

▲ Mary, Mother of God

Mary cooperated with God's plan. Because she did, Jesus was able to reveal fully his Father's plan for creation. Mary's "yes" to the Angel Gabriel's announcement opened the way for the Son of God's birth through the power of the Holy Spirit. Mary opened her heart to listen for the voice of God. She was a woman of prayer and stillness, always saying "yes" to God. Mary is the model of holiness for the whole Church. January 1 is the feast of Mary, the Mother of God.

 Family Prayer

Mary, Mother of God and mother of all, help us say "yes" to God always. Show us the way of love. Amen.

Capítulo 2 Dios es fiel

Oremos

Líder: Ponemos nuestra confianza en tu fidelidad, oh Dios.

"Fiel es el Señor en todas sus palabras
y bondadoso en todas sus obras".

Salmo 145, 13

Todos: Ponemos nuestra confianza en tu fidelidad, oh Dios. Amén.

Actividad Comencemos

Un mal día

Yo había tenido un día excelente
Hasta que el gato saltó y derramó la leche.
Cuando limpiaba el piso y recogía la taza,
Mi mamá me llamó desde la puerta de la casa:
"¡Llegaremos tarde! ¡Vamos, vamos!".
Tomé una tostada y nos marchamos.
No habíamos andado mucho rato
Cuando, ¡ay!, noté una piedra en el zapato.
Llegué a la escuela con cinco minutos de
   retraso,
Y comer la tostada ya no tenía caso.
Mientras la puerta de la clase abría agitada
¡Mi tarea se había quedado en la mesa de
   la sala!

• ¿Qué haces cuando tienes un mal día?

Chapter 2 — God Is Faithful

Let Us Pray

Leader: We place our trust in your faithfulness, O God.

"The LORD is trustworthy in every word,
and faithful in every work."

Psalm 145:13

All: We place our trust in your faithfulness, O God. Amen.

Activity — Let's Begin

A Very Bad Day

My day was going smooth as silk,
'Til the cat leapt up and spilled my milk.
As I was mopping up the floor,
My mom was calling from the door.
"Hurry up! We'll all be late!"
I grabbed the toast left on my plate.
Just as we reached the end of the block,
I noticed I had no left sock.
I got to school five minutes late,
I guess my toast will have to wait.
As I raced inside the classroom door,
My homework lay on the living room floor!

• What do you do when you have a
  bad day?

Los seres humanos deciden pecar

◎ Análisis ¿Cómo muestra Dios su fidelidad?

El primer hombre y la primera mujer, conocidos como Adán y Eva en el relato de la creación del Antiguo Testamento, vivían en una época en la que todos los días eran buenos. Pero un día, Satanás, el enemigo de Dios, se acercó en forma de serpiente a Eva y la tentó. El libro del Génesis nos cuenta lo que hicieron Adán y Eva.

✝ LA SAGRADA ESCRITURA
Génesis 3

En el jardín

En el jardín del Edén había un árbol especial, el cual Dios les dijo a Adán y a Eva que no tocaran. Pero Satanás convenció a Eva de que, si ella y Adán comían el fruto de aquel árbol, se parecerían más a Dios. Adán y Eva hicieron lo que Satanás les dijo pero, después de haber pecado, sintieron vergüenza. Y así descubrieron lo que se sentía al hacer algo malo.

A partir de aquel momento, todo fue más difícil para Adán y Eva. Dios los echó del jardín y tuvieron que trabajar para encontrar comida y refugio. Desde entonces hay envidia, tristeza y conflictos en el mundo.

Basado en *Génesis 3*

❓ ¿Por qué crees que el primer hombre y la primera mujer decidieron desobedecer a Dios?

Humans Choose Sin

◎ Focus How does God show his faithfulness?

For the first humans, known as Adam and Eve in the Old Testament creation story, there was a time when every day was a good day. But one day Satan, who was God's enemy, came to Eve in the form of a snake and tempted her. We learn from the Book of Genesis what Adam and Eve did.

✝ SCRIPTURE   Genesis 3

In the Garden

In the Garden of Eden was one special tree that God told Adam and Eve not to touch. But Satan convinced Eve that if she and Adam ate the fruit of that tree, they could be more like God. Adam and Eve did as Satan said; but after they sinned, they felt ashamed. They learned how it felt to do something wrong.

Everything got harder for Adam and Eve. God sent them away from the garden. They had to work to find food and shelter. From then on, jealousy, sadness, and fighting were in the world.

Based on *Genesis 3*

❓ Why do you think the first people chose to disobey God?

Consecuencias

Los seres humanos fueron creados para compartir la vida de Dios y ser felices con Él para siempre. Al desobedecer a Dios, Adán y Eva rompieron su amistad con Él. Este pecado de los primeros seres humanos se conoce como el **pecado original** porque, desde que se tomó aquella decisión, existe el pecado en el mundo. El pecado original afecta a todas las personas. La ignorancia, la tendencia al pecado, el sufrimiento y la muerte existen en el mundo como resultado del pecado original.

Aunque Dios echó a Adán y a Eva del jardín, no los abandonó, sino que siguió siendo fiel. A cambio, quiso que todas las personas fueran libres y fieles a Él, para que pudieran ser felices para siempre.

El libro del Génesis cuenta otro relato famoso: el de Noé. El relato de Noé nos dice que, aunque las personas continuaron pecando y desobedeciendo a Dios, Dios siempre fue fiel.

Palabras[†] de fe

El **pecado original** es la decisión que tomaron Adán y Eva de desobedecer a Dios.

Actividad

Comparte tu fe

Reflexiona: Piensa en algunas noticias que sean ejemplos de los efectos del pecado original en el mundo de hoy.

Comunica: En un grupo pequeño, hablen sobre cómo pueden actuar las personas según la voluntad de Dios en esas situaciones.

Actúa: Escribe dos ejemplos a continuación.

_____

_____

_____

_____

Consequences

Humans were created to share God's life and to be happy with God forever. By disobeying God, the first people broke their friendship with God. This sin of the first humans is called **Original Sin** because since that choice was made, sin has been present throughout the world. Original Sin affects every human. Ignorance, the inclination to sin, suffering, and death all came into the world as a result of Original Sin.

Even though God sent Adam and Eve away from the garden, he did not abandon them. God remained faithful. In return he wanted all humans to be free and faithful to him, so that they could be happy forever.

The Book of Genesis then tells another famous story, the story of Noah. The point of Noah's story is that even when people continued to sin and to disobey God, God was faithful.

Words of Faith

Original Sin is the choice of the first people to disobey God.

Activity — Share Your Faith

Reflect: Think of some stories in the news that are examples of the effects of Original Sin in the world today.

Share: In a small group, talk about ways that people can act as God wants them to act in these situations.

Act: Write two examples here.

_____

_____

_____

_____

La revelación del plan de Dios

Análisis ¿Qué le prometió Dios a Abram?

Mucho tiempo después, Dios le pidió a un hombre llamado Abram que ayudara a los seres humanos a ser fieles. Dios reveló su plan a Abram de una manera nueva.

✝ **LA SAGRADA ESCRITURA** Génesis 12, 1–8; 15, 1–5; 17, 5–9, 15; 21, 1–3

Dios llama a Abram

Abram vivió hace mucho, mucho tiempo en una antigua ciudad llamada Jarán. Dios le dijo que dejara su país y a gran parte de su familia y fuera a una nueva tierra llamada Canaán. Dios le dijo a Abram: "Yo te bendeciré y haré de tus descendientes una gran nación". Abram obedeció a Dios. Tomó a su esposa Saray y a Lot, hijo de su hermano, y emprendió con toda su fortuna el largo viaje hacia aquella nueva tierra.

Abram y su familia nunca se sintieron solos en tan difícil viaje. Sabían que Dios estaba siempre con ellos. Cada vez que Abram hacía un alto en el camino, construía un altar en acción de gracias al Señor

Muchos años más tarde, después de haberse establecido Abram en la tierra de Canaán, el Señor le habló de nuevo y le dijo: "¡No temas, Abram! Yo te protegeré y te recompensaré".

Abram le respondió: "Señor, tú me has dado todo lo que podía pedir, excepto hijos".

El Señor dijo a Abram: "Mira el cielo y cuenta las estrellas. Así de numerosa será tu descendencia".

❓ **¿Qué es lo más difícil que te han pedido que hicieras?**

God's Plan Revealed

Focus What did God promise to Abram?

After a long time, God called a man named Abram to help humans remain faithful. God revealed his plan to Abram in a new way.

✝ SCRIPTURE　　Genesis 12:1–8; 15:1–5; 17:5–9, 15; 21:1–3

God Calls Abram

Abram lived long, long ago in an ancient city called Haran. God told Abram to leave his country and much of his family and go to a new land called Canaan. God told Abram, "I will bless you and make your descendants into a great nation." Abram obeyed God. He took his wife Sarai, his brother's son Lot, and all their possessions on the long journey to the new land.

Abram and his family were never alone on their difficult journey. They knew that God was always with them. Every time Abram reached a stop on the journey, he built an altar of thanksgiving to the Lord.

Many years later, after Abram had settled in the land of Canaan, the Lord spoke again to him, saying, "Don't be afraid! I will protect and reward you."

Abram replied, "Lord, you have given me everything I could ask for, except children."

The Lord told Abram, "Look at the sky and count the stars. That is how many descendants you will have."

❓ **What is something you have been asked to do that was very hard?**

La alianza de Dios con Abraham

Dios se apareció nuevamente a Abram e hizo una **alianza** con él y sus descendientes por los siglos de los siglos. Dios le dijo a Abram que la tierra de Canaán les pertenecería a él y a sus descendientes para siempre. Dijo que Abram sería el padre de muchas naciones, que serían el pueblo de Dios. Como signo de la alianza, Dios cambió el nombre de Abram y de su esposa Saray por Abraham y Sara. Poco después, Sara tuvo un hijo a pesar de que era anciana. Ella y su esposo le pusieron el nombre de Isaac.

Basado en *Génesis* 12, 1–8; 15, 1–5; 17, 5–9, 15; 21, 1–3

❓ **¿Cómo siguieron Abraham y Sara la voluntad de Dios?**

Abraham y Sara nunca se apartaron de Dios. Como Abraham y Sara, tú eres **fiel** a Dios cuando obedeces sus mandamientos y tomas decisiones por amor.

Antepasados comunes

Abraham es considerado un antepasado en la fe del cristianismo, el judaísmo y el islamismo. Estas religiones tienen sus orígenes en la respuesta voluntaria de Abraham a la revelación de Dios de que Él era el único Dios en quien debía creer y al que debía seguir.

Palabras† de fe

Una **alianza** es una promesa o contrato sagrado entre Dios y los seres humanos.

Ser **fiel** es mantenerte firme y leal en tu compromiso con Dios, de la misma manera que Él te es fiel a ti.

Actividad Practica tu fe

Muestra tu fe Escribe tu nombre en letras de colores. Alrededor de tu nombre, escribe palabras que expresen cómo muestras que eres fiel a Dios.

God's Covenant with Abraham

God appeared to Abram again. God made a **covenant** with Abram and his descendants for all time. God told Abram that the land of Canaan would belong to Abram and his descendants forever. He said that Abram would be the father of many nations and that these people would be God's people. As a sign of the covenant, God changed the names of Abram and his wife Sarai to Abraham and Sarah. Soon after that, even though Sarah was old, she had a son, whom the couple named Isaac.

Based on *Genesis 12:1–8, 15:1–5, 17:5–9, 15; 21:1–3*

❓ **How did Abraham and Sarah follow God's will?**

Abraham and Sarah never turned away from God. Like Abraham and Sarah, you are **faithful** to God every time you obey his laws and make loving choices.

Common Ancestors

Abraham is considered an ancestor in faith of Christianity, Judaism, and Islam. These religions see their origins in Abraham's free response to God's revelation that he was the one God they should believe in and follow.

Words of Faith

A **covenant** is a sacred promise or agreement between God and humans.

To be **faithful** is to be steadfast and loyal in your commitment to God, just as he is faithful to you.

Activity — Connect Your Faith

Show Faith Write your first name in colorful letters. Around your name, write words that tell how you show that you are faithful to God.

Oración para pedir misericordia

 Oremos

Reúnanse y comiencen con la señal de la cruz.

 *Canten juntos el estribillo.*

Dios siempre fiel,
misericordioso,
Dios de tu pueblo, escucha mi oración.

"General Intercessions" © 1990,
GIA Publications, Inc.

Líder:	Por las veces que hemos fallado, oramos,
Todos:	*Canten el estribillo.*
Lector 1:	Por las personas de todo el mundo a las que ofendimos por nuestra negligencia, oramos,
Todos:	*Canten el estribillo.*
Lector 2:	Por las veces que fuimos infieles a la alianza de amor con Dios, oramos,
Todos:	*Canten el estribillo.*
Líder:	Oremos.
	Inclinen la cabeza mientras el líder reza.
Todos:	**Amén.**

Prayer for Mercy

Let Us Pray

Gather and begin with the Sign of the Cross.

Sing together the refrain.

God ever-faithful,
God ever-merciful,
God of your people,
hear our prayer.

"General Intercessions" © 1990,
GIA Publications, Inc.

Leader: For times we have failed,
we pray,

All: *Sing refrain.*

Reader 1: For people in the world
who have been hurt
by our neglect,
we pray,

All: *Sing refrain.*

Reader 2: For times when we were
unfaithful to God's
covenant of love,
we pray,

All: *Sing refrain.*

Leader: Let us pray.

*Bow your heads as
the leader prays.*

All: **Amen.**

Repasar y aplicar

A **Trabaja con palabras** Completa cada enunciado con el término correcto del vocabulario.

1. Al desobedecer a Dios, Adán y Eva rompieron su _____ con Él.

2. Una consecuencia de la desobediencia de Adán y Eva es la tendencia al _____.

3. Dios es siempre _____ a su pueblo.

4. Dios hizo una _____ con Abraham y sus descendientes.

5. Como signo de la alianza, Dios cambió el _____ de Abram y de Saray.

B **Comprueba lo que aprendiste** Escribe una cosa que hayas aprendido acerca de Dios en cada uno de los siguientes relatos.

En el jardín _____

Dios llama a Abram _____

VOCABULARIO

fiel
pecado
Éxodo
alianza
esperanza
nombre
amistad

Actividad Vive tu fe

Tu compromiso En una hoja aparte, haz un cartel que exprese tu compromiso de ser fiel al amor que Dios te brinda. Puedes unir tu cartel con los de tus compañeros para crear un estandarte de la alianza.

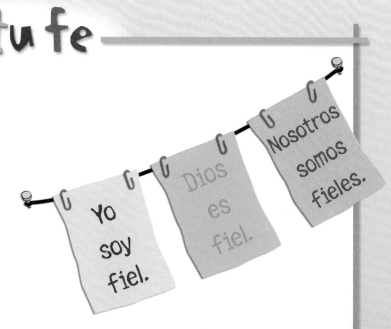

Yo soy fiel.

Dios es fiel.

Nosotros somos fieles.

Review and Apply

Ⓐ Work with Words   Fill in the blanks, using terms from the Word Bank.

WORD BANK

faithful
sin
Exodus
covenant
hope
names
friendship

1. By disobeying God, the first people broke their _____ with him.

2. One consequence of the disobedience of Adam and Eve is the inclination to

   _____.

3. God always remains _____ to his people.

4. God made a _____ with Abraham and his descendants.

5. As a sign of the covenant, God changed the _____ of Abram and Sarai.

Ⓑ Check Understanding   Write one thing you have learned about God from each of the following stories.

In the Garden _____

God Calls Abram _____

Activity   Live Your Faith

Your Commitment   On a separate sheet of paper, create a sign that expresses your commitment to being faithful to God's love for you. You can connect your sign with those of other group members to create a covenant banner.

I am faithful

God is faithful

We are faithful

Lo que creemos

- La alianza de Dios con Abraham revela que Dios es siempre fiel a su pueblo.

- El pecado está presente en el mundo debido a una decisión humana.

✝ LA SAGRADA ESCRITURA

Lee *Génesis 13, Génesis 21, 1–8* o *Génesis 25, 7–11* y encontrarás otros relatos sobre Abraham y Sara.

APRENDE en línea Visita **www.osvcurriculum.com** para encontrar recursos basados en el año litúrgico y lecturas semanales de la Sagrada Escritura.

Actividad
vive tu fe

Folleto de viaje Comparte con tu familia algo que hayas aprendido en clase. Luego imagina que visitas los lugares por los que viajaron Abraham y Sara. Con tu familia, diseña un folleto de viaje que cuente las experiencias narradas en los relatos de este capítulo. Busca en una Biblia un mapa del viaje de Abraham. Lleva tu folleto a la clase y muéstraselo al grupo.

Siervos de la fe

Noemí fue una mujer israelita que, debido a una gran hambruna, dejó su casa para vivir entre personas de otra tierra. En aquella tierra nueva, fue siempre fiel al Dios de Israel. Cuando su esposo y sus dos hijos murieron, quiso regresar a la tierra de sus antepasados. Su nuera **Rut** le prometió ir con ella. Rut le dijo a Noemí: "Pues a donde tú vayas, iré yo; y donde tú vivas, viviré yo; tu pueblo será mi pueblo y tu Dios será mi Dios" (*Rut 1, 16*).

▲ Noemí y Rut

Una oración en familia

Dios de amor, ayúdanos a ser siempre fieles a nuestra alianza contigo, como hicieron Noemí y Rut. Amén.

Family Faith

◎ Catholics Believe

■ God's covenant with Abraham reveals that God is always faithful to his people.

■ Sin is present in the world because of human choice.

✝ SCRIPTURE

Read *Genesis 13*, *Genesis 21:1–8*, or *Genesis 25:7–11* to find other stories about Abraham and Sarah.

GO online www.osvcurriculum.com
For weekly scripture readings and seasonal resources

Activity

Live Your Faith

Travel Brochure Share with your family one thing that you learned in class. Then imagine that you could visit the places where Abraham and Sarah traveled. As a family, make pages for a travel brochure that tells about their experiences. Think of the stories in this chapter. Look in a Bible to find a map of Abraham's journey. Bring your brochure to share with the group.

People of Faith

Naomi was an Israelite who, because of a great famine, left her home to live among people of another land. While living in this land, she remained faithful to the God of Israel. When her husband and two sons died, she wanted to return to the land of her ancestors. Her daughter-in-law **Ruth** promised to come with her. Ruth told Naomi, "For wherever you go I will go, wherever you lodge I will lodge, your people shall be my people, and your God my God" (*Ruth 1:16*).

▲ Naomi and Ruth

👐 Family Prayer

Loving God, please help us remain faithful to our covenant relationship with you, as Ruth and Naomi did. Amen.

CCC *In Unit 1 your child is learning about REVELATION.*
See Catechism of the Catholic Church 59–61, 385–389 for further reading on chapter content.

Capítulo
3 Los Diez Mandamientos

Oremos

Líder: Padre de amor, ayúdanos a escuchar tu voz y a conocer tu voluntad.

"He elegido, mi Dios, hacer tu voluntad, y tu Ley está en el fondo de mi ser".

Salmo 40, 9

Todos: Padre de amor, ayúdanos a escuchar tu voz y a conocer tu voluntad. Amén.

Actividad Comencemos

Los huevos de oro Había una vez un matrimonio de campesinos que eran muy pobres. Un día, por su camino se cruzó una hermosa gansa. La mujer suspiró: "¡Qué ave tan hermosa!".

La gansa los siguió hasta la casa. A la mañana siguiente, vieron que el ave había puesto un huevo de oro. Todos los días la gansa ponía otro huevo de oro. Muy pronto, los campesinos se hicieron ricos.

Pero el campesino estaba impaciente por tener más oro. "Mataré a la gansa y la abriré", pensó, "y así tendré todos los huevos de una vez". Abrió la gansa, pero adentro no había ni un solo huevo de oro y, para colmo, ¡se había quedado sin gansa!

• ¿Qué te enseña este relato? Comenta tu respuesta con el grupo.

Chapter 3 The Ten Commandments

Let Us Pray

Leader: Loving Father, help us hear your voice and know your will.

"To do your will is my delight;
my God, your law is in my heart!"

Psalm 40:9

All: Loving Father, help us hear your voice and know your will. Amen.

Activity Let's Begin

The Golden Eggs There once lived a farmer and his wife who were very poor. One day, a beautiful goose strutted across their path. The woman sighed, "What a beautiful bird!"

The goose followed the couple home. The next morning, they found that the bird had laid a golden egg. Each day the goose laid yet another golden egg. Soon the couple became rich.

But the farmer grew impatient for more gold. "I will kill the goose and slice her open," he thought, "and I'll have all her eggs at once." So he cut open the goose, but inside there were no more golden eggs. And now he had no goose!

• What does this story teach you? Share your response with the group.

Viaje a la libertad

Análisis ¿Quién ayudó a guiar al pueblo de Dios a la libertad?

En el relato "Los huevos de oro", el campesino era esclavo de la avaricia. A continuación vas a leer dos relatos de la Biblia que cuentan cómo Dios guió a su pueblo de la esclavitud a la libertad.

✝ **LA SAGRADA ESCRITURA**   Génesis 37, 1–4; 42, 6–8; 44, 1–12; 45, 4–5

José y sus hermanos

Jacob, uno de los descendientes de Abraham, tuvo doce hijos. Los hijos mayores de Jacob odiaban a su hermano menor, José, porque era el favorito de su padre.

Un día, los hermanos de José lo arrojaron a un pozo seco. Después lo vendieron como esclavo en Egipto. Le dijeron a su padre que unos animales feroces habían matado a José. Ahora, heredarían una mayor cantidad de los bienes de su padre.

Pasaron los años y José se ganó un lugar de honor en la corte del Faraón, el rey de Egipto, gracias a su capacidad para interpretar los sueños. Durante una hambruna, los hermanos de José fueron a la corte a suplicar que les dieran comida. Los hermanos no reconocieron a José, pero José sí los reconoció.

Para probarlos, José ordenó a sus sirvientes que llenaran los sacos de sus hermanos con alimentos y pusieran su copa de plata en el saco de su hermano Benjamín. Después, pidió a sus sirvientes que los siguieran y encontraran la copa en el saco. José les dijo a sus hermanos que, a partir de entonces, Benjamín sería su esclavo.

Judá, hermano de Benjamín, intercedió por él diciendo que a su padre se le rompería el corazón si Benjamín no regresaba. Al oír esto, José lloró y les contó que él era su hermano. Finalmente, los perdonó.

Basado en *Génesis* 37, 1–4; 42, 6–8; 44, 1–12; 45, 4–5

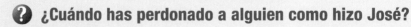

❓ **¿Cuándo has perdonado a alguien como hizo José?**

116

Journey to Freedom

 Focus Who helped lead God's people to freedom?

In the story of "The Golden Eggs," the husband was a slave to greed. Here are two Bible stories about how God led his people from slavery to freedom.

✝ **SCRIPTURE**   **Genesis 37:1–4, 42:6–8, 44:1–12, 45:4–5**

Joseph and His Brothers

Jacob, one of Abraham's descendants, had twelve sons. Jacob's older sons hated their younger brother Joseph because he was their father's favorite.

One day Joseph's brothers threw him into a dry well. Then they sold him as a slave in Egypt. They told their father that wild animals had killed Joseph. Now more of their father's goods would belong to them.

Over the years, Joseph's power to tell the meaning of dreams won him a place of honor with Pharaoh, the leader of Egypt. During a famine, Joseph's brothers came to the court to beg for grain. The brothers did not recognize Joseph, but Joseph knew them.

To test them, Joseph had servants fill the brothers' sacks with grain and put a silver cup into the sack of his brother Benjamin. Later he had his servants follow them and discover the silver cup in the sack. Joseph then told the brothers that Benjamin was to be his slave.

Benjamin's brother Judah pleaded for him, saying that their father would be brokenhearted if Benjamin did not return. At this news, Joseph wept and told the men that he was their brother. He forgave them.

Based on *Genesis 37:1–4, 42:6–8, 44:1–12, 45:4–5*

 When have you forgiven someone as Joseph did?

117

De la esclavitud a la libertad

Cuando los hermanos de José lo vendieron como esclavo, también se hicieron un daño a sí mismos. Solamente cuando José perdonó a sus hermanos, su familia volvió a sentir libertad y alegría verdaderas.

✝ LA SAGRADA ESCRITURA — Éxodo 2, 1–10; 14, 10–31; 15, 19–21

El éxodo de Egipto

Muchos años después, los israelitas, el Pueblo de Dios, fueron tomados como esclavos en Egipto. Como había órdenes de matar a todos los hijos varones de los israelitas, una madre escondió a su hijo en un canasto cerca del río Nilo. Cuando la hija de Faraón encontró al bebé, lo recogió y lo llamó Moisés. Lo educó en la corte como si fuera su hijo.

Cuando Moisés se hizo mayor, Dios lo llamó para ser el líder de su pueblo. Le pidió que le dijera a Faraón que dejara de maltratar a los israelitas, pero Faraón no le hizo caso.

Finalmente, Moisés pudo guiar a los israelitas en su salida de Egipto. En el Mar Rojo, Moisés levantó su bastón y las aguas se dividieron para que los israelitas pudieran pasar.

Basado en *Éxodo 2, 1–10; 14, 10–31; 15, 19–21*

❓ **¿Crees que a Moisés le resultó difícil dejar la corte del Faraón? ¿Por qué?**

Actividad — Comparte tu fe

Reflexiona: ¿Cuándo has estado celoso de alguien por sus dones o sus pertenencias?

Comunica: Cuéntale a un compañero por qué estabas celoso de esa persona y cómo resolviste la situación.

Actúa: Imagina que estás escribiendo una comedia musical. Usa una melodía conocida para escribir una canción que explique la situación.

From Slavery to Freedom

When Joseph's brothers sold him as a slave, they caused problems for themselves as well. It was only when Joseph forgave his brothers that his family knew real freedom and happiness again.

✚ S C R I P T U R E   Exodus 2:1–10, 14:10–31, 15:19–21

The Exodus from Egypt

Many years later God's people, the Israelites, were slaves in Egypt. Their male children were being killed, so one Israelite mother hid her baby boy in a basket near the Nile River. When Pharaoh's daughter found the baby, she kept him and named him Moses. She raised him at court as her son.

When Moses grew older, God called him to be a leader of his people. God asked Moses to tell Pharaoh to stop hurting the Israelites, but Pharaoh did not listen.

Finally, Moses was able to lead the Israelites out of Egypt. At the Red Sea, Moses raised his staff and the waters parted for the Israelites to pass through.

Based on Exodus 2:1–10, 14:10–31, 15:19–21

❓ **Do you think it was hard for Moses to leave Pharaoh's court? Why or why not?**

Activity — Share Your Faith

Reflect: When have you been jealous of someone else because of his or her gifts or belongings?

Share: Tell a partner why you were jealous of this person and how you handled the situation.

Act: Imagine that you are writing a musical, and use a familiar tune to help you write a song that explains the situation.

La guía de Dios

Análisis ¿Cómo te ayudan a ser libre los Diez Mandamientos?

Los israelitas se liberaron de la esclavitud pero siguieron necesitando la ayuda de Dios.

El viaje continúa

Palabras† de fe

Los **Diez Mandamientos** son un resumen de la ley de Dios, que Él le dio a Moisés en el Monte Sinaí. Te dicen lo que es necesario para amar a Dios y a los demás.

Después de cruzar el Mar Rojo, los israelitas peregrinaron por el desierto durante años y olvidaron que Dios los había salvado de la esclavitud en Egipto. Todo ese tiempo, Moisés luchó por mantener el orden en el Pueblo de Dios, y por encontrar comida y agua para ellos. Un día se quejó a Dios de su difícil tarea, y Dios lo ayudó.

En el desierto, Dios llamó a Moisés a la cumbre del monte Sinaí. Después de mostrarle su poder con truenos y relámpagos, Dios dio a Moisés los **Diez Mandamientos** para enseñarle al pueblo cómo debía vivir.

Basado en *Éxodo 17–20*

❓ **¿Por qué crees que son importantes los Diez Mandamientos?**

Vivir la alianza de Dios

Así como los Diez Mandamientos ayudaron a los israelitas a vivir su relación de alianza con Dios, los Mandamientos también son una guía para ti. Te indican lo mínimo que se necesita para amar a Dios y a los demás. Los tres primeros mandamientos te dicen cómo ser fiel a Dios. Los siete últimos te indican cómo tratar a los demás con amor. La tabla de la siguiente página contiene los Diez Mandamientos y explica lo que significa cada uno para ti.

A Guide from God

 **Focus** How do the Ten Commandments help you be free?

The Israelites were free from slavery, but they still needed God's help.

✝ **S C R I P T U R E**   **Exodus 17–20**

The Journey Continues

Words of Faith

The **Ten Commandments** are the summary of laws that God gave Moses on Mount Sinai. They tell what is necessary in order to love God and others.

After the Israelites crossed the Red Sea, they wandered in the desert for years. They forgot that God had saved them from slavery in Egypt. Moses struggled to keep order among God's people and to find food and water for them. He complained to God about his hard job, and God helped him.

In the desert, God called Moses up to Mount Sinai. After God showed his power with thunder and lightning, he gave Moses the **Ten Commandments** to show the people how they were to live.

Based on Exodus 17—20

❓ **Why do you think the Ten Commandments are important?**

Living God's Covenant

Just as the Ten Commandments helped the Israelites live their covenant relationship with God, the commandments are also a guide for you. They tell you the minimum that is required to love God and others. The first three commandments show you how to be faithful to God. The last seven show you how to treat other people with love. The chart on the next page names the Ten Commandments and explains what each one means for you.

121

Los Diez Mandamientos

El mandamiento	Su significado
1. Amarás a Dios sobre todas las cosas.	• Pon tu fe en Dios solamente. • Rinde culto a Dios, alábalo y da gracias al Creador. • Cree en Dios, confía en Él y ámalo.
2. No tomarás el nombre de Dios en vano.	• Usa siempre el nombre de Dios de manera reverente. • No maldigas. • Nunca invoques a Dios como testigo de una mentira.
3. Santificarás las fiestas.	• Reúnete a rendir culto a Dios en la Eucaristía. • Descansa y evita el trabajo innecesario todos los domingos.
4. Honrarás a tu padre y a tu madre.	• Respeta y obedece a tus padres, a los que te cuidan y a otros que tengan la autoridad apropiada.
5. No matarás.	• Respeta y protege la vida de los demás y tu propia vida.
6. No cometerás actos impuros.	• Sé fiel y leal a tus amigos y tu familia. • Respeta el don de Dios de la sexualidad.
7. No robarás.	• Respeta las pertenencias de los demás. • Comparte lo que tienes con los necesitados.
8. No dirás falso testimonio ni mentirás.	• Sé honesto y sincero. • No te jactes de ti mismo. • No digas cosas falsas o negativas acerca de los demás.
9. No desearás la mujer de tu prójimo.	• Practica la modestia en tus pensamientos, palabras, vestimenta y acciones.
10. No codiciarás los bienes ajenos.	• Alégrate de la dicha de los demás. • No envidies lo que tienen los demás. • No seas avaricioso.

Actividad Practica tu fe

Los mandamientos y tú Esta semana tomaste varias decisiones. Escribe una decisión que hayas tomado y di qué mandamiento cumpliste al tomar esa decisión.

_____

_____

The Ten Commandments

The commandment	What the commandment means
1. I am the Lord your God. You shall not have strange gods before me.	• Place your faith in God alone. • Worship, praise, and thank the Creator. • Believe in, trust, and love God.
2. You shall not take the name of the Lord your God in vain.	• Speak God's name with reverence. • Don't curse. • Never call on God to witness to a lie.
3. Remember to keep holy the Lord's day.	• Gather to worship at the Eucharist. • Rest and avoid unnecessary work on Sunday.
4. Honor your father and your mother.	• Respect and obey your parents, guardians, and others who have proper authority.
5. You shall not kill.	• Respect and protect the lives of others and your own life.
6. You shall not commit adultery.	• Be faithful and loyal to friends and family. • Respect God's gift of sexuality.
7. You shall not steal.	• Respect the things that belong to others. • Share what you have with those in need.
8. You shall not bear false witness against your neighbor.	• Be honest and truthful. • Do not brag about yourself. • Do not say untruthful or negative things about others.
9. You shall not covet your neighbor's wife.	• Practice modesty in thoughts, words, dress, and actions.
10. You shall not covet your neighbor's goods.	• Rejoice in others' good fortune. • Do not be jealous of others' possessions. • Do not be greedy.

Activity — Connect Your Faith

Commandments and You   This week you made a number of decisions. Write down one decision you made, and tell which commandment you followed when you made that decision.

_____

_____

Salmo de celebración

Oremos

Reúnanse y comiencen con la señal de la cruz.

Canten juntos el estribillo.

Canta, pueblo, al Señor hoy canta,
tu voz levanta, canta ¡aleluya!
"Sing Our God Together" © 1993, GIA Publications, Inc.

Líder: El Señor nos da los mandamientos como una forma de vivir. Alabemos a Dios por el regalo de la salvación.

Lector 1: Entonces, nuestra boca se llenaba de risa, de nuestros labios brotaban canciones.

Todos: *Canten el estribillo.*

Lector 2: ¡Qué maravillas hizo el Señor por nosotros! Nos llenó de gozo.

Todos: *Canten el estribillo.*

Lector 3: Los que siembran entre lágrimas cantarán durante la cosecha.

Todos: *Canten el estribillo.*

Lector 4: Se van, se van, llenos de lágrimas; volverán, volverán, llenos de canciones.

Todos: *Canten el estribillo.*

Líder: Oremos.
Inclinen la cabeza mientras el líder reza.

Todos: **Amén.**

Basado en el *Salmo 126*

Psalm of Celebration

 Let Us Pray

Gather and begin with the Sign of the Cross.

Sing together the refrain.

Sing, O people, sing our God together,
raise your voices: sing alleluia!

"Sing Our God Together" © 1993, GIA Publications, Inc.

Leader: The Lord gives us the commandments as a way of living. Let us praise God for the gift of salvation.

Reader 1: Then was our mouth filled with laughter, on our lips there were songs.

All: *Sing refrain.*

Reader 2: What marvels the LORD worked for us! Indeed we were glad.

All: *Sing refrain.*

Reader 3: Those who are sowing in tears will sing when they reap.

All: *Sing refrain.*

Reader 4: They go out, they go out, full of tears; they come back, they come back, full of song.

All: *Sing refrain.*

Leader: Let us pray.

Bow your heads as the leader prays.

All: **Amen.**

Based on *Psalm 126*

125

Repasar y aplicar

A **Trabaja con palabras** Empareja cada descripción de la columna 1 con el término correcto de la columna 2.

Columna 1

_____ **1.** Perdonó a sus hermanos.

_____ **2.** Lugar donde los israelitas fueron esclavos.

_____ **3.** Rey de Egipto.

_____ **4.** Guió a los israelitas a la libertad.

_____ **5.** Resumen de la ley de Dios.

Columna 2

a. Moisés

b. Faraón

c. Diez Mandamientos

d. José

e. Egipto

B **Comprueba lo que aprendiste** Escribe los siguientes mandamientos. Dile a un compañero una manera de cumplir cada mandamiento.

3ro: _____

4to: _____

5to: _____

7mo: _____

Actividad vive tu fe

Señalador de los mandamientos Diseña un señalador con una frase en cada lado. En el frente, escribe una forma de cumplir uno de los tres primeros mandamientos. Del otro lado, escribe una forma de cumplir uno de los siete últimos mandamientos. Luego, decora tu señalador.

Review and Apply

A **Work with Words** Match each description in Column 1 with the correct term in Column 2.

Column 1

_____ **1.** forgave his brothers

_____ **2.** Israelites' place of slavery

_____ **3.** leader of Egypt

_____ **4.** led Israelites to freedom

_____ **5.** some of God's laws

Column 2

a. Moses

b. Pharaoh

c. Ten Commandments

d. Joseph

e. Egypt

B **Check Understanding** Write these commandments. Tell a partner one way to keep each commandment.

3rd: _____

4th: _____

5th: _____

7th: _____

Activity — Live Your Faith

Commandment Bookmark Design a bookmark with a saying on each side. On the front, write a way to keep one of the first three commandments. On the back, write a way to keep one of the last seven commandments. Decorate your bookmark.

front   back

La fe en familia

Lo que creemos

- **Dios te dio los Diez Mandamientos para ayudarte a ser fiel a Él y a su alianza.**

- **Los mandamientos te dicen cómo amar a Dios y a los demás.**

LA SAGRADA ESCRITURA

Lee *Mateo 5, 43–48* para aprender acerca de la importancia de amar tanto a los amigos como a los enemigos.

APRENDE en línea — Visita **www.osvcurriculum.com** para encontrar recursos basados en el año litúrgico y lecturas semanales de la Sagrada Escritura.

Actividad

vive tu fe

Alianzas Habla con tu familia acerca de lo que aprendiste sobre la alianza de Dios y cómo vivirla. Redacten una alianza familiar. Primero, escriban varias formas en que se demostrarán amor y respeto mutuamente. Después, escriban la promesa de amar a Dios y a los demás. Firmen cada uno la alianza y cuélguenla donde todos la vean.

Siervos de la fe

Aarón era el hermano mayor de Moisés. Ayudó a su hermano en el Éxodo de Egipto y durante los años que pasaron en el desierto. Aarón era el sumo sacerdote, responsable del culto y el sacrificio que ayudarían a los israelitas a seguir el camino que Dios les había marcado. **Miriam** era la hermana de Aarón y Moisés. Se le conoce como una profetisa, es decir, una persona que dice la verdad al pueblo acerca de Dios. Después de la huida de Egipto, Miriam dirigió a las mujeres en el canto y la danza.

▲ Aarón y Miriam
c. 1800 a.C.

Una oración en familia

Dios Padre nuestro, ayúdanos a ver y seguir tu camino, como lo hicieron Aarón y Miriam. Danos paciencia en nuestro viaje de fe. Amén.

Family Faith

CHAPTER 3 Family Faith

Catholics Believe

- God gave you the Ten Commandments to help you be faithful to him and his covenant.

- The commandments tell you ways to love God and others.

✝ SCRIPTURE

Read *Matthew 5:43–48* to learn about the importance of loving both friends and enemies.

GO online www.osvcurriculum.com
For weekly scripture readings and seasonal resources

Activity

Live Your Faith

Covenants With your family, discuss what you learned about living God's covenant. Then write a family covenant. Begin by writing ways that you will show love and respect for one another. Then, write a promise to love God and others. Sign your names to the covenant, and display it where all can see it.

People of Faith

Aaron was the older brother of Moses. He assisted his brother in the Exodus from Egypt and during the years in the desert. Aaron was a high priest, responsible for the worship and sacrifice that would keep the Israelites on the path God had set for them. **Miriam** was the sister of Aaron and Moses. She is called a prophet—a person who speaks the truth to the people about God. She led the women in song and dance after the escape from Egypt.

▲ Aaron and Miriam c. 1800 B.C.

🙌 Family Prayer

God our Father, help us see and follow your guidance, as Aaron and Miriam did. Give us patience on our faith journey. Amen.

CCC *In Unit 1 your child is learning about REVELATION.*
See Catechism of the Catholic Church 59–61, 385–389 for further reading on chapter content.

Trabaja con palabras Usa las pistas para resolver las palabras cruzadas. Escribe la respuesta a cada pista en las casillas correspondientes. Cuando hayas terminado, lee las casillas verticales con círculos y descubrirás la palabra oculta.

1. Cuidado amoroso que tiene Dios de todas las cosas; su voluntad y su plan para la creación.

2. Firme y leal en tu compromiso con Dios.

3. Dijo "sí" a la voluntad de Dios y se convirtió en la Madre de Jesús.

4. La decisión de Adán y Eva de desobedecer a Dios.

5. Forma en que Dios habla a los seres humanos acerca de sí mismo y da a conocer su plan.

6. El resumen de la ley de Dios, que Él le dio a Moisés.

7. Promesa o contrato sagrado entre Dios y los seres humanos.

8. Otra manera de denominar la Biblia, o la palabra de Dios escrita en palabras humanas.

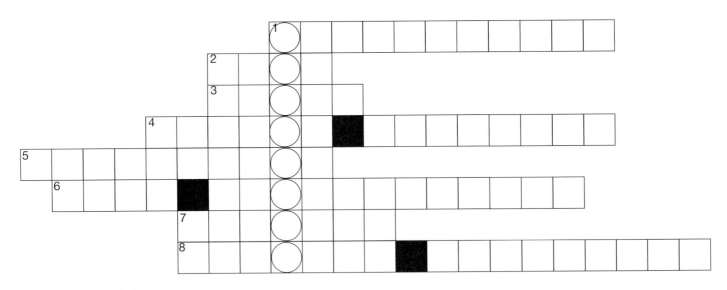

9. Palabra oculta: José pudo _____ a sus hermanos cuando intercedieron para que no castigara a Benjamín.

Work with Words Use the clues to solve the puzzle. Write the answer to each clue in the boxes. When you have finished, read down the column with the circles to find the hidden word.

1. What we call the first people's choice to disobey God

2. The summary of laws that God gave Moses

3. Said "yes" to God's will and became the Mother of Jesus

4. What Adam and Eve ate

5. God's loving care for all things; his will and plan for creation

6. How God tells humans about himself and makes his plan known

7. Steadfast and loyal in your commitment to God

8. What Joseph did after his brothers pleaded for Benjamin to be spared

9. A sacred promise or agreement between God and humans

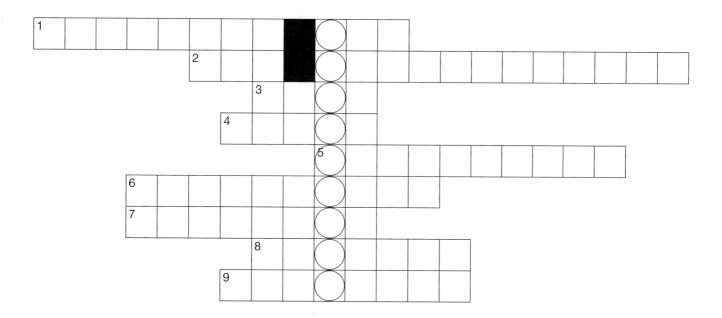

10. Hidden Word: _____ is another name for the Bible, or the word of God written in human words.

UNIDAD 2

La Santísima Trinidad

Capítulo 4

A imagen de Dios

¿Qué significa ser creado a imagen de Dios?

Capítulo 5

Creados para los demás

¿Por qué debes amar a tu prójimo?

Capítulo 6

Tomar buenas decisiones

¿Qué dones de Dios te ayudan a tomar buenas decisiones?

 ¿Qué crees que vas a aprender en esta unidad acerca de un pueblo fiel?

UNIT 2
Trinity

Chapter 4
In God's Image

What does it mean to be created in the image of God?

Chapter 5
Created for One Another

Why must you love your neighbor?

Chapter 6
Making Good Choices

What gifts from God help you make good choices?

? What do you think you will learn in this unit about faithful people?

Capítulo 4 A imagen de Dios

 **Oremos**

Líder: Señor, te alabamos y te damos gracias por toda la creación.
"Si envías tu espíritu, son creados
y así renuevas la faz de la tierra".

Salmo 104, 30

Todos: Señor, te alabamos y te damos gracias por toda la creación.
Amén.

Actividad **Comencemos**

Yo soy yo

No hay otro YO SOY YO
que piense lo que yo pienso;
en el mundo hay un solo YO SOY YO,
no hay lugar para dos.
Yo soy el único YO SOY YO
que puede existir sobre la tierra;
¡Y el que YO SOY
no es nadie más que YO!

Selección del poema de Jack Prelutsky

• ¿Qué es lo mejor de ser tú?

In God's Image

Let Us Pray

Leader: God, we give you praise and thanks for all creation.

"When you send forth your breath, they are
created,
and you renew the face of the earth."

Psalm 104:30

All: God, we give you praise and thanks for all creation. Amen.

Activity — Let's Begin

Me I Am

There is no other ME I AM

who thinks the thoughts I do;

the world contains one ME I AM,

there is no room for two.

I am the only ME I AM

this earth shall ever see;

that ME I AM I always am

is no one else but ME!

A selection from the poem by Jack Prelutsky

• What is the best thing about
being you?

135

Una imagen del amor

 **Análisis** ¿Qué significa ser creado a imagen de Dios?

Dios te dio la vida. Te creó a ti y a todas las personas para reflejar su propia imagen de amor. La imagen de Dios puede brillar en ti y en todas las personas con las que te encuentras. El relato sobre Rosa Parks nos enseña que todas las personas deben ser tratadas por igual.

UNA BIOGRAFÍA

Rosa Parks

En la tarde del 1 de diciembre de 1955, Rosa Parks subió a un autobús público de Montgomery, Alabama, y se sentó en la sección para blancos. El autobús se llenó rápidamente y se ocuparon todos los asientos. El conductor se dio cuenta de que Rosa, una mujer de la raza negra, no estaba sentada en la *sección para gente de color*. Le pidió a Rosa que fuera a la parte trasera del autobús, pero ella se negó. No discutió. Simplemente se quedó en su asiento.

Antes de la década de 1960, los afroamericanos eran tratados injustamente debido al color de su piel. Eran separados del resto de la sociedad de muchas maneras. Mucho tiempo después de lo que sucedió en el autobús, Rosa Parks escribió: "El maltrato que recibíamos no estaba bien, y yo estaba cansada de todo aquello. Pensé en mi madre y en mis abuelos, y en lo fuertes que eran. Sabía que era posible que me maltrataran, pero era mi oportunidad de hacer lo que yo había pedido a otros que hicieran".

❓ **¿Has visto alguna vez una persona que fuera tratada de forma diferente sólo por el color de su piel?**

136

An Image of Love

 **Focus** What does it mean to be created in the image of God?

God has given you life. He has created you and all people to reflect his own image of love. God's image can shine in you and in every person you meet. The story of Rosa Parks teaches us that all people should be treated equally.

A BIOGRAPHY

Rosa Parks

On the evening of December 1, 1955, Rosa Parks boarded a public bus in Montgomery, Alabama, and took a seat in the *white section*. The bus filled quickly, and soon there were no more seats. The driver noticed that Rosa, a black woman, was not sitting in the *colored section*. He asked Rosa to move to the back of the bus, but she refused. She did not argue. She simply did not move.

Before the 1960s, African Americans were unjustly treated because of their skin color. They were separated from the rest of society in many ways. Long after that day on the bus, Rosa Parks wrote, "Our mistreatment was just not right, and I was tired of it. I kept thinking about my mother and my grandparents, and how strong they were. I knew there was a possibility of being mistreated, but an opportunity was being given to me to do what I had asked of others."

❓ **When have you observed that someone was being treated in a certain way simply because of the color of his or her skin?**

Creados con dignidad

Rosa Parks es una verdadera heroína de la lucha por los derechos humanos en Estados Unidos. Sin embargo, ella comenzó haciendo algo muy sencillo un día que se cansó del trato que recibía. Rosa expresó la creencia cristiana básica de que todas las personas tienen **dignidad** porque son creadas a imagen de Dios.

✝ LA SAGRADA ESCRITURA

Y creó Dios al hombre a su imagen.
    A imagen de Dios lo creó.
    Macho y hembra los creó.

Genesis 1:27

Dios te hizo con un cuerpo humano y con un **alma** que vivirá eternamente. Dios te dio la capacidad de pensar, de amar y de tomar decisiones. Puedes tomar decisiones a favor de la dignidad humana todos los días.

Palabras† de fe

La **dignidad** consiste en valorar y estimar a una persona. Todas las personas merecen respeto porque fuer hechas a imagen de Dios.

El **alma** es la parte espiritua del ser humano que vive eternamente.

Actividad — Comparte tu fe

Reflexiona: Piensa en una ocasión en la que tú o alguien que conoces mostró respeto o trató a alguien con dignidad.

Comunica: Cuéntale a un compañero lo que sucedió.

Actúa: Menciona algunas formas en que puedes proteger la dignidad de los demás.

_____

_____

_____

Created with Dignity

Rosa Parks was a true hero of the struggle for human rights in the United States. Yet she began by doing one simple thing on a day when she was tired. Rosa expressed the very basic Christian belief that all people have **dignity** because they are created in God's image.

✝ SCRIPTURE

God created man in his image;
in the divine image he created him;
male and female he created them.

Genesis 1:27

God made you with a human body, and you have a **soul** that will live forever. God gave you the ability to think, to love, and to make choices. You can make choices for human dignity every day.

Words of Faith

Dignity is self-worth. Every human is worthy of respect because he or she is made in the image of God.

Soul is the spiritual part of a human that lives forever.

Activity — Share Your Faith

Reflect: Think of a time when you or someone you know showed respect or treated someone with dignity.

Share: Tell a partner what happened.

Act: List some ways you can protect the dignity of others.

_____

_____

_____

Creados para amar

Análisis ¿Qué es el pecado?

Dios te creó para que estés unido a Él y a todas las personas. Cuando actúas con amor, profundizas tu relación con Dios y con los miembros de la Iglesia, que forman el Cuerpo de Cristo. Cuando decides tratar mal a una persona, ofendes a esa persona y a toda la comunidad de fe, porque decides no mostrar amor ni respeto.

La falta de amor

El **pecado** siempre implica falta de amor. Un pensamiento, palabra o acto pecaminoso daña tu amistad con Dios. El pecado también te afecta a ti y no te deja ser la persona que Dios quiere que seas.

Hay dos clases de pecado personal: el pecado mortal y el pecado venial. Los pecados graves, como el asesinato, se conocen como pecados mortales. Destruyen la amistad que la persona tiene con Dios y con los demás. Un pecado es mortal cuando la acción es sumamente grave, y la persona sabe que su acción es muy grave pero decide realizarla por propia voluntad.

Los pecados veniales son pecados menos graves. Pueden ser acciones, como desobedecer, hacer trampa y mentir, o malos hábitos, como ser perezoso o deshonesto. Algunas veces el pecado es no hacer algo. Un ejemplo sería permanecer callado cuando alguien cuenta alguna broma burlándose de otra persona o grupo. El pecado venial daña tu amistad con Dios y con los demás, pero no la destruye.

Made to Love

God created you to be united to him and to all people. Every time you act in a loving way, you deepen your connection to God and to the members of the Church, the Body of Christ. When you choose to treat someone badly, you hurt this person and the whole community of faith. You choose not to show love and respect.

Failure to Love

Sin is always a failure to love. A sinful thought, word, or act also hurts your friendship with God. Sin affects you, too, and keeps you from becoming the person God wants you to be.

There are two kinds of personal sin—mortal and venial. Serious sins, such as murder, are called mortal sins. They destroy the friendship a person has with God and with others. In order for a sin to be mortal, the act must be seriously wrong, you must know that it is seriously wrong, and you must freely choose to do it anyway.

Venial sins are less serious sins. They are things that you do, such as disobeying, cheating, and lying, or bad habits that you develop, such as being lazy or dishonest. Sometimes sin is a failure to act. This is a sin of omission. An example of this would be to remain silent when someone tells a joke that makes fun of another person or group. Venial sin hurts your friendship with God and others, but it does not destroy it.

Amor y respeto

El **pecado social** se refiere a las consecuencias del pecado que se pueden acumular con el tiempo en una comunidad o en una nación. Un ejemplo de pecado social es no permitir a alguien de una determinada raza o grupo comprar una casa en un barrio determinado. Rosa Parks actuó en contra de la desigualdad y del pecado social. Así, defendió su propia dignidad y la dignidad de los demás.

Todas las personas son iguales. Todas las personas tienen dignidad y merecen respeto porque fueron hechas a imagen de Dios. Jesús es la imagen perfecta de Dios porque es el Hijo de Dios. Tú estás llamado a parecerte cada vez más a Jesús y a reflejar el amor y el cuidado que Él muestra hacia todas las personas.

Palabras† de fe

El **pecado** es un pensamiento, palabra, acci u omisión deliberada contraria a la ley de Dios.

El **pecado social** es una estructura social o instituc pecaminosa que se acumu con el tiempo y llega a afectar toda la sociedad.

Actividad — practica tu fe

Pide perdón   Todos pecamos, pero no todos le pedimos perdón a Dios. Escribe una oración personal pidiéndole perdón a Dios por algunas de las acciones que hayas cometido en el pasado.

Love and Respect

Social sin refers to the results of sin that can build up over time in a community or nation. One example of social sin is not allowing someone of a certain race or group to buy a house in a certain neighborhood. Rosa Parks acted against inequality and social sin. She defended her own dignity and the dignity of others.

All people are equal. Every person has dignity and is worthy of respect because he or she is made in God's image. Because he is the Son of God, Jesus is the perfect image of God. You are called to become more like Jesus and to reflect the love and care that he shows all people.

Words of Faith

Sin is a deliberate thought, word, deed, or omission contrary to the law of God.

Social sin is a sinful social structure or institution that builds up over time so that it affects the whole society.

Activity Connect Your Faith

Ask for Forgiveness Everybody sins, but not everybody asks for God's forgiveness. Write a personal prayer, asking God's forgiveness for some of your past actions.

143

Oración por la dignidad y el respeto

Oremos

Reúnanse y comiencen con la señal de la cruz.

Canten juntos.

Te digo, te digo, nueva vida doy,
   comienzo en ti, comienzo desde hoy.

Te digo, te digo, nueva vida doy,
mi promesa cree, Cristo el camino soy.

"Behold, I Make All Things New" © 1994, The Iona Community,
GIA Publications, Inc., agent

Lector:	Dios de la vida,
Todos:	**Oramos por la dignidad de la vida.**
Lector:	Dios de la creación,
Todos:	**Oramos por la dignidad de la vida.**
Lector:	Dios, fuente de toda vida,
Todos:	**Oramos por la dignidad de la vida.**
Lector:	Dios, protector de toda la humanidad,
Todos:	**Oramos por la dignidad de la vida.**
Líder:	Señor Dios, te alabamos y te damos gracias por toda la creación.

Prayer for Dignity and Respect

 Let Us Pray

Gather and begin with the Sign of the Cross.

Sing together.

Behold, behold, I make all things new, beginning
with you and starting from today.
Behold, behold, I make all things new, my promise
is true, for I am Christ the way.

"Behold, I Make All Things New" © 1994, The Iona Community,
GIA Publications, Inc., agent

Reader:	God of life,
All:	**We pray for the dignity of life.**
Reader:	God of creation,
All:	**We pray for the dignity of life.**
Reader:	God, the source of all life,
All:	**We pray for the dignity of life.**
Reader:	God, the protector of all humanity,
All:	**We pray for the dignity of life.**
Leader:	God, we give you praise and thanks for all creation.
All:	**Amen.**

Repasar y aplicar

A **Comprueba lo que aprendiste** Indica si el enunciado es Verdadero o Falso. Corrige los enunciados falsos.

1. Un matón no puede reflejar nunca la imagen de Dios.

_____

2. Dios está con todas las personas en todo momento y en todo lugar. _____

3. Cuando te copias en una prueba de ortografía, cometes un pecado mortal. _____

4. Rosa Parks fue víctima del pecado social. _____

5. Cada persona es única, creada por Dios. _____

B **Relaciona** ¿Por qué merecen respeto todas las personas?

_____

_____

_____

_____

Actividad Vive tu fe

Muestra respeto Al igual que Rosa Parks, algunas personas o grupos de personas no reciben el respeto que merecen. ¿Qué consejo le darías a una persona que le está faltando el respeto a alguien, o que no está tratando a alguien con suficiente respeto?

_____

_____

_____

Review and Apply

A **Check Understanding** Mark each statement True or False. Correct each false statement.

1. A bully can never reflect God's image.

   _____

2. God is with everyone at all times in all places.

   _____

3. You commit a mortal sin when you cheat on a spelling test. _____

4. Rosa Parks was a victim of social sin. _____

5. Each person is unique, created by God. _____

B **Make Connections** Why are all people worthy of respect?

_____

_____

_____

_____

Activity — Live Your Faith

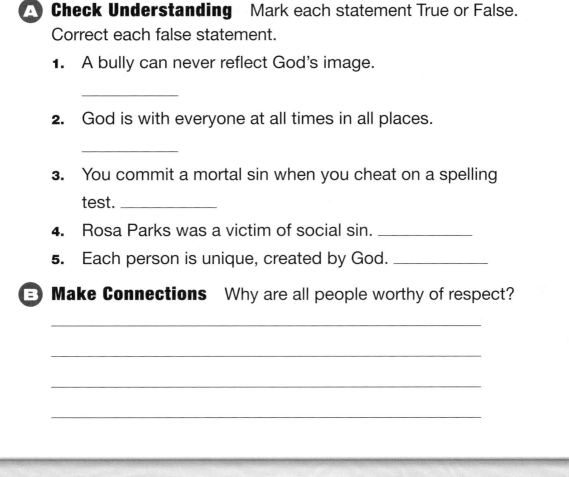

Show Respect Like Rosa Parks, some people or groups of people do not get the respect they deserve. What advice would you give to a person who is treating someone else with little or no respect?

_____

_____

_____

_____

La fe en familia

Lo que creemos

- Todas las personas merecen respeto porque fueron creadas a imagen de Dios.

- Cada persona tiene un alma que vivirá eternamente.

✝ LA SAGRADA ESCRITURA

Lee *Levítico 19, 1–18; 31–37* para aprender otras formas de respetar a los demás, de respetarte a ti mismo y de tratar a todas las personas con dignidad.

APRENDE en línea · Visita **www.osvcurriculum.com** para encontrar recursos basados en el año litúrgico y lecturas semanales de la Sagrada Escritura.

Actividad

vive tu fe

Por dentro y por fuera Cuando respetamos nuestra propia dignidad y la de los demás honramos a Dios, que nos creó a su imagen. Junten varias bolsas de papel y revistas. Busquen fotografías que reflejen cómo creen que los ven los demás. Peguen las fotografías en la parte de afuera de una bolsa. Luego busquen fotografías que muestren lo que Dios ve en ustedes y colóquenlas dentro de la bolsa. Muestren a los demás el contenido de sus bolsas, si lo desean.

Siervos de la fe

Teresa Benedicta fue una católica conversa, maestra y monja carmelita, que vivió a principios del siglo XX. Dedicó su vida a la enseñanza, especialmente de niñas y mujeres. Durante la persecución nazi a los judíos, fue arrestada y ejecutada en Auschwitz. Teresa es un modelo de la importancia del perdón y la reconciliación en épocas de mucha violencia. El día de Santa Teresa se celebra el 9 de agosto.

▲ Santa Teresa Benedicta 1891–1942

Una oración en familia

Santa Teresa, que tu vida sea un modelo. Ruega por nosotros para que aprendamos a perdonar, incluso a nuestros enemigos. Amén.

Family Faith

Catholics Believe

- Every person is worthy of respect because he or she is created in God's image.

- Each person has a soul that will live forever.

SCRIPTURE

Read *Leviticus 19:1–18, 31–37* to learn other ways in which you can respect others and yourself and treat each person with dignity.

GO online www.osvcurriculum.com
For weekly scripture readings and seasonal resources

Activity
Live Your Faith

Inside and Outside When we respect our own dignity and that of others, we give honor to God, who has created us in his image. Gather some paper bags and magazines. Find pictures that show how you think others see you. Glue the pictures on the outside of a bag. Then find and place pictures inside the bag that show what God sees in you. Invite each person to share the contents of the bag if he or she wishes.

People of Faith

▲ Saint Teresa Benedicta 1891–1942

Teresa Benedicta was a teacher, a converted Catholic, and a Carmelite nun who lived during the first part of the twentieth century. Her life was dedicated to teaching, especially the teaching of young girls and women. During the Nazi persecution of Jews, Teresa was arrested and executed at Auschwitz. She is a model of the importance of forgiveness and reconciliation during a time of great violence. Saint Teresa's feast day is August 9.

 Family Prayer

Saint Teresa, may your life be a model. Pray for us that we might learn to forgive, even our enemies. Amen.

CCC *See Catechism of the Catholic Church 355–357, 362–366 for further reading on chapter content.*

5 Creados para los demás

 Oremos

Líder: Te damos gracias, oh Creador, por todos los dones que compartimos.

"Del Señor es la tierra y lo que contiene, el mundo y todos sus habitantes".

Salmo 24, 1

Todos: Te damos gracias, oh Creador, por todos los dones que compartimos. Amén.

Actividad Comencemos

La cadena de la vida

La raza humana es como una cadena
Que mantiene al mundo unido.
Compartimos la misma tierra
Y bajo el mismo sol vivimos.
Cuerpos, caras, voces, manos
A todos nos fueron dados.
Todos tenemos el don de la vida
Y también una esperanza de paz
compartida.

• ¿Quiénes forman tres eslabones en tu cadena de la vida?

Chapter 5 Created for One Another

Let Us Pray

Leader: We thank you, O Creator, for all the gifts we share.

"The earth is the LORD's and all it holds,
the world and those who live there."

Psalm 24:1

All: We thank you, O Creator, for all the gifts we share. Amen.

Activity — Let's Begin

The Chain of Life

The human race is a kind of chain
That binds the world as one.
We share the earth below our feet
And live beneath the sun.
Bodies, faces, voices, hands—
We each are given these.
All humans share the gift of life
And share a hope for peace.

• Who are three links in your chain
of life?

151

Creados para amar

 **Análisis** ¿Qué tiene que ver el amor al prójimo con el amor a Dios?

Desde los tiempos de los primeros seres humanos, las personas han formado grupos. El plan de Dios es que las personas vivan unidas en el amor. Este relato refleja cómo quiere Dios que vivan las personas.

UN RELATO

SUELO SAGRADO

Una noche, el rey Salomón vio a un hombre que llevaba sacos de trigo de un granero a otro. "Debe de ser un ladrón", pensó Salomón. Poco después, apareció otro hombre llevando los sacos de trigo al granero de donde los había sacado el primero.

Al día siguiente, Salomón llamó a los dos hombres por separado. Le dijo al primero: "¿Por qué robas a tu vecino en medio de la noche?".

"Yo no robo", contestó el hombre. "Mi vecino es también mi hermano. Tiene una esposa e hijos que alimentar, pero no acepta que yo le dé dinero para ayudarlo. Por eso todas las noches, en secreto, llevo trigo de mi granero al suyo".

Salomón le hizo la misma pregunta al segundo hombre. El hombre respondió: "Yo tengo una gran familia que me ayuda, pero mi hermano tiene que pagar si quiere que lo ayuden, y por eso necesita más trigo. No acepta que yo le regale trigo, y por eso todas las noches se lo llevo a escondidas".

Salomón dijo: "El suelo más sagrado de todo Israel es este, donde los hermanos se aman tanto. Construiré un templo en este lugar".

Tomado de un relato judío

❓ **¿Por qué un sitio en el que la gente comparte es un buen lugar para construir un templo?**

Created to Love

 Focus What does love of neighbor have to do with love of God?

From the time of the first humans, people have formed groups. God's plan is for people to live together in love. This story shows how God wants people to live.

A STORY

HOLY GROUND

One night King Solomon noticed a man carrying sacks of wheat from one barn to another. "He must be a thief," Solomon thought. Soon a different man appeared, carrying sacks of wheat back to the original barn!

The next day Solomon called each man before him separately. To the first he said, "Why do you steal from your neighbor in the middle of the night?"

"I do not steal," the man said. "My neighbor is also my brother. He has a wife and children to feed, but he won't take any extra money from me. So every night I secretly carry wheat from my barn to his."

Solomon asked the second man the same question. The man answered, "I have a big family to help me, but my brother has to pay for help, and so he needs more wheat. He won't take it from me, so at night I secretly give the wheat to him."

Solomon said, "The holiest ground in Israel is here, where brothers love each other this much. I shall build a temple here."

From a Jewish teaching story

❓ **Why would a place where people share be a good spot for a temple?**

153

Comunidad de amor

Los dos hermanos del relato se ayudaban el uno al otro. Salomón declaró sagrada aquella tierra porque sabía que Dios está presente cuando las personas muestran su amor a los demás. Los hermanos habían formado una **comunidad** de amor.

? **¿De qué otras maneras concretas muestran su amor por los demás los miembros de una comunidad?**

El bien común

En el capítulo anterior, aprendiste que Dios hizo a todas las personas a su imagen. Tú eres la imagen de Dios cuando reflejas a los demás el amor de la Santísima Trinidad.

Las personas que viven en comunidades auténticas trabajan por el bien común cuando:

- respetan la dignidad de cada persona y reconocen el derecho de vivir en libertad y de la expresión personal, siempre que no hieran a los demás.

- colaboran para que todos reciban las cosas que son necesarias para vivir, como alimentos, alojamiento y ropa.

- promueven la paz, la seguridad y el orden en la comunidad.

Palabras† de fe

Una **comunidad** es un grupo de personas que tienen en común determinadas creencias, esperanzas y objetivos.

Actividad — Comparte tu fe

Reflexiona: ¿Cómo trabajan por el bien común los vecinos de tu barrio?

Comunica: Cuéntale a la clase acerca de alguna de esas actividades.

Actúa: Dibuja algo que represente esta actividad. Junta tu dibujo con los de tus compañeros para hacer un collage.

Community of Love

The two brothers in the story tried to provide for each other's needs. Solomon called their land holy because he knew that God is present whenever people show their love for one another. The brothers had formed a **community** of love.

❓ **What are some other practical ways that members of a community show their love for one another?**

The Common Good

You learned in the last chapter that God made all people in his image. You are more clearly an image of God when you reflect the love of the Holy Trinity to others.

Words of Faith

A **community** is a group of people who hold certain beliefs, hopes, and goals in common.

People who live in true communities work for the common good by

- respecting the dignity of each person and acknowledging each person's right to freedom and self-expression, as long as others are not hurt.

- making sure that every person has a way to get the things that are necessary for life, such as food, shelter, and clothing.

- providing peace, security, and order in the community.

Activity — Share Your Faith

Reflect: How do people in your neighborhood work for the common good?

Share: Tell the class about one of these activities.

Act: Draw something that represents this activity. Add your drawing to those of others in the class to make a collage.

Vida cristiana

Análisis ¿Qué significa llevar una vida moral?

Todas las personas tienen derechos individuales que están en equilibrio con la responsabilidad de respetar y proteger los derechos de los demás. Nadie tiene libertad sin límites, ni derecho ilimitado sobre los bienes de la tierra. Cuando los derechos de todos están en equilibrio, el Reino de Dios está cerca.

Un buen ejemplo de este equilibrio es el relato acerca de los primeros cristianos. En el siguiente pasaje, aprenderemos cómo vivieron los primeros cristianos en los años que siguieron a la Resurrección y Ascensión de Jesús.

LA SAGRADA ESCRITURA

Hechos 2, 42–45

La vida comunitaria

Acudían asiduamente a la enseñanza de los apóstoles, a la convivencia, a la fracción del pan y a las oraciones. Toda la gente sentía un santo temor, ya que los prodigios y señales milagrosas se multiplicaban por medio de los apóstoles. Todos los que habían creído vivían unidos; compartían todo cuanto tenían, vendían sus bienes y propiedades y repartían después el dinero entre todos según las necesidades de cada uno.

Hechos 2, 42–45

San Lorenzo dando los bienes de la Iglesia a los pobres, de Bernardo Strozzi

❓ **¿Qué ejemplos conoces de personas que viven hoy día como vivían los primeros cristianos?**

Christian Living

 **Focus** What does it mean to live a moral life?

Each person has individual rights that are balanced with a responsibility to respect and protect the rights of others. No one has unlimited freedom or an unlimited right to the earth's goods. When everyone's rights are in balance, the kingdom of God is close at hand.

You can see a good example of this in the story of the early Christians. From this passage we learn how they lived in the years just after the Resurrection and Ascension of Jesus.

✚ SCRIPTURE   Acts 2:42–45

The Communal Life

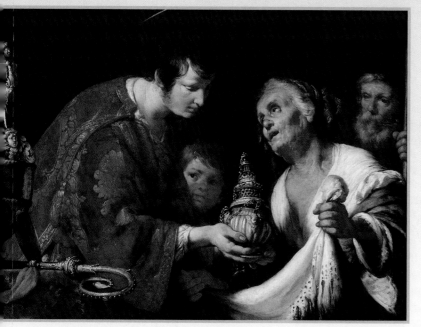

St. Lawrence Giving the Treasure of the Church to the Poor **by Bernardo Strozzi**

They devoted themselves to the teaching of the apostles and to the communal life, to the breaking of the bread and to the prayers. Awe came upon everyone, and many wonders and signs were done through the apostles. All who believed were together and had all things in common; they would sell their property and possessions and divide them among all according to each one's need.

Acts 2:42–45

❓ **What examples can you give of people today who live as early Christians did?**

157

Amarse los unos a los otros

Los primeros cristianos formaron una comunidad basada en la fe común en Jesucristo y en su mensaje. Hoy día, su fe y su amor son un ejemplo para ti. La fe es el "sí" que dices a todo lo que Dios ha revelado. Dios creó a todos los hombres y a todas las mujeres iguales y a su imagen. Por eso, respetar los derechos y las necesidades de los demás forma parte de la fe.

Así como no puedes vivir aislado de los demás, tampoco puedes creer solo. Al creer, formas parte de una comunidad de fe más grande. Como creyente cristiano, estás llamado a vivir una buena vida moral.

Vida moral

La vida moral cristiana es una manera de vivir en buena relación con Dios, contigo mismo y con los demás. La **moral** cristiana incluye el cumplimiento de los Diez Mandamientos, las enseñanzas de Jesús y las enseñanzas de la Iglesia. También incluye cumplir las normas buenas y justas que promueven el bien común.

Las familias cristianas y la comunidad de tu **parroquia** son lugares en los que puedes aprender a vivir una vida moral cristiana.

Palabras† de fe

La **moral** significa vivir en buena relación con Dios, contigo mismo y con los demás. Es poner en práctica tus creencias. Una **parroquia** es una comunidad católica que comparte una misma creencia espiritual y un mismo culto a Dios.

Actividad · Practica tu fe

Actividades serviciales Elige tres actividades que hayas visto realizar a miembros de tu parroquia para ayudar a los demás y que muestren el amor de Dios (por ejemplo, clasificar ropa usada para un mercadillo de beneficencia, o acomodar a los fieles en sus bancos antes de la Misa). Escribe cada una de las actividades en hojas separadas de papel. Coloca los papeles en un recipiente y sigue las instrucciones del catequista.

Love One Another

The early Christians formed a community based on a common faith in Jesus Christ and his message. Their faith and love are an example for you today. Faith is your "yes" to all that God has revealed. God created all men and women equal and in his image. So respect for the rights and needs of others is part of faith.

Just as you cannot live in isolation from others, so you cannot believe alone. You believe as part of a larger community of faith. As a Christian believer, you are called to live a good moral life.

Moral Living

The Christian moral life is a way of living in right relationship with God, yourself, and others. Christian **morality** includes following the Ten Commandments, the teachings of Jesus, and the teachings of the Church. It also includes following the good and just laws that work for the common good.

Christian families and your **parish** community are places where you can learn to live the Christian moral life.

Words of Faith

Morality means living in right relationship with God, yourself, and others. It is putting your beliefs into action.

A **parish** is a Catholic community with shared spiritual beliefs and worship.

Activity Connect Your Faith

Service Charades Choose three activities you have noticed members of your parish doing for one another that show God's love (for example, sorting clothes for a rummage sale or ushering for Mass). Write the activities on three separate slips of paper. Place the papers in a container. Follow your teacher's direction.

Oración por la comunidad

 **Oremos**

Reúnanse y comiencen con la señal de la cruz.

Canten juntos el estribillo.

Ámense uno al otro. Ámense uno al otro,
como los he amado yo.

Cuídense uno al otro. Cuídense uno al otro,
como los he cuidado yo.

"Love One Another" © 2000, GIA Publications, Inc.

Lector 1: En esta cadena de la vida, oramos por nuestra comunidad.

Todos: **Que respetemos siempre a los demás.**

Canten el estribillo.

Lector 2: En la cadena de esta comunidad parroquial, oramos por la paz, por la seguridad y por el orden.

Todos: **Que respetemos siempre a los demás.**

Canten el estribillo.

Lector 3: En la cadena de nuestra comunidad aquí reunida, oramos por una buena relación con Dios, con los demás y con nosotros mismos.

Todos: **Que respetemos siempre a los demás.**

Canten el estribillo.

Líder: Oremos.

Inclinen la cabeza mientras el líder reza.

Todos: **Amén.**

Prayer for Community

Gather and begin with the Sign of the Cross.

Sing together the refrain.

Love one another. Love one another,
  as I have loved you.
Care for each other. Care for each other,
  as I care for you.

"Love One Another" © 2000, GIA Publications, Inc.

Reader 1: In this chain of life, we pray for our community.

All: **May we always respect one another.**

Sing refrain.

Reader 2: In the chain of this parish community, we pray for greater peace, security, and order.

All: **May we always respect one another.**

Sing refrain.

Reader 3: In the chain of our community gathered here, we pray for a right relationship with God, others, and ourselves.

All: **May we always respect one another.**

Sing refrain.

Leader: Let us pray.

Bow your heads as the leader prays.

All: **Amen.**

Repasar y aplicar

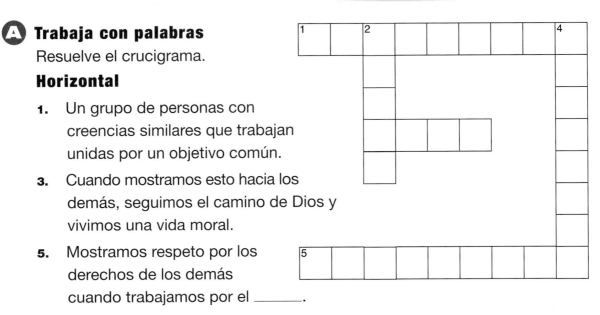

A **Trabaja con palabras**

Resuelve el crucigrama.

Horizontal

1. Un grupo de personas con creencias similares que trabajan unidas por un objetivo común.

3. Cuando mostramos esto hacia los demás, seguimos el camino de Dios y vivimos una vida moral.

5. Mostramos respeto por los derechos de los demás cuando trabajamos por el _____.

Vertical

2. Vivir en buena relación con Dios, contigo mismo y con los demás.

4. Los miembros de una comunidad _____ unos de otros.

B **Relaciona** ¿Por qué tu fe en Dios debe reflejarse en tu relación con los demás? _____

_____

Actividad Vive tu fe

Decisiones morales En un grupo pequeño, hagan una obra de teatro de un solo acto en la que el personaje principal tome una decisión moral por el bien de los demás en la escuela, en el patio de recreo o en casa. Fuera de la clase, escriban el libreto y hagan una copia para cada personaje. Preparen un decorado y disfraces sencillos. Ensayen la obra y represéntenla en clase la semana siguiente.

Nuestra obra de teatro

Review and Apply

(A) Work with Words Solve the crossword puzzle.

Across

3. We show respect for everyone's rights when we work for the _____.

5. When we show this to others, we follow God's way and live a moral life.

Down

1. A group of people with similar beliefs, working together toward a common goal

2. Living in right relationship with God, self, and others

4. Members of a community _____ on one another.

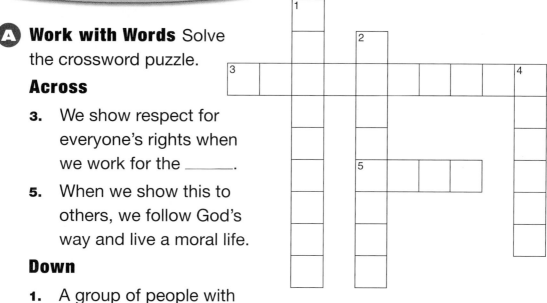

(B) Make Connections Why does your faith in God need to be expressed with others?

_____

_____

Activity Live Your Faith

Moral Choices With a small group, create a one-act play in which the main character makes a moral choice for others in school, on the playground, or at home. Outside of class, write the script and make copies for each character. Think of simple props and costumes. Practice your play, and perform it for your class next week.

La fe en familia

Lo que creemos

- Dios creó a las personas para que se entregaran a los demás, y todos debemos trabajar por el bien común. El amor al prójimo refleja el amor de la Santísima Trinidad.

- Nadie puede creer solo, así como nadie puede vivir solo.

✝ LA SAGRADA ESCRITURA

Lee la tercera carta de Juan, en la que da consejos acerca de cómo una comunidad cristiana debe recibir a los que vienen de afuera.

APRENDE en línea Visita **www.osvcurriculum.com** para encontrar recursos basados en el año litúrgico y lecturas semanales de la Sagrada Escritura.

Actividad

vive tu fe

Acciones cristianas Lee el pasaje de *Hechos 2, 42–47* acerca de la vida comunitaria. Conversa con tu familia sobre cómo podrían compartir con los demás así como hicieron los primeros cristianos. Hagan una lista de ideas y elijan una. Después de ponerla en práctica, conversen sobre la experiencia. Hablen sobre cómo cada miembro de la familia contribuyó al bien de los demás.

Siervos de la fe

Luego de ser soldado y librero, **Juan de Dios** entregó su vida para ayudar a los pobres, a los que no tenían hogar y a los que sufrían enfermedades físicas o espirituales. Se dedicó a ayudar a los necesitados, por ejemplo, dándoles comida y alquilando una casa para brindarles alojamiento. Ese fue el comienzo de la Orden Hospitalaria de los Hermanos de san Juan de Dios. El amor y el cuidado de san Juan de Dios por los necesitados continúan hoy en día. Los hermanos brindan hospitalidad y cuidados a los pobres. El día de San Juan se celebra el 8 de marzo.

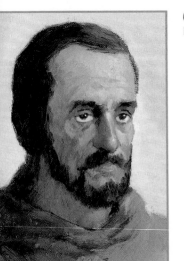

▲ San Juan de Dios
1495–1550

Una oración en familia

San Juan, ruega por nosotros para que tengamos la sabiduría de ver a las personas que sufren necesidades, aunque esas necesidades no sean obvias. Guíanos para que seamos generosos al entregar nuestros dones, nuestro tiempo y nuestras posesiones para el bien de los demás. Amén.

CIC *Consulta el Catecismo de la Iglesia Católica, números 1905–1912, para obtener más información sobre el contenido del capítulo.*

Family Faith

 Catholics Believe

- God created people for one another, and all must work for the common good. Such love of neighbor reflects the love of the Holy Trinity.

- No one can believe alone, just as no one can live alone.

✝ SCRIPTURE

Read the Third Letter of John for advice about how a Christian community should receive strangers.

GO online www.osvcurriculum.com
For weekly scripture readings and seasonal resources

 **Activity**

Live Your Faith

Christian Actions Read the passage about the communal life from *Acts 2:42–47*. Talk with your family about ways you could share with others as the early Christians did. List your ideas, and choose just one. After doing the action, talk about the experience. Discuss how each family member contributed to the good of others.

People of Faith

Once a soldier and a bookseller, **John of God** gave his life to providing for those who were poor, homeless, or sick in body or mind. He set himself to doing things to help those in need, such as providing them with food and renting a house to give them shelter. This was the beginning of the order of the Brothers of Saint John of God. Saint John's love and care for those in need continues today. The brothers provide hospitality and care for those who are poor. Saint John's feast day is March 8.

▲ Saint John of God
1495–1550

🙌 Family Prayer

Saint John, pray for us that we may find the wisdom to see people in need, even when the needs are not obvious. Guide us to be generous in giving gifts, time, and possessions for the good of others. Amen.

CCC *In Unit 2 your child is learning about the* TRINITY.
See Catechism of the Catholic Church 1905–1912 for further reading on chapter content. **165**

6 Tomar buenas decisiones

Oremos

Líder: Dios, dame sabiduría para tomar buenas decisiones.
"Enséñame el buen sentido y el saber,
pues tengo fe en tus mandamientos".

Salmo 119, 66

Todos: Dios, dame sabiduría para tomar buenas decisiones. Amén.

Actividad *Comencemos*

Piensa en las decisiones Cuando eras más pequeño, tus padres tomaban la mayoría de las decisiones por ti. Ahora que eres mayor, tienes capacidad para tomar más decisiones por ti mismo.

• ¿Qué tipo de decisiones te deja tomar tu familia?

• ¿Qué decisión importante has tomado?

6 Making Good Choices

Let Us Pray

Leader: God, give me the wisdom to make good choices.

"Teach me wisdom and knowledge,
for in your commands I trust."

Psalm 119:66

All: God, give me the wisdom to make good choices. Amen.

Activity — Let's Begin

Think About Choices When you were younger, your parents made most of your choices. Now that you are older, you are able to make more choices for yourself.

• What kinds of choices does your family let you make?

• What is an important choice that you have made?

Decisiones y consecuencias

Análisis ¿Cómo podemos usar adecuadamente nuestro libre albedrío?

Así como tienes libertad para tomar decisiones, debes saber que todas las decisiones tienen consecuencias. En el siguiente relato, Julia toma una decisión que le enseña una lección.

UN RELATO

La decisión de Julia

"¡Vamos, Julia!", dijo Mónica. "Tengo muchas ganas de ver la película que estrenaron en el cine Crosstown. Creí que tú también querías verla".

"No es que no quiera verla", contestó Julia. "Pero podríamos ir la semana que viene. El entrenador de mi equipo acaba de agregar una práctica de fútbol para esta tarde. No puedo faltar".

"Bueno, vete a tu práctica de fútbol si quieres", dijo Mónica. "Yo me voy al cine".

Mónica se fue y Julia se preparó para la práctica. "Puedo ver la película otro día con mi hermana Lila", pensó mientras se ataba los zapatos. "Ahora tengo que practicar mis técnicas de portera. El equipo cuenta conmigo".

Cuando, al fin, Julia vio la película, la disfrutó mucho. ¡Pero no tanto como disfrutó ganar el premio a la jugadora que mejoró más, al final de la temporada!

? **¿Qué ocurrió a causa de la decisión de Julia?**

Choices and Consequences

◎ Focus What is the proper use of free will?

You have the freedom to make choices, but all choices have consequences. In this story, Julia learns a lesson from a choice she makes.

A STORY

Julia Decides

"Come on, Julia!" said Monica. "I really want to see the new movie at the Crosstown Cinema. I thought you wanted to see it, too."

"I do want to see it," Julia replied. "Maybe we can see it next week. My coach just called an extra soccer practice for this afternoon. I have to go."

"Well, you can go to soccer practice if you want to," said Monica. "I am going to the movie."

After Monica left, Julia got ready for practice. "I can see that movie later with my sister Lila," she thought as she tied her shoes. "Right now I have to work on my goal tending. The team is counting on me."

When Julia finally saw the movie, she enjoyed it. However, not as much as she enjoyed winning the award for most improved player at the end of the season!

❓ What is something that happened because of Julia's choice?

Creados con libre albedrío

El relato de Julia muestra que todas las decisiones tienen consecuencias. Tú también eres responsable de tus decisiones.

Cuando Dios te creó a su imagen, te dio el **libre albedrío.** El libre albedrío te permite tomar decisiones. Algunas veces debes elegir entre el bien y el mal. Otras veces, como en el caso de Julia, tienes que decidir entre lo bueno y lo mejor. Cada vez que tomas una buena decisión, utilizas de manera adecuada el don del libre albedrío y te acercas a Dios.

Una ayuda

Dios te da muchos dones para ayudarte a tomar buenas decisiones. El don más importante de Dios es la gracia, que es la fuerza de su propia vida dentro de ti. Recibiste la gracia de una manera especial en el sacramento del Bautismo. Creces en la gracia de Dios por medio de los sacramentos, de la oración y de las buenas decisiones morales.

Además de su gracia, Dios te brinda los Diez Mandamientos y la Iglesia para ayudarte. Dios siempre te ayuda a mejorar tu relación con Él.

Palabras† de fe

El **libre albedrío** es la capacidad que Dios nos da de elegir entre el bien y el mal.

Actividad · **Comparte tu fe**

Reflexiona: Piensa en algunas ocasiones en que tus decisiones hayan herido a tus familiares o amigos.

Comunica: En grupos, conversen acerca de las distintas cosas que pueden ayudarlos a tomar mejores decisiones.

Actúa: Imagina cómo continuaría el relato acerca de la amistad entre Julia y Mónica. Haz una representación de lo que crees que podría suceder.

Created with Free Will

Julia's story shows that all choices have consequences. You are responsible for your choices, too.

When God created you in his image, he gave you **free will**. With your free will, you make choices. Sometimes your choices are between right and wrong. Sometimes, as in Julia's case, they are between better and best. Whenever you make a good choice, you use God's gift of free will properly and you grow closer to God.

A Helping Hand

God gives you many gifts to help you make good choices. God's most important gift is grace, which is the power of his own life within you. You received grace in a special way in the Sacrament of Baptism. You grow in God's grace through the Sacraments, prayer, and good moral choices.

Free will is the God-given ability to choose between good and evil.

In addition to his grace, God gives you the Ten Commandments and the Church to help you. God is always helping you develop a more loving relationship with him.

Activity — Share Your Faith

Reflect: Think of some times when your choices hurt your family or friends.

Share: In groups, discuss ways to make better choices.

Act: Imagine the next chapter in the story of Julia and Monica's friendship. Role-play what you think might happen.

Decidir amar

Análisis ¿Qué es una conciencia fuerte?

Las buenas decisiones te ayudan a crecer como una persona moral. Crean buenos hábitos y fortalecen tu relación con Dios y con los demás. Jesús nos llama a mostrar amor con nuestros actos, incluso hacia las personas que no conocemos. Un día, Jesús contó este relato a un maestro de la Ley.

LA SAGRADA ESCRITURA

Lucas 10, 30–37

El buen samaritano

Jesus dijo: "Un judío que viajaba de Jerusalén a Jericó fue atacado por unos bandidos que lo golpearon, le robaron y lo dejaron a un lado del camino.

Un sacerdote vio al hombre herido y cruzó al otro lado del camino. Lo mismo hizo un líder judío que llegó a ese lugar: lo vio y cruzó al otro lado del camino. Por último, un samaritano llegó al lugar en el que el hombre estaba moribundo. A diferencia de los demás, el samaritano se detuvo. Curó y vendó las heridas del viajero. Lo montó sobre el animal que él traía y lo llevó a una posada, donde se encargó de cuidarlo. Al día siguiente, antes de marcharse, el samaritano le dio dinero al posadero y le dijo: 'Cuida a este hombre. Si gastas más, yo te lo pagaré cuando regrese'".

Basado en *Lucas 10, 30–37*

? **¿En qué sentido era difícil la decisión que tomó el samaritano?**

? **¿Cuándo te resulta difícil tomar buenas decisiones?**

Choosing to Love

◎ Focus What is a strong conscience?

Good choices help you grow as a moral person. They build good habits and strengthen your relationship with God and others. Jesus calls us to act in ways that show love, even toward people whom we do not know. One day Jesus told this story to a scholar of the law.

✝ SCRIPTURE

Luke 10:30–37

The Good Samaritan

Jesus said, "A Jewish traveler going from Jerusalem to Jericho was attacked by robbers who beat, robbed, and left him on the side of the road.

"A priest saw the injured traveler and moved to the other side of the road. Later a Jewish leader came to the same place, and when he saw the traveler, he too moved to the other side of the road. Finally, a Samaritan came to the place where the traveler lay dying. Unlike the others, the Samaritan stopped. He treated and bandaged the traveler's wounds. He carried him on his own animal to an inn, where he cared for him. The next day, when the Samaritan was leaving, he gave the innkeeper money and told him, 'Take care of this man. If you spend more than what I have given you, I will repay you when I return.'"

Based on *Luke 10:30–37*

 What was difficult about the choice the Samaritan made?

 When is it difficult for you to make good choices?

173

El regalo de Dios de la conciencia

Las buenas decisiones fortalecen tu relación con Dios y con los demás. El pecado debilita o destruye esa relación. El pecado siempre implica que no amas a Dios o a los demás. Cada vez que usas tu libre albedrío para pecar, pierdes parte de tu libertad.

Seguramente sabes cuándo has hecho algo malo, aunque nadie te haya visto. Esa "voz interior" que te dice eso es tu conciencia. La conciencia es la combinación del libre albedrío y la razón. Juntos, los dos te guían para que elijas lo que es bueno y evites lo que es malo.

En tu interior tienes la semilla de una conciencia fuerte. Tu obligación consiste en fortalecer o formar tu propia conciencia, pero no puedes hacerlo solo.

Palabras† de fe

La **conciencia** es el don de Dios que te ayuda a diferenciar entre el bien y el mal, y a elegir lo correcto.

FORMAR TU CONCIENCIA

El Espíritu Santo ⟷	*Te fortalece para que tomes buenas decisiones.*
La oración y el estudio ⟷	*Te ayudan a pensar.*
La Sagrada Escritura y la enseñanza de la Iglesia ⟷	*Te guían en tus decisiones.*
Los padres, maestros y personas sabias ⟷	*Te dan buenos consejos.*

Actividad Practica tu fe

Querida Pamela:
Me invitaron a dormir en casa de mi amiga el viernes por la noche. Ella tiene un vídeo que quiere ver conmigo, pero mis padres ya me dijeron que ese vídeo no es para niños. Estoy un poco preocupada, pero mi amiga me dijo: "No seas tonta. Nunca se enterarán".
¿Qué debo hacer?

Confundida

"Querida Pamela" Imagina que escribes una columna de consejos en un periódico. ¿Qué consejo le darías a la niña de la carta usando el don de Dios de la conciencia?

_____

_____

_____

_____

_____

God's Gift of Conscience

Good choices strengthen your relationship with God and others. Sin weakens or destroys that relationship. Sin is always a failure to love God and others. When you use your free will to sin, you always become less free.

You probably know when you have done something wrong, even if no one has seen you. The "inner voice" that tells you so is your **conscience**. Conscience is your free will and your reason working together. They direct you to choose what is good and avoid what is wrong.

You have the seeds of a strong conscience within you. It is your job to strengthen, or form, your own conscience. You cannot do this alone.

Conscience is the gift from God that helps you know the difference between right and wrong and helps you choose what is right.

FORMING YOUR CONSCIENCE

The Holy Spirit ⟷ *Strengthens you to make good choices*

Prayer and study ⟷ *Help you think things through*

Scripture and Church teaching ⟷ *Guide your decisions*

Parents, teachers, and wise people ⟷ *Give you good advice*

Activity — Connect Your Faith

Dear Pam,

I'm invited to sleep over at my friend's house on Friday night. She has a video for us to watch. My parents already told me this video is not for children. I'm a little worried, but my friend said, "Don't be such a baby. They will never know." What should I do?

Confused

"Dear Pam" Imagine that you write an advice column in a newspaper. What advice would you give to help the letter-writer use God's gift of conscience?

_____

_____

_____

_____

_____

Oración de reflexión

Oremos

Reúnanse y comiencen con la señal de la cruz.

Líder: En la oración, escuchamos la voz de Dios que nos guía. Cierren los ojos y piensen en una ocasión en que tuvieron miedo y no sabían qué hacer. Escuchen este relato sobre un hombre llamado Elías que, cuando tuvo miedo, oyó la voz de Dios de una manera muy sorprendente.

Lector: *Lean 1 Reyes 19, 9–14.*

Líder: Siéntense en silencio y traten de escuchar el murmullo de la suave brisa de Dios susurrándoles en su interior. ¿Qué les dice Dios? ¿Qué quieren decirle a Dios?

Líder: Dios de la suave brisa, ayúdanos a estar tranquilos y a escuchar tu voz que nos guía.

Todos: **Amén.**

Canten juntos.

En quietud mi alma te espera,
eres mi esperanza, Señor.

"My Soul in Stillness Waits" © 1982, GIA Publications, Inc.

Prayer of Reflection

Let Us Pray

Gather and begin with the Sign of the Cross.

Leader: In prayer, you listen for God's voice to guide you. Close your eyes and think about a time when you were afraid and didn't know what to do. Listen to this story about a man named Elijah, who heard God's voice in a very surprising way when he was afraid.

Reader: *Read 1 Kings 19:9–14.*

Leader: Sit quietly and notice whether you can hear God whispering to you inside your heart. What is God saying to you? What do you want to say to God?

Leader: God of the whispering sound, help us be still and listen for your voice to guide us.

All: **Amen.**

Sing together.

For you, O Lord, my soul in stillness waits, truly my hope is in you.

"My Soul in Stillness Waits" © 1982, GIA Publications, Inc.

Repasar y aplicar

A **Trabaja con palabras** Completa cada enunciado con el término correcto del vocabulario.

VOCABULARIO

moral

libre albedrío

conciencia

Dios

demás

consecuencias

1. Cuando Dios te creó a su imagen, te dio _____ para que tomaras buenas decisiones.

2. La _____ es el regalo de Dios que te ayuda a diferenciar entre el bien y el mal.

3. Las buenas decisiones te ayudan a crecer como persona _____ .

4. El pecado debilita o destruye tu relación con _____ y con los _____ .

5. Todas las decisiones que tomas tienen _____ .

B **Relaciona** Marca las decisiones que muestren amor con un corazón y las que no muestren amor con una X.

_____ No terminaste tu tarea y le mientes a la maestra.

_____ Envías una tarjeta a un familiar que está enfermo.

_____ Cuando tu hermano o hermana menor hace algo peligroso, se lo dices a tus padres.

Actividad Vive tu fe

Haz un cartel La abuela de Esteban se quedó a cuidarlo toda la noche. Cuando su abuela se queda dormida, Esteban se da cuenta de que podría hacer una llamada de larga distancia a un amigo que se mudó a otra ciudad. Su abuela nunca se enteraría. ¿Qué buen consejo le darías a Esteban?

• Trabaja con un compañero y diseñen un cartel.

• En el cartel, escriban normas para el buen uso del teléfono.

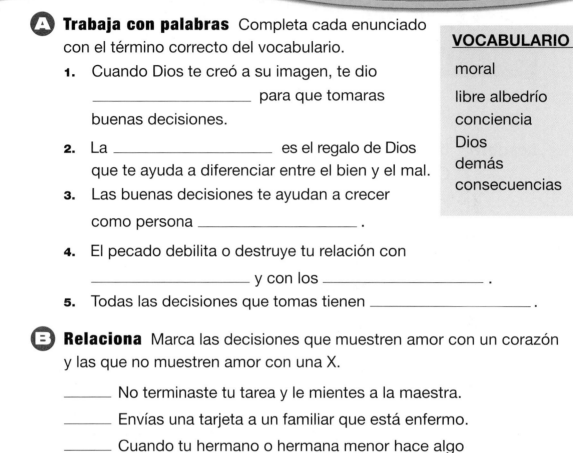

Normas para usar el teléfono

Review and Apply

A Work with Words Complete each sentence with the correct word from the Word Bank.

WORD BANK

moral
free will
conscience
God
others
consequences

1. When God created you in his image, he gave you _____ to use in making good choices.

2. _____ is the gift from God that helps you know the difference between right and wrong.

3. Good choices help you grow as a _____ person.

4. Sin weakens or destroys your relationship with _____ and with _____.

5. Every choice you make has _____.

B Make Connections Mark the loving choices with a heart and the unloving choices with an X.

_____ You do not finish your homework, and you lie about it.

_____ You send a card to a relative who is sick.

_____ You tell your parents when your younger brother or sister does something dangerous.

Activity — Live Your Faith

Make a Poster Steve's grandmother is watching him overnight. After she is asleep, Steve realizes that he could make a long distance call to his best friend who moved away. His grandmother would never know. What good advice would you give Steve?

- Work with a partner to design a poster.

- On the poster, write good rules for using the telephone.

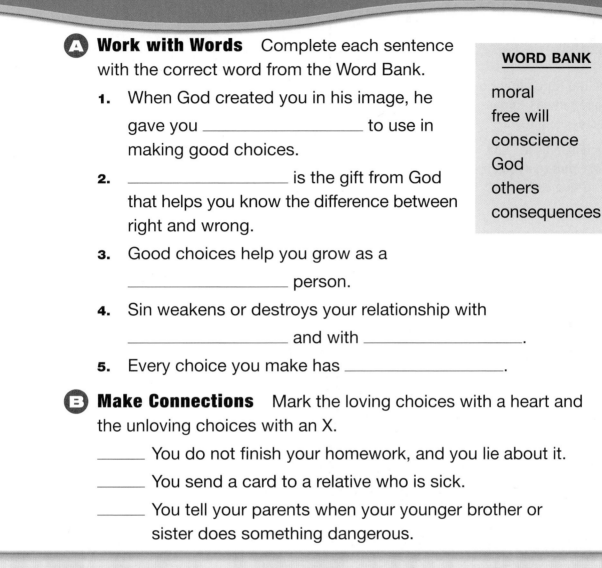

Telephone Rules

CAPÍTULO 6
La fe en familia

Lo que creemos

- Dios te dio libre albedrío para que puedas tomar buenas decisiones.

- Tu conciencia es la "voz interior" que te ayuda a elegir lo que es bueno.

✝ LA SAGRADA ESCRITURA

Mateo 26, 69–75 trata acerca de una decisión que tomó Pedro la noche anterior a la muerte de Jesús. Lean juntos el relato y conversen sobre la lección que enseña.

APRENDE en línea
Visita **www.osvcurriculum.com** para encontrar recursos basados en el año litúrgico y lecturas semanales de la Sagrada Escritura.

Actividad
vive tu fe

Lean juntos Lean el periódico y busquen artículos acerca de personas que hayan tomado decisiones morales buenas o malas. En familia, conversen sobre cómo la conciencia guía a las personas para que puedan tomar mejores decisiones morales.

Siervos de la fe

Carlos Luanga era un joven sirviente de la corte del rey de Uganda. El rey odiaba a los cristianos y ordenó a sus sirvientes que participaran en actividades inmorales. Carlos, el jefe de los pajes de la corte, y otros veintiún jóvenes cristianos se negaron a participar en esas actividades. Fueron asesinados por seguir su conciencia. En el momento de su muerte, estaban orando. San Carlos Luanga y sus compañeros son conocidos como "los mártires africanos". Su día se celebra el 3 de junio.

▲ San Carlos Luanga y sus compañeros

Una oración en familia

San Carlos, ruega por nosotros para que sigamos nuestra conciencia, aunque a veces nos resulte difícil. Ayúdanos a aprender de ti el significado de la libertad. Amén.

180 CIC *Consulta el Catecismo de la Iglesia Católica, números 61 y 69, para obtener más información sobre el contenido del capítulo.*

Family Faith

Catholics Believe

- God has given you free will so that you can make good choices.
- Your conscience is the "inner voice" that helps you choose what is good.

SCRIPTURE

Matthew 26:69–75 is about a choice Peter made the night before Jesus died. Read the story together, and talk about the lesson it teaches.

GO online www.osvcurriculum.com
For weekly scripture readings and seasonal resources

Activity

Live Your Faith

Read Together Read through the newspaper to find articles about people who have made good or bad moral choices. As a family, discuss how conscience guides people to make better moral decisions.

People of Faith

Charles Lwanga was a young servant in the king's court in Uganda. The king hated Christians. He commanded his servants to join in immoral activities. Charles, the master of the court pages, and twenty-one other young Christians refused. They were killed in 1886 for following their consciences. They prayed while they were dying. Saint Charles Lwanga and his companions are known as the African Martyrs. Their feast day is June 3.

▲ Saint Charles Lwanga and his companions

Family Prayer

Saint Charles, pray for us that we may follow our consciences, even when it is hard to do so. Help us learn from you the meaning of freedom. Amen.

CCC *In Unit 2 your child is learning about the TRINITY.*
See Catechism of the Catholic Church 61, 69 for further reading on chapter content.

181

A **Trabaja con palabras**   Escribe la palabra correcta después de cada definición. Luego busca la palabra en la sopa de letras. Algunas palabras pueden estar escritas al revés.

A	I	C	N	E	I	C	N	O	C
F	C	D	E	V	Q	T	I	D	L
O	L	N	N	P	I	U	H	A	G
C	M	J	E	C	E	P	S	D	R
I	L	M	L	I	X	U	X	I	A
D	I	G	N	I	D	A	D	N	C
E	D	I	P	P	V	S	C	U	I
C	R	E	A	R	I	N	O	M	A
N	J	E	Z	Q	M	U	S	O	M
X	V	Z	O	O	R	E	S	C	C

1. La vida de Dios en ti. _____

2. Hacer algo de la nada. _____

3. La voz interior que te ayuda a diferenciar entre el bien y el mal. _____

4. Un grupo de personas con creencias y objetivos comunes. _____

5. La valoración y el respeto de una persona. _____

B **Comprueba lo que aprendiste**   Empareja cada descripción de la columna 1 con el término correcto de la columna 2. Los términos pueden utilizarse más de una vez.

Columna 1

_____ 6. Hacer trampa en la tarea.

_____ 7. Permanecer callado cuando tus compañeros se burlan de alguien.

_____ 8. Mentirle a un amigo.

_____ 9. Elegir a los amigos por el color de la piel.

_____ 10. Cometer un asesinato.

Columna 2

a. pecado mortal

b. pecado venial

c. pecado de omisión

d. pecado social

UNIT 2 REVIEW

A **Work with Words**   Write the correct word after each definition. Then find the word in the word search. Some words may be written backwards.

E	C	N	E	I	C	S	N	O	C
F	C	D	E	V	Q	T	Y	Y	L
O	L	N	N	P	I	U	H	T	G
C	M	J	E	K	E	P	S	I	R
I	L	M	L	I	X	U	X	N	A
W	D	I	G	N	I	T	Y	U	C
J	D	Y	P	P	V	S	K	M	E
C	R	E	A	T	E	I	N	M	Y
N	J	E	Z	Q	M	U	S	O	A
X	V	Z	O	O	R	E	S	C	C

1. God's own life within you _____

2. To make something from nothing _____

3. The inner voice that helps you know right from wrong

_____

4. A group of people with common beliefs and goals

_____

5. A person's self-worth and respect _____

B **Check Understanding**   Match each description in Column 1 with the correct term in Column 2. Terms may be used more than once.

Column 1

_____ **6.** Cheating on homework

_____ **7.** Staying silent while someone is being teased

_____ **8.** Lying to a friend

_____ **9.** Choosing friends by the color of their skin

_____ **10.** Murder

Column 2

a. mortal sin

b. venial sin

c. sin of omission

d. social sin

UNIDAD 3

Jesucristo

Capítulo 7

¡Eres bendito!

¿Cómo puedes ser una bendición para los demás?

Capítulo 8

El gran mandamiento

¿Qué puede enseñarte el gran mandamiento de Jesús?

Capítulo 9

Honrar a Dios

¿Qué enseñan el segundo y el tercer mandamiento?

? ¿Qué crees que vas a aprender en esta unidad acerca de la vida en Cristo?

UNIT 3

Jesus Christ

Chapter 7
You Are Blessed!

How can you be a blessing for others?

Chapter 8
The Great Commandment

What can Jesus' Great Commandment teach you?

Chapter 9
Honoring God

What do the second and third commandments teach?

? What do you think you will learn in this unit about life in Christ?

Capítulo 7 ¡Eres bendito!

Oremos

Líder: ¡Toda la gloria a ti, Señor Dios!
"Den gracias al Señor, porque él es bueno,
porque su amor perdura para siempre".

Salmo 136, 1

Todos: ¡Toda la gloria a ti, Señor Dios! Amén.

Actividad Comencemos

Benditos Probablemente hayas oído decir: "¡Hemos recibido muchas bendiciones!". Algunas personas consideran los premios, los regalos o el dinero como bendiciones. Otras piensan que las bendiciones son la salud, el amor de la familia o la alegría de los buenos momentos con los amigos.

• ¿Qué crees que significa ser bendecido?

Chapter 7 You Are Blessed!

 Let Us Pray

Leader: All glory to you, God!

"Praise the LORD, who is so good;
God's love endures forever."

Psalm 136:1

All: All glory to you, God! Amen.

 Activity **Let's Begin**

Be Blessed You may have heard someone say, "We are so blessed!" Some people think of prizes, gifts, or lots of money as blessings. Others think of good health, the love of family, or the joy of good times with friends.

• What do you think it means to be blessed?

187

La verdadera felicidad

Análisis ¿Qué quiere decir ser una bendición para los demás?

En esta narración de un famoso relato, una colaboradora inesperada trae la felicidad a los demás.

UN RELATO

EL PRÍNCIPE FELIZ

En la cima de una columna muy alta de la ciudad estaba la estatua del Príncipe Feliz. La estatua estaba recubierta por unas finas láminas de oro. Tenía por ojos dos brillantes zafiros y un gran rubí rojo relucía en la empuñadura de su espada.

Una tarde, una pequeña golondrina que volaba hacia el sur se detuvo a descansar a la sombra de la estatua. Miró hacia arriba y vio unas lágrimas que caían de los ojos del príncipe.

"¿Por qué lloras?", preguntó la golondrina. "¡Creía que eras el Príncipe Feliz!".

"Cuando estaba vivo", respondió la estatua, "me ocultaban todo lo triste. Pero ahora miro hacia abajo y veo todo el dolor que hay en la ciudad".

"¡Mira! En esa habitación, una pobre costurera está haciendo un hermoso vestido para la reina. Su hijito tiene fiebre. Quiere naranjas, pero ella solo tiene agua del río para darle. ¿Le llevarías el rubí de mi espada?". La golondrina vaciló pero luego aceptó.

"¡Pero solo por esta vez!", dijo.

❓ **¿Por qué crees que la golondrina aceptó quedarse y ayudar al príncipe?**

True Happiness

In this retelling of a famous story, happiness is spread by unlikely partners.

A STORY

THE HAPPY PRINCE

High above the city, on a tall column, stood the statue of the Happy Prince. He was gilded all over with thin leaves of gold; for eyes he had two bright sapphires, and a large red ruby glowed in his sword-hilt.

One evening, a tiny swallow that was flying south stopped to rest in the statue's shadow. She looked up and saw tears coming from the prince's eyes.

"Why are you weeping?" the swallow asked. "I thought you were the Happy Prince!"

"When I was alive," answered the statue, "anything sad was hidden from me. But now I look down and see all of the city's pain.

"Look! There is a poor seamstress working on a beautiful gown for the queen. Her little boy has a fever. He would like oranges, but she has only river water to give him. Will you take her the ruby from my sword?" The swallow hesitated but then agreed.

"Just this once!" she said.

❓ **Why do you think the swallow agreed to stay and help the prince?**

189

EL PRECIO DE LA FELICIDAD

Todos los días, el príncipe convencía a la golondrina de que se quedara. Juntos, regalaron a los pobres todas las riquezas del príncipe, entre ellas sus ojos de zafiro y las láminas de oro que tenía por vestiduras.

Cuando llegó el invierno, la golondrina murió de frío. Los líderes de la ciudad fundieron la estatua para hacer otra cosa. ¡Pero no lograron fundir el corazón! El corazón del príncipe y la golondrina muerta terminaron uno al lado de la otra en una pila de basura.

Un día, Dios miró hacia abajo desde el cielo y le dijo a un ángel: "Tráeme las dos cosas más valiosas de la ciudad". El ángel le llevó el corazón del príncipe y el pájaro muerto.

"Has elegido bien", dijo Dios. "Este pajarito cantará por siempre en mi Reino de los Cielos, y el Príncipe Feliz me alabará".

Actividad

Comparte tu fe

Reflexiona: ¿Cómo se da cuenta el Príncipe Feliz de que alguien necesita ayuda?

Comunica: Al final del relato, ¿quién es bendecido? Comenta tu respuesta con un compañero.

Actúa: Describe una manera en la que puedes ser una bendición para los demás.

_____

_____

_____

THE PRICE OF HAPPINESS

Each day, the prince convinced the swallow to stay on. Together, they gave away all the riches the prince had, including his sapphire eyes and the leaves of gold covering his garments.

When winter came, the swallow soon died from the cold. City leaders melted down the statue to make something else from it. But when they did, its heart would not burn! The prince's heart and the dead swallow ended up side by side in a trash heap.

God looked down one day from heaven and said to an angel, "Bring me the two most precious things in the city." The angel brought him the prince's heart and the dead bird.

"You have chosen well," said God, "for in my kingdom of heaven this little bird shall sing forevermore, and the Happy Prince shall praise me."

Activity — Share Your Faith

Reflect: How does the Happy Prince know who needs help?

Share: By the end of the story, who is blessed? Discuss your response with a partner.

Act: Describe one way that you can be a blessing for others.

_____

_____

_____

Jesús trae la bendición de Dios

◎ Análisis ¿Qué enseñó Jesús acerca del verdadero significado de la felicidad?

"El Príncipe Feliz" cuenta quiénes creía el autor que serían bendecidos por Dios. En el siguiente relato de la Biblia, Jesús enseña quiénes son los benditos y cómo ser una bendición para los demás.

✝ LA SAGRADA ESCRITURA   Mateo 5, 1–10

El sermón en el monte

Un día Jesús subió al monte, rodeado de sus Apóstoles y de una gran multitud de discípulos. Les enseñó con estas palabras:

"Felices los que tienen el espíritu del pobre, porque de ellos es el Reino de los Cielos.

Felices los que lloran, porque recibirán consuelo.

Felices los pacientes, porque recibirán la tierra en herencia.

Felices los que tienen hambre y sed de justicia, porque serán saciados.

Felices los compasivos, porque obtendrán misericordia.

Felices los de corazón limpio, porque verán a Dios.

Felices los que trabajan por la paz, porque serán reconocidos como hijos de Dios.

Felices los que son perseguidos por causa del bien, porque de ellos es el Reino de los Cielos".

Tomado de *Mateo 5, 1–10*

Jesus Brings God's Blessing

◎ Focus What did Jesus teach about the true meaning of happiness?

"The Happy Prince" tells who the writer believed would be blessed by God. In this Bible story, Jesus taught about who is blessed and how to be a blessing for others.

✝ SCRIPTURE   Matthew 5:1–10

The Sermon on the Mount

One day Jesus stood in the midst of his Apostles and a great crowd of followers. He taught them with these words:

"Blessed are the poor in spirit,
    for theirs is the kingdom of heaven.

Blessed are they who mourn,
    for they will be comforted.

Blessed are the meek,
    for they will inherit the land.

Blessed are they who hunger and thirst
      for righteousness,
    for they will be satisfied.

Blessed are the merciful,
    for they will be shown mercy.

Blessed are the clean of heart,
    for they will see God.

Blessed are the peacemakers,
    for they will be called children of God.

Blessed are they who are persecuted
      for the sake of righteousness,
    for theirs is the kingdom of heaven."

From Matthew 5:1–10

Las Bienaventuranzas

La Iglesia llama a estas enseñanzas de Jesús las **Bienaventuranzas**. La palabra *bienaventuranza* significa "bendición" o "felicidad". Las Bienaventuranzas te dicen cómo ser una bendición para los demás, para que tú también seas bendecido por Dios. Se refieren a la felicidad duradera a la que te llama Dios. Dios quiere que todas las personas trabajen por su Reino y compartan la vida eterna con Él.

Palabras† de fe

Las ocho **Bienaventuranzas** son enseñanzas de Jesús que muestran el camino de la verdadera felicidad y te dicen cómo vivir en el Reino de Dios ahora y siempre.

Felices los que tienen el espíritu del pobre…

Confía en Dios y no en las cosas materiales.

Felices los pacientes…

Sé amable y modesto con los demás.

Felices los compasivos…

Perdona y pide perdón a los demás.

Felices los que trabajan por la paz…

Trabaja para que las personas estén unidas. Busca maneras de resolver los problemas. pacíficamente.

Felices los que lloran…

Comparte las penas y las alegrías de los demás.

Felices los que tienen hambre y sed de justicia…

Ayuda a que todas las personas traten a los demás con justicia y ayuda a modificar las situaciones injustas.

Felices los de corazón limpio…

Sé fiel a Dios y a los caminos de Dios.

Felices los que son perseguidos por causa del bien…

En los momentos difíciles, confía en Dios y defiende lo que es correcto.

Actividad — Practica tu fe

Una escena de bendición En una hoja aparte, dibuja algo que hayas hecho para vivir una de las Bienaventuranzas.

The Beatitudes

The Church calls this teaching of Jesus the Beatitudes. The word *beatitude* means "blessing" or "happiness." The Beatitudes tell you how to be a blessing for others so that you, too, will be blessed by God. They are about the lasting happiness that God calls you to have. God desires all people to work for his kingdom and to share in eternal life with him.

Words of Faith

The eight **Beatitudes** are teachings of Jesus that show the way to true happiness and tell the way to live in God's kingdom now and always.

Blessed are the poor in spirit . . .
Depend on God, not on material things.

Blessed are the meek . . .
Be gentle and humble with others.

Blessed are the merciful . . .
Forgive others and ask their forgiveness.

Blessed are the peacemakers . . .
Work to bring people together. Look for ways to solve problems peacefully.

Blessed are they who mourn . . .
Share other people's sorrows and joys.

Blessed are those who hunger and thirst for righteousness . . .
Help all people treat others justly, and help change unjust conditions.

Blessed are the clean of heart . . .
Be faithful to God and to God's ways.

Blessed are those who are persecuted for the sake of righteousness . . .
In difficult times, trust in God and stand up for what is right.

Activity Connect Your Faith

A Blessing Scene On a separate sheet of paper, draw a picture of what you have done to live one of the Beatitudes.

Oración de bendición

Oremos

Reúnanse y comiencen con la señal de la cruz.

Líder: Hermanos y hermanas, alabemos a Dios, que es rico en misericordia.

Todos: **Bendito sea Dios por siempre.**

Lector 1: *Lean Filipenses 4, 4–7.*

Todos: **Bendito sea Dios por siempre.**

Lector 2: Dios de amor, tú creaste a todas las personas del mundo, y nos conoces a todos por nuestro nombre.

Todos: **Bendito sea Dios por siempre.**

Lector 3: Te damos gracias por nuestra vida. Bendícenos con tu amor y con tu amistad.

Todos: **Bendito sea Dios por siempre.**

Lector 4: Que crezcamos en sabiduría, en conocimientos y en gracia.

Todos: **Bendito sea Dios por siempre.**

Líder: Que seamos bendecidos en el nombre del Padre, del Hijo y del Espíritu Santo.

Todos: **Amén.**

Canten juntos.

Por tu bendición, por tu gran bondad, y por tu Palabra, te damos gracias, Dios.

"For Your Gracious Blessing" Traditional

Prayer of Blessing

Let Us Pray

Gather and begin with the Sign of the Cross.

Leader: Brothers and sisters, praise God, who is rich in mercy.

All: **Blessed be God forever.**

Reader 1: *Read Philippians 4:4–7.*

All: **Blessed be God forever.**

Reader 2: Loving God, you created all the people of the world, and you know each of us by name.

All: **Blessed be God forever.**

Reader 3: We thank you for our lives. Bless us with your love and friendship.

All: **Blessed be God forever.**

Reader 4: May we grow in wisdom, knowledge, and grace.

All: **Blessed be God forever.**

Leader: May we be blessed in the name of the Father, the Son, and the Holy Spirit.

All: **Amen.**

Sing together.

For your gracious blessing,
for your wondrous word,
for your loving kindness,
we give thanks, O God.

"For Your Gracious Blessing" Traditional

Repasar y aplicar

A **Trabaja con palabras** Completa el siguiente párrafo con los términos correctos del vocabulario.

VOCABULARIO

bendición
paz
pobres
felicidad
ocho
Bienaventuranzas
compasivas
pacientes

Jesús nos dio las _____ para ayudarnos a ser una _____ para los demás. Cuando compartimos nuestras bendiciones con los demás, los ayudamos a encontrar la verdadera _____.

Por medio de las _____ Bienaventuranzas, Jesús nos dice cómo ser bendecidos por Dios y cómo encontrar la verdadera felicidad. Algunas de las personas bendecidas son aquellas que trabajan por la

_____ y son _____,

_____ y _____.

B **Relaciona** Después de estudiar este capítulo, ¿qué otras maneras de ser bendecido añadirías a la definición que escribiste en la página de Invitación?

_____

Actividad **Vive tu fe**

Noticias de las Bienaventuranzas Usando las palabras *quién, qué, dónde, cuándo* y *por qué* escribe un artículo periodístico sobre tus familiares o vecinos viviendo una Bienaventuranza al participar en un acontecimiento.

Mi artículo se titulará: _____

_____

_____

Noticias *bienaventuradas*

Review and Apply

A **Work with Words**   Complete the following paragraph with the correct words from the Word Bank.

Jesus gave us the _____ to help us be a _____ for others. As we share our blessings with others, we help them find true _____.
Through the _____ Beatitudes, Jesus tells us about being blessed by God and finding true happiness. Some of the people who are blessed are those who are

_____, _____, _____, and _____.

WORD BANK

blessing
peacemakers
poor
happiness
eight
Beatitudes
merciful
meek

B **Make Connections**   After studying this chapter, what other ways would you add to the definition of being blessed that you discussed on the Invite page?

_____

Activity   Live Your Faith

Beatitude News   Use the five Ws—*Who, What, Where, When,* and *Why*—to write a newspaper article that shows people in your family or neighborhood living a Beatitude as they participate in an event.

My article will be titled: _____

_____

_____

Beatitude News

La fe en familia

Lo que creemos

- Las Bienaventuranzas son ocho enseñanzas que describen el Reino de Dios que Jesús anunció cuando vivió en la tierra.

- Las Bienaventuranzas te muestran cómo vivir y actuar como discípulo de Jesús.

✝ LA SAGRADA ESCRITURA

Lee *Lucas 6, 20–26* y encontrarás las Bienaventuranzas en el Evangelio según san Lucas.

APRENDE en línea Visita **www.osvcurriculum.com** para encontrar recursos basados en el año litúrgico y lecturas semanales de la Sagrada Escritura.

Actividad

vive tu fe

Tabla de bendiciones Esfuérzate por ser una bendición. Haz una tabla titulada "Una bendición para los demás" y cuélgala en tu casa. Debajo del título, escribe el nombre de todos tus familiares. Cada vez que veas a alguien de tu familia vivir una de las Bienaventuranzas, dibuja un corazón junto a su nombre. También puedes agregar junto al nombre una palabra que describa la bondad que mostró esa persona.

Una bendición para los demás
Mamá
Papá
Hermana
Hermano

Siervos de la fe

▲ San Martín de Porres 1575–1639

Martín nació en Lima, Perú. Su padre era español y su madre era una esclava negra liberada de Panamá. Martín fue hermano dominico y dedicó su vida a hacer obras de bien sencillas para los necesitados. Recorría la ciudad cuidando a los enfermos y a los pobres. Fue una bendición para todos los que encontró en su camino, incluso para los animales. Gracias a que era paciente y de corazón limpio, vio que hasta las obras más sencillas honraban a Dios si servían a los demás.

Una oración en familia

San Martín, ayúdanos a hacer el bien a los necesitados. Danos fortaleza para seguir tu ejemplo y vivir para los demás. Amén.

Family Faith

Catholics Believe

- The Beatitudes are eight teachings that describe the reign of God that Jesus announced when he lived on earth.

- The Beatitudes show you how to live and act as a follower of Jesus.

✝ SCRIPTURE

Read *Luke 6:20–26* to find out about the Beatitudes in the Gospel according to Luke.

GO online www.osvcurriculum.com
For weekly scripture readings and seasonal resources

Activity

Live Your Faith

Blessing Chart Work at being a blessing. Make a chart titled "A Blessing for Others" to display in your home. Write each family member's name below the title. Each time you notice someone in the family living one of the Beatitudes, draw a heart next to his or her name. You can also write a word next to the name to tell the goodness that person showed.

A Blessing for Others
Mom ♥ ♥ ♥
Dad ♥ ♥ ♥
Sister ♥ ♥
Brother ♥

People of Faith

Martin was born in Lima, Peru. His father was Spanish, and his mother was a freed black slave from Panama. Martin became a Dominican brother and spent his life doing simple good works for those in need. He went throughout the city, caring for those who were sick and poor. He was a blessing to all he met, even animals. Because he was meek and pure of heart, he saw that the simplest work gave honor to God if it served others.

▲ **Saint Martin de Porres**
1575–1639

🙌 Family Prayer

Saint Martin, help us do good for those in need. Give us strength to follow your example and live for others. Amen.

CCC *In Unit 3 your child is learning about Jesus Christ. See Catechism of the Catholic Church 1716–1724 for further reading on chapter content.*

Capítulo 8 El gran mandamiento

Oremos

Líder: Dios misericordioso, ayúdanos a conocer y hacer tu voluntad.

"Señor, enséñame el camino de tus preceptos,
que los quiero seguir hasta el final".

Salmo 119, 33

Todos: Dios misericordioso, ayúdanos a conocer y hacer tu voluntad. Amén.

Actividad **Comencemos**

Signos de amor Elena tiene un álbum de fotos. Algunas fotos son un recuerdo de ocasiones y lugares en los que ella mostró el amor de Dios a los demás. Otras fotos muestran ocasiones en las que otras personas le mostraron el amor de Dios a ella.

• Si este fuera tu álbum, ¿qué foto tuya pondrías?

Hoy estuve muy enferma. Mamá me trajo la comida a la cama.

Mis amigos y yo ayudamos a recoger ropa para los necesitados.

NIÑAS NIÑOS

COLECTA DE ROPA

Chapter 8 The Great Commandment

 **Let Us Pray**

Leader: Merciful God, help us know and do your will.

"Lord, teach me the way of your laws;
I shall observe them with care."

Psalm 119:33

All: Merciful God, help us know and do your will. Amen.

Activity — Let's Begin

Signs of Love Elena keeps a photo album. Some of the pictures are of times and places in which she showed God's love to others. Other pictures show ways that other people showed God's love to her.

• If this were your album, what picture would you show of yourself?

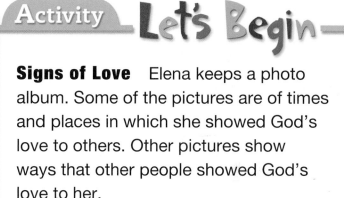

I was very sick today. Mom brought me food in bed.

My friends and I helped gather clothes for the needy.

CLOTHING DRIVE

GIRLS BOYS

Seguir a Jesús

 **Análisis** ¿En qué se parece el gran mandamiento a los Diez Mandamientos?

Elena y su familia siguen a Jesús compartiendo su amor con los demás. Una vez, Jesús le pidió a un joven que mostrara su amor por los demás de una manera muy generosa.

✝ LA SAGRADA ESCRITURA — Mateo 19, 16–22

El joven rico

Un día, cuando Jesús estaba predicando, un joven le preguntó: "¿Qué debo hacer para vivir para siempre con Dios?".

Jesús le contestó: "Cumple los mandamientos".

"¿Cuáles son los mandamientos?", preguntó el joven. Jesús le nombró algunos de los Diez Mandamientos.

"¡Yo cumplo todos esos mandamientos!", contestó el joven, muy contento. "¿Qué más tengo que hacer?".

"Si realmente quieres ser perfecto", dijo Jesús, "vende todo lo que posees y reparte el dinero entre los pobres. Después ven y sígueme".

Al joven se le borró la sonrisa porque era muy rico. No podía imaginar entregar todo lo que tenía, y por eso se marchó triste.

Basado en *Mateo 19, 16–22*

Jesús le pidió al joven rico que hiciera un gran sacrificio. Sabía que el amor que el joven tenía por sus bienes materiales podía impedirle amar a Dios con todo su corazón. Cuando Jesús lo puso a prueba para ver qué tan importantes eran sus bienes materiales para él, el joven no fue capaz de deshacerse de ellos.

❓ ¿Qué bien material te sería más difícil regalar? ¿Por qué?

Following Jesus

Focus How is the Great Commandment like the Ten Commandments?

Elena and her family follow Jesus by sharing their love with others. Once, Jesus asked a young man to show his love for others in a very generous way.

✝ SCRIPTURE — Matthew 19:16–22

The Rich Young Man

One day when Jesus was teaching, a young man asked, "What must I do to live forever with God?"

Jesus answered, "Keep the commandments."

"Which commandments?" the young man asked. Jesus listed some of the Ten Commandments for him.

"I keep all those commandments!" the young man said happily. "What else do I need to do?"

"If you really wish to be perfect," Jesus said, "go and sell everything you have. Give the money to people who are poor. Then come and follow me."

The young man's smile faded, for he was very rich. He could not imagine giving everything away, so he went away sad.

Based on Matthew 19:16–22

Jesus asked the rich young man to make a very big sacrifice. He knew that the young man's love for his possessions could keep him from loving God completely. When Jesus tested the young man to see how important his possessions were, the young man could not part with them.

❓ **What possession would be the hardest for you to give away? Why?**

El gran mandamiento

Jesús enseñó que, para cumplir los Diez Mandamientos, no basta con ir tachando los puntos de una lista. Cada mandamiento te muestra una manera de amar a Dios y a los demás con todo tu corazón y con toda tu alma.

✚ LA SAGRADA ESCRITURA

"Amarás al Señor tu Dios con todo tu corazón, con toda tu alma y con toda tu mente. Este es el gran mandamiento, el primero. Pero hay otro muy parecido: Amarás a tu prójimo como a ti mismo. Toda la Ley y los Profetas se fundamentan en estos dos mandamientos".

Basado en Mateo 22, 37– 40

Por lo tanto, el **gran mandamiento** resume los Diez Mandamientos, toda la ley y todo lo que enseñaron los profetas.

Palabras[†] de fe

El **gran mandamiento** es el doble mandamiento de amar a Dios sobre todas las cosas y a tu prójimo como a ti mismo.

Actividad

Comparte tu fe

Cree

Reflexiona: Mira un anuncio de una revista. ¿Crees que sigue las enseñanzas de Jesús?

Comunica: Comenta tu respuesta con un compañero.

Actúa: En grupo, escriban un anuncio que siga las enseñanzas de Jesús.

The Great Commandment

Jesus taught that keeping the Ten Commandments includes more than checking off items on a list. Each commandment shows you a way to love God and love others with your whole heart and soul.

✚ SCRIPTURE

"You shall love the Lord, your God, with all your heart, with all your soul, and with all your mind. This is the greatest and the first commandment. The second is like it: You shall love your neighbor as yourself. The whole law and the prophets depend on these two commandments."

Based on *Matthew 22:37–40*

Therefore, the **Great Commandment** sums up the Ten Commandments, the whole law, and what the prophets taught.

Words of Faith

The **Great Commandment** is the twofold command to love God above all and your neighbor as yourself.

Activity Share Your Faith

Believe

Reflect: Look at an advertisement in a magazine. Does this ad support the teaching of Jesus?

Share: Share your response with a partner.

Act: As a group, write an ad that supports the teaching of Jesus.

El amor en acción

 **Análisis** ¿Cómo puedes vivir el gran mandamiento?

El mandato de amar no es ningún consejo ligero o flojo, como lo demuestra este cuento.

UN CUENTO FOLCLÓRICO

El dragón de papel

Hace mucho tiempo, los habitantes de un pueblo le pidieron a un artista chino llamado Mi Fei que los defendiera del dragón Sui Jen. "¿Quién se atreve a molestarme?", rugió el dragón.

"Soy Mi Fei", susurró el artista. "Vengo a pedirte que no destruyas nuestro pueblo".

Los ojos rojos del dragón centellearon. "Te concederé lo que me pides, Mi Fei, si logras superar tres pruebas. ¿Qué es lo más importante que descubrió tu pueblo?".

"Creo que es el papel", exclamó Mi Fei.

"¡Eso es ridículo!", bramó el dragón. "Pues entonces tráeme fuego envuelto en papel, o te destruiré!". Después de mucho pensar, Mi Fei llevó al dragón un farol de papel con una vela encendida en su interior.

Luego, el dragón le pidió a Mi Fei que le llevara viento atrapado en papel. Mi Fei le llevó un abanico de papel.

El dragón le puso a Mi Fei una tercera prueba. "Tráeme la cosa más fuerte del mundo en un papel". Mi Fei pensó y pensó. Después pintó todas las personas de su pueblo que vivían en el amor. Mostrándole su pintura al dragón dijo: "El amor puede mover montañas; el amor trae luz y vida".

De repente, Sui Jen comenzó a encogerse. "Mi Fei", dijo, "realmente, lo más fuerte del mundo es el amor". Mi Fei miró hacia abajo, y vio un dragoncito de papel.

❓ **¿Cuál es el mensaje de esta historia?**

Love in Action

 Focus How can you live the
Great Commandment?

The command to love is not a weak or soft bit of advice, as this tale makes clear.

A FOLKTALE

The Paper Dragon

Long ago, a Chinese artist named Mi Fei was asked by his people to defend them against Sui Jen, a dragon. "Who dares to disturb me?" roared the dragon.

"I am Mi Fei," whispered the artist. "Spare our people."

The dragon's red eyes glowed. "Before I will do that, Mi Fei, you must perform three tasks. What is the most important thing your people have discovered?"

"I think it is paper," exclaimed Mi Fei.

"Ridiculous!" snorted the dragon. "Bring me fire, then, wrapped in paper, or I will destroy you!" After much thought, Mi Fei brought the dragon a paper lantern with a candle glowing inside.

Next, the dragon asked Mi Fei to bring the wind captured by paper. Mi Fei brought a paper fan.

The dragon gave Mi Fei his third task. "Bring me the strongest thing in the world, carried in paper." Mi Fei thought and thought. Then he painted all the loving people of his village. He returned, showed his painting, and said, "Love can move mountains; love brings light and life."

Suddenly, Sui Jen began to shrink. "Mi Fei," he said, "truly, the strongest thing in the world is love." When Mi Fei looked down, he found a small paper dragon.

❓ What is the message of this story?

Jesús muestra el camino

"El dragón de papel" no es más que un cuento folclórico, y sin embargo demuestra algo muy importante: que el poder del amor puede cambiar las cosas. Dios Padre envió a su Hijo para enseñar a todas las personas a vivir en el amor, como hizo Mi Fei. Jesús protegió a los pobres, a los desamparados y a los que sufren, y llama a todos sus discípulos a hacer lo mismo.

Obras de caridad

Con la fuerza del Espíritu Santo, enviado por Jesús, tienes el poder de transmitir tu amor a los demás, como hizo Jesús. Cuando te bautizaron, el Espíritu Santo sopló en ti la **caridad** .

El gran mandamiento de Jesús te dice que ames a los demás como a ti mismo. Los cristianos ven las necesidades de los demás y ayudan a satisfacerlas. La Iglesia ha nombrado siete actos de bondad que puedes llevar a cabo para ayudar a los demás en sus necesidades físicas. Esos siete actos se conocen como las **obras de misericordia corporales** .

Palabras† de fe

Las **caridad** es la virtud del amor. Lleva a las personas a amar a Dios sobre todas las cosas y a su prójimo como a sí mismas, por amor a Dios. Las **obras de misericordia corporales** son acciones que ayudan a los demás en sus necesidades físicas.

Actividad — Practica tu fe

Reconoce las obras de misericordia Empareja con una línea cada obra de misericordia corporal con una acción. Luego encierra en un círculo las acciones que hayas realizado.

Obras de misericordia	Acciones
Vestir al desnudo.	Trabajar como voluntario sirviendo comida en un refugio para los necesitados.
Dar techo a quien no lo tiene.	Asistir a un funeral.
Dar de comer al hambriento.	Donar ropa a los necesitados.
Dar de beber al sediento.	Donar libros a una cárcel.
Visitar a los presos.	Visitar a un familiar que no puede salir de su casa.
Visitar a los enfermos.	Donar dinero a un refugio para gente sin hogares.
Enterrar a los muertos.	Poner un quiosco de limonada gratis en un caluroso día de verano.

Jesus Shows the Way

"The Paper Dragon" is only a folktale. However, it makes the very important point that the power of love can make a difference. God the Father sent his Son to show all people how to live in love as Mi Fei did. Jesus cared most for those who were poor, helpless, and suffering, and he calls all of his followers to do the same.

Acts of Charity

With the strength of the Holy Spirit, whom Jesus sent, you have the power to reach out to others in love, just as Jesus did. The Holy Spirit breathed **charity** into you at your baptism.

Jesus' Great Commandment tells you to love others as you love yourself. Christians see the needs of others and help meet those needs. The Church has named seven acts of kindness that you can do to meet the physical needs of others. They are called the **Corporal Works of Mercy**.

Words of Faith

Charity is the virtue of love. It directs people to love God above all things and their neighbor as themselves for the love of God.

The **Corporal Works of Mercy** are actions that meet the physical needs of others.

Activity Connect Your Faith

Recognize Works of Mercy Draw lines to match each Corporal Work of Mercy with an action. Then circle the actions that you have done.

Works of Mercy	Actions
Clothe the naked.	Volunteer to help serve a meal at a shelter.
Shelter the homeless.	Attend a funeral.
Feed the hungry.	Donate clothes to those in need.
Give drink to the thirsty.	Donate books to a prison.
Visit the imprisoned.	Visit a homebound relative.
Visit the sick.	Donate money to a homeless shelter.
Bury the dead.	Set up a free lemonade stand on a hot summer day.

Celebración de la Palabra

Oremos

Reúnanse y comiencen con la señal de la cruz.

Líder: Dios de Misericordia, nos reunimos para recordar tu amor y tu misericordia.

Lector 1: Lectura de la primera carta a los Corintios.
Lean 1 Corintios 13, 2–7.
Palabra del Señor.

Todos: **Te alabamos, Señor.**

Lector 2: Señor, concédenos el don de la paciencia.

Todos: **Queremos vivir en tu amor.**

Lector 3: Señor, concédenos el don de la bondad.

Todos: **Queremos vivir en tu amor.**

Lector 4: Señor, ayúdanos a pensar en los demás.

Todos: **Queremos vivir en tu amor.**

Líder: Oremos.
Inclinen la cabeza mientras el líder reza.

Todos: **Amén.**

Canten juntos.

Ubi caritas et amor, ubi caritas Deus ibi est.

Vive en caridad y en amor,
vive en caridad; Dios contigo estará.

"Ubi Caritas/Live in Charity" © 1979, Les Presses de Taizé, GIA Publications, Inc., agent

Celebration of the Word

Let Us Pray

Gather and begin with the Sign of the Cross.

Leader: God of Mercy, we gather to remind ourselves of your love and mercy.

Reader 1: A reading from the First Letter to the Corinthians.
Read 1 Corinthians 13:2–7.
The word of the Lord.

All: **Thanks be to God.**

Reader 2: Lord, give us the gift of patience.

All: **We want to live in your love.**

Reader 3: Lord, give us the gift of kindness.

All: **We want to live in your love.**

Reader 4: Lord, help us think of others.

All: **We want to live in your love.**

Leader: Let us pray.
Bow your heads as the leader prays.

All: **Amen.**

Sing together.

Ubi caritas et amor,
ubi caritas Deus ibi est.
Live in charity and steadfast love,
live in charity;
God will dwell with you.

"Ubi Caritas/Live in Charity" © 1979, Les Presses de Taizé, GIA Publications, Inc., agent

A **Comprueba lo que aprendiste** En cada enunciado, escribe Verdadero o Falso. Corrige los enunciados falsos.

1. Las obras de misericordia corporales dificultan tu crecimiento como cristiano. _____

2. Solamente los adultos tienen la capacidad de cuidar y ayudar a los demás. _____

3. El gran mandamiento es una ley de amor.

   _____

4. El gran mandamiento puede formularse también de esta manera: "Primero ama a Dios; luego ama a los demás como a ti mismo". _____

5. La virtud de la caridad te ayuda a realizar las obras de misericordia corporales. _____

B **Relaciona** Explica por qué es verdadero el siguiente enunciado: Cuando vives el gran mandamiento, estás viviendo los Diez Mandamientos. _____

_____

Actividad Vive tu fe

Por las huellas de Jesús Los seguidores de Jesús intentan caminar por sus huellas cada día, continuando sus obras de amor y bondad. En el siguiente camino, escribe una manera de mostrar tu amor a Dios y a los demás que tratarás de poner en práctica cada día de la próxima semana.

Review and Apply

A **Check Understanding** Mark each statement True or False. Correct each false statement.

1. The Corporal Works of Mercy make it hard for you to grow as a Christian. _____

2. Only adults have the ability to care for and help others. _____

3. The Great Commandment is a law of love.

    _____

4. The Great Commandment can be restated in this way: "First love God; then love others as you love yourself." _____

5. The virtue of charity helps you perform the Corporal Works of Mercy. _____

B **Make Connections** Explain why this statement is true: When you live the Great Commandment, you are living

the Ten Commandments. _____

_____

Activity Live Your Faith

In Jesus' Footsteps Followers of Jesus try to walk in his footsteps day by day, continuing his works of love and kindness. On the path below, write one way in which you will try to show your love for God and others on each day next week.

Lo que creemos

- El gran mandamiento es amar a Dios con todo tu corazón, con toda tu fuerza y con toda tu mente y amar a tu prójimo como a ti mismo.

- El gran mandamiento resume todas las enseñanzas de los Diez Mandamientos.

LA SAGRADA ESCRITURA

Lee *Isaías 58, 6–10* y *Mateo 25, 34–40* para encontrar las obras de misericordia corporales de la Biblia.

APRENDE en línea Visita **www.osvcurriculum.com** para encontrar recursos basados en el año litúrgico y lecturas semanales de la Sagrada Escritura.

Actividad
Vive tu fe

Actos de amor Diseñen una tarjeta y preparen una comida que sea especial para su familia. Llévenle ambas cosas a un enfermo, a un anciano, a alguna mamá que acaba de dar a luz, o a un nuevo vecino. Dediquen un rato a la visita. De camino a la casa, hablen sobre la experiencia y sobre cómo se sintieron al vivir el gran mandamiento.

Siervos de la fe

▲ Santa Catalina Drexel 1858–1955

Catalina Drexel entregó su dinero y su vida a los pobres. Trabajó como misionera con los afroamericanos y los indígenas de Estados Unidos. Fundó la congregación de las Hermanas del Santísimo Sacramento para educar a la gente de esos grupos étnicos. Catalina fundó también muchas escuelas en reservas indígenas, y la primera y única universidad católica para afroamericanos. El día de santa Catalina se celebra el 3 de marzo.

Una oración en familia

Santa Catalina, ruega por nosotros para que sigamos el camino de Jesús. Ayúdanos a vivir las obras de misericordia corporales en nuestra vida cotidiana. Amén.

CIC *Consulta el Catecismo de la Iglesia Católica, números 2055, 2083 y 2196, para obtener más información sobre el contenido del capítulo.*

Family Faith

Catholics Believe

- The Great Commandment is to love God with all your heart, strength, and mind and to love your neighbor as yourself.

- The Great Commandment sums up all of the teachings of the Ten Commandments.

✝ SCRIPTURE

Read *Isaiah 58:6–10* and *Matthew 25:34–40* to find the Corporal Works of Mercy in the Bible.

 GO online www.osvcurriculum.com
For weekly scripture readings and seasonal resources

Activity

Live Your Faith

Acts of Love Design a greeting card, and make a special family food. Deliver both to someone who is sick, elderly, or a new parent or neighbor. Spend time visiting. On the way home, talk about the experience and how it felt to live the Great Commandment.

People of Faith

Katharine Drexel devoted her money and her life to those who were poor. She did missionary work among African Americans and Native Americans. She founded the Sisters of the Blessed Sacrament to help educate members of these ethnic groups. Katharine also established many schools on Native American reservations and the first and only Catholic university for African Americans. Saint Katharine's feast day is March 3.

▲ Saint Katharine Drexel 1858–1955

Family Prayer

Saint Katharine, pray for us that we may follow the way of Jesus. Help us live out the Corporal Works of Mercy in our daily lives. Amen.

In Unit 3 your child is learning about JESUS CHRIST.

CCC *See Catechism of the Catholic Church 2055, 2083, 2196 for further reading on chapter content.* **217**

Capítulo
9 Honrar a Dios

 **Oremos**

Líder: Alabamos y honramos tu santo nombre, oh Señor.
"Invócame en el día de la angustia,
te libraré y tú me darás gloria".
Salmo 50, 15

Todos: Alabamos y honramos tu santo nombre, oh Señor. Amén.

 **Actividad** **Comencemos**

Un lugar de honor "¿Qué estás colocando?", preguntó Jeremías. "¿Un estante para los condimentos?".

"No", contestó Verónica. "Es algo para toda la familia. Es un lugar de honor".

Jeremías no parecía estar muy convencido. "¿Qué significa eso? Parece un estante".

"Es un lugar para poner cosas que nos hacen estar orgullosos de nuestra familia", contestó Verónica. "Es para el trofeo de bolos de papá, para mi certificado de la feria de ciencias y para la foto de mamá dándole la mano al alcalde".

"¿Puedo poner el tazón de cerámica que hice?".

"Claro", dijo Verónica.

• ¿Qué pondrías en un lugar de honor de tu familia?

9 Honoring God

Let Us Pray

Leader: We praise and honor your holy name, O Lord.

"Then call on me in time of distress;
I will rescue you, and you shall honor me."

Psalm 50:15

All: We praise and honor your holy name, O Lord. Amen.

Activity — Let's Begin

A Place of Honor "What are you building?" Jeremy asked. "A spice rack?"

"No," said Vernique. "It's something for the whole family. It's a place of honor."

Jeremy was doubtful. "What does that mean? It just looks like a shelf."

"It's a place to put things that make us proud of our family," Vernique replied. "It's for Dad's bowling trophy and my science fair certificate—and Mom's picture that shows her shaking hands with the mayor."

"Can I put the pottery bowl I made there, too?"

"Sure," said Vernique.

• What would you put in a place of honor for your family?

El pueblo de Dios olvida

Análisis ¿Qué significa alabar y honrar a Dios?

Dios creó a cada persona para que fuera única. Cuando Dios creó a los seres humanos, los hizo parecidos en algo muy importante: los creó a su propia imagen. Una vez, el pueblo hebreo olvidó mostrarle a Dios el honor y el respeto que merecía quien les había dado semejante don.

✝ LA SAGRADA ESCRITURA   Éxodo 32, 1–20

El ternero de oro

Moisés estuvo con Dios en el monte Sinaí durante cuarenta días y cuarenta noches. Moisés no bajaba del cerro y le pareció al pueblo un tiempo largo. Se reunieron en torno a Aarón, al que dijeron: "Fabrícanos un Dios que nos lleve adelante, ya que no sabemos qué ha sido de Moisés, que nos sacó de Egipto". Aarón juntó todo el oro que le entregaron y lo fundió para hacer un ternero de oro. Después, edificó un altar delante de la imagen y declaró una fiesta. El pueblo ofreció sacrificios y rindió culto al ternero, diciendo: "Israel, aquí están tus dioses que te han sacado de Egipto".

Entonces Dios le dijo a Moisés que regresara con su pueblo y les dijera a todos lo enojado que estaba. Moisés regresó al campamento y destruyó el ternero hasta reducirlo a polvo.

Basado en *Éxodo 32, 1–20*

❓ **¿Por qué crees que el pueblo hizo el ternero de oro?**

❓ **¿Por qué se enojó Moisés?**

God's People Forget

 Focus What does it mean to praise and honor God?

God created each person to be unique. God also created all humans to be alike in a most important way. He created everyone in his own image. Once, the Hebrew people forgot to show God the honor and respect that was due to the giver of such a gift.

✝ SCRIPTURE   Exodus 32:1–20

The Golden Calf

Moses was with God on Mount Sinai for forty days and forty nights. When the people became aware of Moses' delay, they gathered around Aaron and said to him, "Come, make us a god who will be our leader; as for the man Moses who brought us out of the land of Egypt, we do not know what has happened to him." Aaron collected all their gold and melted it down to be formed into a golden calf. Then Aaron built an altar before the calf and declared a feast. The people brought sacrifices and worshipped the calf, saying: "This is your God, O Israel, who brought you out of the land of Egypt."

God then told Moses to return to the people and tell them how angry he was. Moses returned to the camp and destroyed the calf, turning it to powder.

Based on *Exodus 32:1–20*

❓ **Why do you think the people made the golden calf?**

❓ **Why was Moses upset?**

Honrar a Dios

El pecado del pueblo de Dios ocurrió mientras Moisés recibía de Dios las tablas de piedra de los Diez Mandamientos. El primer mandamiento dice: "Amarás a Dios sobre todas las cosas".

El primer mandamiento te exige que honres y rindas culto solo a Dios. El **culto** a Dios es la adoración y alabanza que se le debe solo a Él. Rindes culto a Dios cuando celebras la Misa con la comunidad de tu parroquia, cuando oras y cuando vives una vida que pone a Dios en primer lugar. Rendir culto a un objeto o a una persona en lugar de adorar a Dios, como lo hizo el pueblo hebreo con el ternero de oro, se conoce como **idolatría**.

Cuando rindes culto a Dios, muestras tu fe en Él como la fuente de la creación y de la salvación. Muestras que tu vida y la de todas las criaturas está en manos de Dios. Muestras tu confianza y esperanza en Él. Por eso, adivinar el futuro o pensar que podemos controlar la naturaleza y saber las cosas que Dios sabe está en contra del primer mandamiento.

❓ **¿Cuáles son algunas cosas a las que a veces las personas dan más importancia que a Dios?**

Palabras† de fe

Rendir **culto** a Dios es adorarlo y alabarlo, especialmente en la oración y en la liturgia.

La **idolatría** es el pecado de rendir culto a un objeto o a una persona, en vez de adorar a Dios. Es dejar que algo o alguien sea más importante que Dios.

Actividad — Comparte tu fe

Reflexiona: ¿De qué maneras rindes culto a Dios?

Comunica: Comenta tus respuestas con un compañero.

Actúa: Elige la manera de rendir culto a Dios que tenga más significado para ti. Luego, escribe algunas oraciones que expliquen por qué esta forma de rendir culto a Dios es tu favorita.

Honoring God

The sin of God's people occurred while Moses was receiving the stone tablets of the Ten Commandments from God. The first commandment says, "I am the Lord your God. You shall not have strange gods before me."

The first commandment requires you to honor and worship only God. **Worship** is the adoration and praise that is due to God. You worship God when you celebrate Mass with your parish community, when you pray, and when you live a life that puts God first. Worshipping an object or a person instead of God, as the people worshipped the golden calf, is called **idolatry**.

When you worship God, you show your belief in him as the source of creation and salvation. You show that you, and all creatures, rely on him for life. You show your trust and hope in him. This is why fortune-telling or thinking that we can control nature and know the things that God knows are against the first commandment.

❓ **What are some things that people sometimes place ahead of God?**

Words of Faith

To **worship** God is to adore and praise God, especially in prayer and liturgy.

Idolatry is the sin of worshipping an object or a person instead of God. It is letting anything or anyone become more important than God.

Activity

Share Your Faith

Reflect: In what ways do you worship God?

Share: Share your responses with a partner.

Act: Choose the type of worship that means the most to you. Then write a few sentences explaining why this is your favorite way to worship.

Respetar a Dios

 **Análisis** ¿Qué te piden que hagas el segundo y el tercer mandamiento?

El segundo mandamiento está relacionado con el primero, y es: "No tomarás el nombre de Dios en vano". El nombre de Dios es sagrado o santo porque Dios es sagrado. Cuando Dios llamó a Moisés a ser el líder de su pueblo, reveló su nombre a Moisés. Dios comunicó su nombre a su pueblo porque lo amaba y confiaba en él. A cambio, el pueblo de Dios debe bendecir y alabar el santo nombre de Dios.

Este mandamiento te llama a respetar el nombre de Dios y a usarlo siempre de manera reverente. Respetar el nombre de Dios es un signo del respeto que Dios merece. Maldecir o usar el nombre de Dios para jurar cuando algo es mentira es un pecado contra el nombre de Dios. Deshonrar gravemente el nombre de Dios, de Jesucristo, de María o de los santos con palabras o acciones se conoce como **blasfemia**.

Probablemente, cuando más utilizas el nombre de Dios es en la oración. Cada vez que haces la señal de la cruz, pronuncias el nombre del Padre, del Hijo y del Espíritu Santo. Esto es un recordatorio de tu bautismo. Pronunciar el nombre de Dios te fortalece para vivir como hijo de Dios y discípulo de Cristo.

El segundo mandamiento también nos recuerda que Dios llama a cada persona por su nombre. El nombre de una persona es un signo de la dignidad de esa persona. Debes usar el nombre de los demás con respeto.

❓ **¿De qué maneras usas el nombre de Dios?**

❓ **¿Cómo puedes mostrar a los demás que respetas sus nombres?**

Respect for God

◎ Focus   What do the second and third commandments tell you to do?

The second commandment is connected to the first: "You shall not take the name of the Lord in vain." God's name is sacred, or holy, because God is sacred. When God called Moses to be the leader of his people, God revealed his name to Moses. God shared his name with his people because he loved and trusted them. In return, God's people are to bless and praise God's holy name.

This commandment calls you to always use the name of God with reverence and respect. Respecting God's name is a sign of the respect God deserves. It is a sin against God's name to curse or to use God's name to swear to a lie. To seriously dishonor the name of God, Jesus Christ, Mary, or the saints in words or actions is called **blasphemy**.

You probably use God's name most often in prayer. Every time you make the Sign of the Cross, you call on the name of the Father, of the Son, and of the Holy Spirit. This is a reminder of your Baptism. Calling on God's name strengthens you to live as a child of God and a follower of Christ.

The second commandment also reminds us that God calls each person by name. A person's name is a sign of that person's dignity. You are to use the names of others with respect.

❷ What are some ways you use God's name?

❷ How can you show others that you respect their names?

225

Guardar el día del Señor

Cumplir los primeros tres mandamientos te ayuda a amar a Dios y a acercarte más a Él. El tercer mandamiento te enseña a honrar a Dios guardando el domingo, el día más importante y más especial de la semana para los cristianos. El tercer mandamiento es: "Santificarás las fiestas".

El domingo es el primer día de la semana. Jesús resucitó de entre los muertos el primer día de la semana. Por eso, el domingo se conoce como el día del Señor. Desde el tiempo de los Apóstoles, la reunión de los domingos para la Eucaristía ha sido el centro de la vida de la Iglesia. Esto se debe a que el domingo es el día de la Resurrección del Señor.

Palabras de fe

Blasfemia es el pecado de mostrar desprecio por el nombre de Dios, de Jesucristo, de María o de los santos con palabras o acciones.

El día del Señor

- Participa en la celebración de la Eucaristía del domingo. Es la manera más importante de cumplir el tercer mandamiento.

- Descansa y convive con tu familia. Comparte una comida, lee la Biblia o visita a algún familiar que no veas a menudo.

- Participa en actividades parroquiales, visita un hogar de ancianos, visita a personas de tu comunidad que estén enfermas, o realiza una tarea o un servicio con tu familia.

- Respeta el derecho de los demás a descansar y a guardar el domingo.

Actividad — Practica tu fe

Sugerencias para el domingo ¿Qué otras tres cosas podrías hacer para guardar el día del Señor?

Domingo

_____

_____

_____

Keeping the Lord's Day

Following the first, second, and third commandments helps you love God and grow closer to him. The third commandment teaches you to honor God by celebrating Sunday, the greatest and most special day of the week for Christians. The third commandment is this: Remember to keep holy the Lord's day.

Sunday is the first day of the week. Jesus rose from the dead on the first day of the week. This is why Sunday is known as the Lord's day. Gathering on Sunday for the Eucharist has been the center of the Church's life since the time of the Apostles. This is because Sunday is the day of the Lord's Resurrection.

Words of Faith

Blasphemy is the sin of showing contempt for the name of God, Jesus Christ, Mary, or the saints in words or actions.

The Lord's Day

- Participate in the Sunday celebration of the Eucharist. This is the most important way to observe the third commandment.

- Rest and enjoy time with your family. Share a meal, read the Bible, or visit a relative you do not often see.

- Take part in parish activities, visit a retirement center, visit people in the community who are sick, or perform a work of service as a family.

- Respect the rights of others to rest and observe Sunday.

Activity — Connect Your Faith

Sunday Suggestions   What are three other actions that you could take to remember the Lord's day?

_____

_____

_____

Oración de alabanza

 Oremos

Reúnanse y comiencen con la señal de la cruz.

Canten juntos.

> ¡Cántenle y alábenle!
> Hónrenle por su creación.
> Que resuene el clamor.
> ¡Canten al Señor!

"Sing, Sing, Praise and Sing!" © 2000, GIA Publications, Inc.

Líder:	Respondan a cada nombre de Dios con esta oración: Alabamos tu nombre, oh Dios.
Lector:	Dios, Padre nuestro,
Todos:	**Alabamos tu nombre, oh Dios.**
Lector:	Dios misericordioso y clemente,
Todos:	**Alabamos tu nombre, oh Dios.**
Lector:	Dios, Creador nuestro,
Todos:	**Alabamos tu nombre, oh Dios.**
Lector:	Dios compasivo,
Todos:	**Alabamos tu nombre, oh Dios.**
Lector:	Dios, fuente de toda vida,
Todos:	**Alabamos tu nombre, oh Dios.**
Líder:	Oremos. *Inclinen la cabeza mientras el líder reza.*
Todos:	**Amén.**

Prayer of Praise

Gather and begin with the Sign of the Cross.

Sing together.

> Sing, sing, praise and sing! Honor God for ev'rything.
> Sing to God and let it ring. Sing and praise and sing!

"Sing, Sing, Praise and Sing!" © 2000, GIA Publications, Inc.

Leader: Respond to each name of God by praying: We praise your name, O God.

Reader: God, our Father,

All: **We praise your name, O God.**

Reader: All merciful and gracious God,

All: **We praise your name, O God.**

Reader: God, our Creator,

All: **We praise your name, O God.**

Reader: Compassionate God,

All: **We praise your name, O God.**

Reader: God, source of all life,

All: **We praise your name, O God.**

Leader: Let us pray.

Bow your heads as the leader prays.

All: **Amen.**

Repasar y aplicar

A **Comprueba lo que aprendiste** En cada enunciado, escribe Verdadero o Falso. Corrige los enunciados falsos.

1. Rendir culto a cosas o ídolos es igual que adorar a Dios.

   _____

2. Dios creó a todos los seres humanos a su propia imagen.

   _____

3. Una manera de respetar a Dios y a sus obras es evitar decir su nombre despectivamente. _____

4. Si eres realmente santo de espíritu, no necesitas rendir culto a Dios en la Misa del domingo. _____

5. Cumplir los Diez Mandamientos te ayuda a acercarte a Dios.

   _____

B **Relaciona** Escribe dos maneras de cumplir el primer mandamiento.

_____

_____

Escribe dos maneras de cumplir el segundo mandamiento.

_____

_____

Actividad vive tu fe

Escribe un relato Piensa en algunos acontecimientos que ocurran en tu familia. ¿Cuáles sirven para unir a las personas? Escribe un relato corto que cuente cómo uno de esos eventos fortalece el respeto de tu familia hacia Dios.

Review and Apply

A **Check Understanding**   Mark each statement True or False. Correct each false statement.

1.   Worshipping things, or idols, is just as good as worshipping God. _____

2.   God created all humans in his own image. _____

3.   You can respect God and his works by not saying his name in an angry way. _____

4.   If you are truly holy in spirit, you do not need to worship at Sunday Mass. _____

5.   Following the Ten Commandments helps you grow closer to God. _____

B **Make Connections**   Write two ways to keep the first commandment.

_____

_____

Write two ways to keep the second commandment.

_____

_____

Activity   Live Your Faith

Write a Story   Think about some events that occur within your family. Which ones bring people together? Write a short story that tells how one of these events strengthens your family's respect for God.

La fe en familia

Lo que creemos

- Los primeros tres mandamientos te enseñan a honrar a Dios sobre todas las cosas, respetar su nombre y rendirle culto el domingo.

- Estos mandamientos te piden que creas y confíes en Dios y que lo ames.

✝ LA SAGRADA ESCRITURA

Lee el *Salmo 119, 33–48* para descubrir la alegría que puedes experimentar al seguir el ejemplo de Cristo y vivir según la ley de Dios.

APRENDE en línea Visita **www.osvcurriculum.com** para encontrar recursos basados en el año litúrgico y lecturas semanales de la Sagrada Escritura.

Actividad

Vive tu fe

Alaba a Dios Cuando realizamos acciones que muestran nuestra comprensión de los primeros tres mandamientos, fortalecemos nuestro amor a Dios.

- Haz una lista de siete acciones que tú y tu familia pueden realizar esta semana para alabar y honrar a Dios.

- Marca las acciones a medida que tú y tu familia las vayan haciendo durante la semana. Puedes llevarlas a cabo todas las veces que quieras. Nunca es demasiado todo lo que hagas para mostrar amor a Dios.

Siervos de la fe

Juana Francisca de Chantal nació en Francia en una familia que pertenecía a la nobleza. Se casó y tuvo siete hijos. Cuando enviudó, se dedicó a la vida religiosa. En 1604, conoció a Francisco de Sales y creció espiritualmente bajo su influencia. Con el tiempo, Juana fundó la Orden de la Visitación, dedicada a cuidar de los necesitados. El día de santa Juana se celebra el 12 de diciembre.

▲ Santa Juana Francisca de Chantal 1572–1641

Una oración en familia

Santa Juana, ruega por nosotros para que respetemos la dignidad de los demás y nuestra propia dignidad. Amén.

CIC *Consulta el Catecismo de la Iglesia Católica, números 2063–2065, para obtener más información sobre el contenido del capítulo.*

Family Faith

Catholics Believe

- The first three commandments teach you to honor God above all else, respect his name, and worship him on Sunday.

- These commandments tell you to believe in, trust, and love God.

✝ SCRIPTURE

Read *Psalm 119:33–48* to discover the joy you can experience by following Christ's example and living by God's law.

GO online www.osvcurriculum.com
For weekly scripture readings and seasonal resources

Activity

Live Your Faith

Praise God When we perform actions that show our understanding of the first three commandments, we strengthen our love for God.

- Make a list of seven actions that you and your family can do this week to praise and honor God.

- Check off the actions as you and your family move through the week, but feel free to perform these actions more than once. No one can show too much love for God.

People of Faith

▲ **Saint Jane Frances de Chantal**
1572–1641

Jane Frances de Chantal was born into a noble family in France. She married and had seven children. When Jane became a widow, she devoted herself to the religious life. She met Francis de Sales in 1604 and grew spiritually under his guidance. Eventually, Jane founded the Order of the Visitation. These women cared for those in need. Saint Jane's feast day is December 12.

Family Prayer

Saint Jane, pray for us that we may be respectful of the dignity of others and of our own dignity. Amen.

REPASO DE LA UNIDAD 3

A **Trabaja con palabras** Empareja cada descripción de la columna 1 con el término correcto de la columna 2.

Columna 1

_____ **1.** Amar a tu prójimo como a ti mismo.

_____ **2.** El significado de la palabra "bienaventuranza".

_____ **3.** El pecado de mostrar desprecio por el nombre de Dios, de Jesucristo, de María o de los santos con palabras o acciones.

_____ **4.** El domingo, el día en que Jesús resucitó de entre los muertos.

_____ **5.** Amar a Dios con todo tu corazón.

_____ **6.** Acciones que ayudan a los demás en sus necesidades físicas.

_____ **7.** Te dicen cómo vivir en el Reino de Dios ahora y siempre.

_____ **8.** Adorar y alabar a Dios, especialmente en la oración y la liturgia.

_____ **9.** La virtud del amor.

_____ **10.** El pecado de rendir culto a un objeto o a una persona en vez de adorar a Dios.

Columna 2

a. Bienaventuranzas

b. caridad

c. segunda parte del gran mandamiento

d. rendir culto a Dios

e. bendición

f. obras de misericordia corporales

g. idolatría

h. día del Señor

i. primera parte del gran mandamiento

j. blasfemia

UNIT 3 REVIEW

A **Work with Words**   Match each description in Column 1 with the correct term in Column 2.

Column 1	Column 2
_____ 1. Loving your neighbor as yourself	**a.** Beatitudes
_____ 2. The meaning of "beatitude"	**b.** charity
_____ 3. The sin of showing contempt for the name of God, Jesus Christ, Mary, or the saints in words or actions	**c.** second part of the Great Commandment
_____ 4. Sunday, which is the day Jesus rose from the dead	**d.** worship
_____ 5. Loving God with all your heart	**e.** blessing
_____ 6. Actions that care for the physical needs of others	**f.** Corporal Works of Mercy
_____ 7. These tell the way to live in God's kingdom now and always.	**g.** idolatry
_____ 8. To adore and praise God, especially in prayer and liturgy	**h.** Lord's day
_____ 9. The virtue of love	**i.** first part of the Great Commandment
_____ 10. The sin of worshipping an object or a person instead of God	**j.** blasphemy

UNIDAD 4

La Iglesia

Capítulo 10 Llamados a amar

¿Qué es la vocación cristiana?

Capítulo 11 Modelos de fe

¿Qué hace santa a una persona?

Capítulo 12 La Iglesia nos enseña

¿Qué es el magisterio de la Iglesia?

? ¿Qué crees que vas a aprender en esta unidad acerca de lo que la Iglesia nos enseña?

UNIT 4

The Church

Chapter 10 Called to Love

What is the Christian vocation?

Chapter 11 Models of Faith

What makes a person holy?

Chapter 12 The Church Teaches

What is the magisterium of the Church?

? What do you think you will learn in this unit about what the Church teaches?

Llamados a amar

 Oremos

Líder: Dios de amor, con alegría te servimos y te obedecemos.
"¡Alaben, servidores del Señor,
alaben el nombre del Señor!".

Salmo 113, 1

Todos: Dios de amor, con alegría te servimos y te obedecemos. Amén.

Actividad Comencemos

La señorita Emilia   En el relato *"La señorita Emilia",* el abuelo de una joven llamada Emilia la desafía a hacer del mundo un lugar más hermoso. Muchos años después, cuando Emilia es adulta, descubre la flor de lupino, y decide embellecer los campos y los barrios de su pueblo. Emilia camina por el pueblo y por los campos dejando caer semillas de lupino. Gracias a ella, hoy día esos terrenos y campos se cubren de azul en primavera.

• ¿Qué tipo de cosas harían del mundo que te rodea un lugar mejor? ¿Cómo podrías ayudar a mejorar el mundo?

10 Called to Love

Let Us Pray

Leader: God of love, we gladly serve and obey you.

"Praise, you servants of the LORD,
praise the name of the LORD."
Psalm 113:1

All: God of love, we gladly serve and obey you. Amen.

Activity **Let's Begin**

Miss Rumphius In the story *Miss Rumphius,* a young girl named Alice Rumphius is challenged by her grandfather to make the world more beautiful. Many years later, the adult Alice discovers the lupine flower. She decides to make the fields and neighborhoods of her town more beautiful. Alice walks through the town and its fields, dropping lupine seed along her way. Now those empty lots and fields are carpets of blue every spring.

• What kinds of things would make the world around you a better place? How could you help?

El llamado de Dios

Análisis ¿Qué significa tener una vocación?

Todos tenemos una **vocación**. La vocación es un llamado de Dios a servir y amar, a Él y a los demás. A veces Dios llama a una persona a desempeñar una tarea especial.

Mucho antes de que Jesús naciera, había un joven que vivía en el pequeño reino de Judá, donde hoy día está la nación de Israel. Su nombre era Jeremías, que significa "el Señor me eleva". Jeremías fue llamado por Dios para decir la verdad a su pueblo en una época de gran peligro, cuando el pueblo había perdido el rumbo y lo invadían naciones poderosas. Así recordó Jeremías el llamado de Dios.

✝ LA SAGRADA ESCRITURA
Jeremías 1, 5–8

El llamado de Jeremías

"Antes de formarte en el seno de tu madre, ya te conocía; antes de que tú nacieras, yo te consagré, y te destiné a ser profeta de las naciones".

Yo exclamé: "Ay, Señor, Yavé, ¡cómo podría hablar yo, que soy un muchacho!".

Y Yavé me contestó: "No me digas que eres un muchacho… proclamarás todo lo que yo te mande. No les tengas miedo, porque estaré contigo para protegerte".

Tomado de *Jeremías* 1, 5–8

❓ ¿Alguna vez has sentido que Dios quería que hicieras algo o que tomaras una decisión determinada?

❓ ¿Cómo lo supiste?

God's Call

Everyone has a **vocation**. A vocation is God's call to love and serve him and others. Sometimes God calls a person to a special role.

Once, long before Jesus was born, there was a young man who lived in the tiny kingdom of Judah, where the nation of Israel is today. His name was Jeremiah, which means "the Lord raises up." Jeremiah was called by God to speak the truth to his people in a time of great danger. They had lost their way and were being invaded by powerful nations. This is how Jeremiah remembered God calling him.

✝ SCRIPTURE   Jeremiah 1:5–8

The Call of Jeremiah

"Before I formed you in the womb I knew you,
   before you were born I dedicated you, a
   prophet to the nations I appointed you.

Ah, LORD God! I said,
   I know not how to speak; 'I am too young.'

But the LORD answered me,
Say not, I am too young. . . .
whatever I command you, you shall speak.
Have no fear before them,
   because I am with you to deliver you."

From *Jeremiah* 1:5–8

❓ **Have you ever felt that God wanted you to do something or to make a certain choice?**

❓ **How did you know?**

241

El Reino de Dios

No todos oyen el llamado de Dios tan claramente como Jeremías. A veces necesitas orar y escuchar la voz de Dios por muchos años para descubrir tu vocación. Cuando la descubras, será solo tuya, porque cada hijo de Dios es único.

Todas las vocaciones pueden ser maneras de hacer más visible el **Reino de Dios** . El Reino de Dios es el mundo de justicia, amor y paz que Dios quiere para nosotros. Jesús anunció el Reino de Dios y lo reveló a través de su vida y de su ministerio. Pero el Reino de Dios no alcanzará su plenitud hasta el final de los tiempos. Todas las personas debemos ayudar a Dios a engrandecer su Reino.

❓ ¿Qué signos del Reino de Dios puedes ver en el mundo hoy día?

Maneras de servir a Dios

La Iglesia reconoce tres maneras especiales de responder al llamado de Dios a servir: a través del sacerdocio, de la vida religiosa consagrada y de la vida matrimonial. La vida religiosa consagrada es un estado de vida en el que generalmente la persona hace votos, o promesas, de santidad.

Palabras† de fe

La **vocación** es el llamado de Dios a servir y amar, a Él y a los demás.

El **Reino de Dios** es el reino de justicia, amor y paz que está presente aquí y ahora, pero que aún no ha alcanzado su plenitud.

Actividad — Comparte tu fe

Reflexiona: Imagina que eres mucho mayor y que un director de cine está haciendo una película sobre tu vida.

Comunica: Trabaja con un compañero, y supón que es director de cine. Sugiérele dos escenas que podrían filmar en las que estés ayudando a engrandecer el Reino de Dios.

Actúa: Elige una de las escenas que describiste y dibújala. Cuando termines de dibujar, ponle un título al dibujo

The Kingdom of God

Not everyone hears God's call as clearly as Jeremiah did. Sometimes it takes many years of praying and listening to know your vocation. It will be yours alone because you are a unique child of God.

All vocations can be ways of making the **kingdom of God** more visible. God's reign is the world of love, peace, and justice that God intends. Jesus announced the reign of God and revealed it in his life and ministry. But the reign of God will not be here fully until the end of time. Every person must help God increase his reign.

❓ **What signs can you see of God's kingdom in the world now?**

Ways to Serve God

The Catholic Church recognizes three special ways in which people respond to God's call to serve: through the priesthood, through consecrated religious life, and through married life. Consecrated religious life is a state of life in which a person usually makes vows, or promises, of holiness.

Words of Faith

A **vocation** is God's call to love and serve him and others.

The **kingdom of God** is God's rule of peace, justice, and love that is here now but has not yet come in its fullness.

Activity — Share Your Faith

Reflect: Imagine that you are much older and that a film director is preparing a movie of your life.

Share: Work with a partner, and pretend that your partner is the film director. Suggest two scenes that he or she could shoot to show you helping increase God's reign.

Act: Choose one of the scenes you described, and draw it. After you have finished drawing, write a caption for the picture.

Servir a la Iglesia

Análisis ¿Cómo ayudan los cristianos a engrandecer el Reino de Dios?

La Iglesia reconoce que algunas personas pueden elegir servir a Dios permaneciendo solteras, en vez de elegir el sacerdocio, la vida religiosa o la vida matrimonial. La vida de soltero también es una vocación. Tanto las personas solteras como las casadas forman parte del **laicado** .

Todos los bautizados pueden elegir servir a la Iglesia y a la comunidad parroquial. Estas son algunas de las tareas especiales que realizan.

Muchos dones

- El párroco y los vicarios parroquiales guían y sirven a la comunidad parroquial.

- El diácono permanente es ordenado para ayudar al obispo. Normalmente es destinado a una parroquia donde sirve a la comunidad asistiendo en la Eucaristía, y presidiendo en la celebración de bautizos, matrimonios y funerales. También realiza obras de caridad.

- El lector proclama la Palabra de Dios en la Liturgia de la Palabra.

- El ministro extraordinario de la Eucaristía ayuda a distribuir la Sagrada Comunión en la Misa y lleva la Sagrada Comunión a quienes están enfermos o no pueden salir de su casa.

- Los acólitos ayudan al sacerdote llevando el Misal, los vasos sagrados y la cruz.

- Los músicos guían a los fieles en la oración cantada.

- Los catequistas enseñan la Sagrada Escritura y la fe católica a los miembros de la parroquia.

❓ **¿Cuál de tus familiares ha servido en una de estas tareas especiales?**

❓ **¿Qué otras tareas hay? ¿Cómo podrías compartir tus dones en una de estas tareas?**

Serving the Church

Focus How do Christians help God increase his reign?

The Church recognizes that some people may choose to serve God by remaining single rather than choosing the priesthood, religious life, or married life. Single life is also a vocation. Both single and married people are part of the **laity**.

All who are baptized can choose to serve the Church and the parish community. Here are some of their special roles.

Many Gifts

- The pastor and pastoral associate lead and serve the parish community.
- The permanent deacon is ordained to assist the pastor, especially at Eucharist, marriages, and funerals, and to perform works of charity.
- The lector proclaims the word of God at the Liturgy of the Word.
- The Eucharistic minister of Holy Communion helps distribute Holy Communion at Mass and takes Holy Communion to those who are sick or housebound.
- Altar servers assist the priest at Mass by carrying the sacramentary, the sacred vessels, and the cross.
- Musicians lead the assembly in sung prayer.
- Catechists teach Scripture and the Catholic faith to members of the parish.

❓ **Who in your family has served in one of these special roles?**

❓ **What other roles are there? How could you share your gifts in one of these roles?**

Utiliza tus dones

Encontrar tu vocación en la vida puede tomar muchos años. Sin embargo, aunque seas pequeño, puedes usar los dones que Dios te dio para cambiar las cosas. Este es el relato de un niño que usa sus talentos para transmitir un mensaje importante al mundo.

UNA BIOGRAFÍA

Canciones del corazón

Mattie Stepanek nació con un tipo de distrofia muscular poco común. Aunque estába en silla de ruedas y necesitaba una máquina que lo ayudaba a respirar, Mattie escribio unos poemas hermosos.

Escribir poesía ayudó a Mattie a descubrir lo que él llama su canción del corazón. "Tu canción del corazón es tu belleza interior", decia Mattie. "La canción de tu corazón te pide que te esfuerces para ser mejor persona y que ayudes a los demás a hacer lo mismo. Todos tenemos una canción del corazón".

Encontrar tu canción del corazón

Descubrir tu vocación es como encontrar tu canción del corazón. Es encontrar el camino único que Dios quiere que sigas para hacer del mundo un lugar mejor. Todos los que llevan al mundo justicia, amor y paz ayudan a engrandecer el Reino de Dios.

Palabras† de fe

El **laicado** es el conjunto de todos los bautizados de la Iglesia que comparten la misión de Cristo, pero que no son sacerdotes ni hermanas o hermanos consagrados.

Actividad Practica tu fe

Tu canción del corazón ¿Cuál podría ser tu canción del corazón? Escribe y decora el título en este espacio.

Using Your Gifts

It can take many years to recognize your vocation in life. However, even while you are young you can use your gifts from God to make a difference. Here is the story of a boy who used his talent to bring a powerful message to the world.

A BIOGRAPHY

Heartsongs

Mattie Stepanek was born with a rare form of muscular dystrophy. Although he used a wheelchair and needed a machine to help him breathe, Mattie wrote beautiful poetry.

Writing poetry helped Mattie find what he called his heartsong. "Your heartsong is your inner beauty," said Mattie. "It's the song in your heart that wants you to help make yourself a better person, and to help other people do the same. Everybody has one."

Finding Your Heartsong

Discovering your vocation is a lot like finding your heartsong. It is finding the unique way that God wants you to make the world a better place. Everyone who brings love, peace, and justice to the world helps God increase his reign.

Words of Faith

The **laity** is the name for all of the baptized people in the Church who share Christ's mission but are not priests or consecrated sisters and brothers.

Activity — Connect Your Faith

Your Heartsong
What could your heartsong be? Write and decorate its title in this space.

Meditación sobre la paz

 **Oremos**

Reúnanse y comiencen con la señal de la cruz.

Líder: Sentémonos y escuchemos las palabras de la carta a los Colosenses.

Lector 1: *Lean Colosenses 1, 2–5.*

Silencio

Canten juntos.

Tómame tal como soy; muéstrame tu voluntad.
Sella hoy mi corazón y vive en mí.

"Take, O Take Me As I Am" © 1994, Iona Community, GIA Publications, Inc., agent

Lector 2: Reflexionemos sobre la paz y escuchemos las palabras que Mattie Stepanek escribió acerca de la paz.

Estoy impaciente por trabajar por la paz.

Estoy impaciente por ayudar al mundo a superar el enojo y los problemas del mal.

¿Qué cosas buenas anhelas hacer para mejorar el mundo?

Líder: Oremos.
Inclinen la cabeza mientras el líder reza.

Todos: **Amén.**

Meditation on Peace

Gather and begin with the Sign of the Cross.

Leader: Let us sit and listen to the words of the Letter to the Colossians.

Reader 1: *Read Colossians 1:2–5.*

Silence

Sing together.

Take, O take me as I am; summon out what I shall be; set your seal upon my heart and live in me.

"Take, O Take Me As I Am" © 1994, Iona Community, GIA Publications, Inc., agent

Reader 2: Let us reflect on peace and listen to words that Mattie Stepanek wrote about peace.

"I cannot wait to become
A peacemaker.
I cannot wait to help
The world overcome
Anger, and problems of evil."

What good things are you eager to do for the world?

Leader: Let us pray.

Bow your heads as the leader prays.

All: **Amen.**

Repasar y aplicar

A **Trabaja con palabras** Completa cada enunciado ordenando las letras entre paréntesis para formar una palabra.

Jesús anunció que el (ieonr) _____ de Dios estaba cerca. Con esto quiso decir que el Reino de Dios de (itcuajis) _____, (rmao) _____ y (apz) _____ había comenzado en Él, pero que aún debía alcanzar su plenitud. Todos los cristianos están (dlaosalm) _____ por Dios a colaborar con Él para llevar su Reino a la plenitud. Este llamado de Dios es una (óaoicvnc) _____. Todos los bautizados pueden servir en su (irauqroap) _____ de maneras especiales. Los (ecdtarosse) _____ y (áoinsodc) _____ ordenados celebran o ayudan en los sacramentos y predican la Palabra de Dios.

B **Comprueba lo que aprendiste** Completa el siguiente enunciado: Todas las personas están llamadas…

_____

_____

Actividad Vive tu fe

Tus talentos En una hoja aparte, traza una silueta de tu mano. En cada dedo, escribe uno de tus talentos. Luego escribe en el centro una manera de usar al menos uno de tus talentos para llevar más paz y justicia al mundo.

Review and Apply

A **Work with Words**   Complete each sentence by unscrambling the words.

Jesus announced that God's (grien) _____ was at hand. By this he meant that God's reign of (eceap) _____, (vole) _____, and (itcejus) _____ had begun in him, but was still to come in its fullness. All Christians are (leldac) _____ by God to cooperate with him in bringing his kingdom to fullness. This calling from God is a (iaotvcno) _____. All who are baptized can serve their (rspaih) _____ in special ways. Ordained (iesprts) _____ and (eadcnos) _____ celebrate or assist at the Sacraments and preach the word of God.

B **Check Understanding**   Complete the following: Every person is called . . .

_____

_____

Activity   Live Your Faith

Your Talents   Draw the outline of your hand on a separate sheet of paper. On each finger, write one of your talents. Then in the center, write a way that you can use at least one of your talents to bring more peace and justice into the world.

La fe en familia

Lo que creemos

■ Todas las personas están llamadas por Dios a seguir una vocación.

■ A través de tu vocación, puedes ayudar a Dios a engrandecer su Reino.

✝ LA SAGRADA ESCRITURA

Lee *1 Corintios 12, 1–31* para aprender más sobre los dones espirituales con los que nos bendice Dios.

APRENDE en línea Visita **www.osvcurriculum.com** para encontrar recursos basados en el año litúrgico y lecturas semanales de la Sagrada Escritura.

Actividad

vive tu fe

Acróstico de nombres Siéntense y conversen acerca de los dones que ven en cada miembro de su familia. Luego, con el nombre de cada uno, hagan un acróstico en el que aparezcan los dones de la familia. Por ejemplo:

J ovial
A mable
V aliente
I ncansable
E mprendedor
R esponsable

Comenten cómo los dones de sus familiares hacen del mundo un lugar mejor.

Siervos de la fe

Federico nació en Milán, Italia. Durante un tiempo estudió derecho, pero en París descubrió su gran pasión por la literatura. Tenía una fe muy fuerte, y sus amigos lo desafiaban a encontrar una manera de vivir sus creencias cristianas en la vida cotidiana. Federico fue cofundador de la Sociedad de San Vicente de Paúl. Hoy día, esta asociación religiosa continúa ayudando a los necesitados, especialmente a los pobres. El día del beato Federico se celebra el 8 de septiembre.

▲ Beato Federico Ozanam 1813–1853

Una oración en familia

Oh Dios, ayúdanos a responder a tu llamado como hizo el beato Federico, para que podamos ayudarte a engrandecer tu Reino de justicia, amor y paz. Amén.

CIC *Consulta el Catecismo de la Iglesia Católica, números 941 y 2046, para obtener más información sobre el contenido del capítulo.*

Family Faith

Catholics Believe

- Every person is called by God to a vocation.

- Through your vocation, you can help God increase his reign.

✝ SCRIPTURE

Read *1 Corinthians 12:1–31* to learn more about the spiritual gifts with which God blesses us.

GO online **www.osvcurriculum.com**
For weekly scripture readings and seasonal resources

Activity

Live Your Faith

Name Acrostics Sit and talk together. Discuss the gifts that you see in each member of your family. Then, using your names, create acrostics that list the gifts of your family. Here is an example:

J oyful
O thers come first
E nthusiastic

Discuss how your family members' gifts are making the world a better place.

People of Faith

▲ **Blessed Frederic Ozanam 1813–1853**

Frederic was born in Milan, Italy. For a time he studied law, but in Paris he discovered a great love for literature. He had a strong faith, and his friends challenged him to find a way to live out his Christian beliefs in his everyday life. Frederic cofounded the Society of Saint Vincent de Paul. This religious association continues today to help those in need, especially those who are poor. Blessed Frederic's feast day is September 8.

Family Prayer

O God, help us answer your call as Blessed Frederic did, so that we may help you increase your reign of justice, love, and peace. Amen.

CCC *See Catechism of the Catholic Church 941, 2046 for further reading on chapter content.* **253**

Capítulo

11 Modelos de fe

 **Oremos**

Líder: Ayúdanos a aprender de aquellos a quienes servimos, oh Señor.
"Dios se porta muy bien con Israel
con los que tienen puro el corazón".

Salmo 73, 1

Todos: Ayúdanos a aprender de aquellos a quienes servimos,
oh Señor. Amén.

 **Actividad** **Comencemos**

Yo creo Estas citas tratan acerca de las convicciones personales de tres personas famosas que ayudaron a cambiar el mundo. Muchos de los que cambian algo en el mundo son personas tan jóvenes como tú.

Ahora piensa en tus convicciones.

• ¿Qué frase sobre tus convicciones te gustaría que recordara la gente?

"**Debemos ser el cambio que queremos ver**".
—*Mohandas Gandhi*

"Debes hacer eso que crees que no puedes hacer".
—*Eleanor Roosevelt*

"**No puedo evitarlo. Cuando veo una injusticia, no puedo quedarme callado**".
—*Arzobispo Desmond Tutu*

254

11 Models of Faith

Let Us Pray

Leader: Help us learn from those who serve you, O Lord.

"How good God is to the upright,
the LORD, to those who are clean of heart!"

Psalm 73:1

All: Help us learn from those who serve you, O Lord. Amen.

Activity Let's Begin

I Believe These quotations tell you about the personal beliefs of three famous people who helped change the world. Many who make a difference are as young as you are.

Now think about your beliefs.

• What statement about your own beliefs would you like people to remember?

"We must be the change we wish to see."
—Mohandas Gandhi

"You must do the thing you think you cannot do."
— Eleanor Roosevelt

"I cannot help it when I see injustice. I cannot keep quiet."
—Archbishop Desmond Tutu

255

Los santos de Dios

Análisis ¿Qué es la fe?

La Iglesia honra a determinadas personas cuyas vidas mostraron a los demás cómo hacer la voluntad de Dios. Estos modelos de fe ayudaron a Dios a traer su Reino al mundo de manera más completa. La Iglesia llama a cada una de estas personas **santo** o **santa** . Los siguientes relatos tratan acerca de dos personas santas.

UNA BIOGRAFÍA

Catalina de Siena

Catalina quería servir a Dios por medio de la oración en silencio, pero su mundo estaba lleno de problemas. Entonces, Dios la llamó a cambiar las cosas.

Vivió hace mucho tiempo en Siena, Italia. Era muy sabia y tenía mucha facilidad de palabra. Aunque era raro en una mujer de su época, Catalina daba discursos públicos y enseñaba a los sacerdotes. También cuidaba a los enfermos y a los presos.

Catalina se atrevió a alzar la voz contra la injusticia. Ayudó a los líderes de la Iglesia a hacer las paces unos con otros. Los cristianos aprenden de Catalina que todos los miembros de la Iglesia pueden cambiar el mundo.

Los discípulos de Catalina la llamaban "Madre" y "Maestra". Fue proclamada Doctora de la Iglesia.

Vidas santas

Catalina de Siena es una santa canonizada de la Iglesia Católica. Esto significa que la Iglesia declaró oficialmente que vivió una vida santa y que disfruta de la vida eterna con Dios en el cielo.

❓ ¿Qué admiras de Catalina?

Holy Ones of God

Focus What is faith?

The Church honors certain people whose whole lives showed others how to do God's will. These models of faith all helped God bring his reign into the world more fully. The Church calls each of these people a **saint**. Here are the stories of two of them.

A BIOGRAPHY

Catherine of Siena

Catherine wanted to serve God through quiet prayer. But Catherine's world was full of problems. God called her to make a difference.

Catherine lived long ago in Siena, Italy. She was very wise and used words well. Even though it was unusual for a woman of her time, Catherine made public speeches and taught priests. She also cared for those who were sick or in prison.

Catherine spoke out against injustice. She helped leaders in the Church make peace with one another. Christians learn from Catherine that every member of the Church can make a difference.

Catherine's students called her "Mother" and "Teacher." She has been named a Doctor of the Church.

Holy Lives

Catherine of Siena is a canonized saint of the Catholic Church. This means that the Church has officially declared that she led a holy life and is enjoying eternal life with God in heaven.

❓ **What do you admire about Catherine?**

UNA BIOGRAFÍA

Juan, el papa bueno

Antes de ser elegido papa, Juan XXIII sirvió a los soldados heridos en la Primera Guerra Mundial. Esta experiencia le enseñó a trabajar por la paz. Luego, trabajó con líderes religiosos que no eran católicos. Así aprendió a reconocer lo que las religiones tienen en común, en vez de fijarse más en las diferencias.

Después de ser elegido papa, Juan XXIII llamó a todos los obispos del mundo a Roma para renovar y reformar la Iglesia Católica en el Concilio Vaticano II. Murió antes de que terminara el concilio, pero este siguió celebrándose. Muchas personas de todo el mundo lloraron la muerte de aquel hombre humilde y amable al que llamaban "el papa bueno". El papa Juan XXIII fue beatificado por la Iglesia en septiembre de 2000 y canonizado en 2014.

❓ Qué cualidad del Papa San Juan XXIII admiras más?

Palabras† de fe

Un **santo** o una **santa** es una persona que la Iglesia declara que vivió una vida santa y disfruta de la vida eterna con Dios en el cielo.

Actividad — Comparte tu fe

Reflexiona: Piensa por qué santa Catalina y el Papa San Juan XXIII son modelos de fe.

Comunica: Cuéntale a la clase tus ideas sobre estos dos santos.

Actúa: En el espacio común a ambos círculos, escribe las cosas que sabes que son ciertas sobre santa Catalina y también sobre el Papa San Juan XXIII. En el círculo de la izquierda, escribe lo que es verdad sobre santa Catalina únicamente. En el círculo de la derecha, escribe lo que es verdad sobre el Papa San Juan XXIII únicamente.

Santa Catalina | Papa Juan XXIII

Good Pope John

Before he was elected pope, John XXIII served soldiers who were wounded in World War I. This experience taught him to work for peace. Later he worked with religious leaders who were not Catholic. He learned to look for things that were the same in their beliefs, rather than for differences.

After he was elected pope, John XXIII called all the world's bishops to Rome to renew and reform the Catholic Church at the Second Vatican Council. He died before it ended, but the council continued. People everywhere mourned the death of the humble, friendly man they called "Good Pope John." Pope John XXIII was named blessed by the Church in September 2000 and was canonized a Saint in 2014.

❓ What quality of Pope Saint John XXIII do you admire the most?

Words of Faith

A **saint** is a person who the Church declares has led a holy life and is enjoying eternal life with God in heaven.

Activity — Share Your Faith

Reflect: Think about what makes Saint Catherine and Pope Saint John XXIII models of faith.

Share: Discuss your ideas about them with the class.

Act: Where the circles overlap, write what you know is true of both Saint Catherine and Pope Saint John XXIII. In the circle on the left, write what is true only for Saint Catherine. Write what is true only for Pope Saint John XXIII in the circle on the right.

Saint Catherine   Pope John XXIII

Modelo de santidad

Análisis ¿En qué sentido es María un modelo de santidad?

Santos hay muchos, pero María es el modelo perfecto de santidad. Dios eligió a María para ser la madre de Jesús. Después de aceptar ser la madre del Hijo de Dios, María visitó a su prima Isabel. Así es como María describió su alegría por la gran bendición que Dios le había dado.

LA SAGRADA ESCRITURA

Lucas 1, 46–50

El cántico de María

"Proclama mi alma la grandeza del Señor,
y mi espíritu se alegra en Dios mi Salvador,
porque se fijó en su humilde esclava,
y desde ahora todas las generaciones me llamarán feliz.

El Poderoso ha hecho grandes cosas por mí:
¡Santo es su Nombre!

Muestra su misericordia siglo tras siglo
a todos aquellos que viven en su presencia".

Lucas 1, 46–50

Dios creó a María llena de gracia. La preservó del pecado desde el mismo momento de su concepción. La Iglesia llama a este don de Dios la **Inmaculada Concepción** de María.

La palabra *inmaculada* significa sin manchas, limpia, sin pecado. La palabra *concepción* significa el instante mismo en que comienza la vida de una persona. La Iglesia Católica celebra la Inmaculada Concepción de María el 8 de diciembre.

❓ **¿Alguna vez te han dado una responsabilidad muy grande? ¿Qué dijiste o hiciste?**

Virgen con Niño de Giambologna

Model of Holiness

Focus How is Mary a model of holiness?

There are many saints, but Mary is the perfect model of holiness. God chose Mary to be the mother of Jesus. After Mary said "yes" to being the mother of God's Son, she visited her cousin Elizabeth. Here is how Mary described her joy at the great blessing God had given her.

✝ SCRIPTURE   Luke 1: 46–50

Mary's Song

"My soul proclaims the greatness of the Lord;
  my spirit rejoices in God my savior.
For he has looked upon his handmaid's lowliness;
  behold, from now on will all ages call
    me blessed.
The Mighty One has done great things for me,
  and holy is his name.
His mercy is from age to age
  to those who fear him."

Luke 1:46–50

God created Mary full of grace. He preserved her from sin from the very first moment of her conception. The Church calls this gift from God Mary's **Immaculate Conception**.

The word *immaculate* means spotless and clean—without sin. The word *conception* means the very moment when a person's life begins. The Catholic Church celebrates the Immaculate Conception of Mary on December 8.

❓ **Have you ever been given a very big responsibility? What did you say or do?**

Madonna and Child by Giambologna

261

Hágase tu voluntad

Ser capaz de aceptar y hacer lo que Dios te pide forma parte de la santidad. María aceptó la voluntad de Dios durante toda su vida. Cuidó y protegió a Jesús cuando era niño, y estuvo a su lado durante toda su vida. María tuvo la fortaleza suficiente para quedarse a los pies de la cruz cuando Jesús fue crucificado.

Cuando Jesús ascendió al cielo, María permaneció en la tierra con los discípulos de Jesús. Estaba en Pentecostés cuando el Espíritu Santo descendió sobre los discípulos. A María se le conoce como la Madre de la Iglesia, porque es un ejemplo de amor y fe para los cristianos. Incluso hoy en día sigue teniendo a todos los discípulos de su Hijo cerca de su corazón.

Una guía para ti

Cuando te bautizaron, quizá te pusieron el nombre de uno de los santos de Dios. Esa persona es tu santo patrón o santa patrona. Él o ella es tu modelo de fe y ruega por ti desde el cielo. Tú caminas por las huellas de Jesús igual que lo hizo tu santa o santo de una manera heroica, y él o ella te sirve de ejemplo para hacer buenas obras durante tu vida.

Palabras de fe

La **Inmaculada Concepción** es el título de María que reconoce que Dios la preservó del pecado desde el primer instante de su vida.

Un **santo patrón** es un modelo de fe y tu protector.

Actividad — Practica tu fe

Tiempo de santidad Usa el reloj para indicar lo que haces cada día. Divídelo de manera que parezca un pastel cortado en trozos. Puede quedar, por ejemplo, un trozo fino de las siete a las ocho que represente el momento en que te levantas y te preparas para ir a la escuela, y un trozo mucho más grande que represente el tiempo en que juegas después de la escuela. Después de indicar tus actividades diarias, pinta aquellas que podrían ser santificadas por la presencia de Dios.

Your Will Be Done

Part of holiness is being able to accept and do the things that God asks of you. Mary accepted God's will throughout her life. Mary cared for and protected Jesus when he was a child. She stood by him all through his life. Mary was strong enough to be at the foot of Jesus' cross when he was crucified.

After Jesus ascended into heaven, Mary remained on earth with Jesus' followers. She was there at Pentecost when the Holy Spirit came to the disciples. Mary is called the Mother of the Church because she is an example of love and faith for Christians. Even today, she continues to hold all of her Son's followers close to her heart.

A Guide for You

When you were baptized, you may have received the name of one of the saints of God. This person is your **patron saint**. He or she is your model of faith and prays for you from heaven. You walk in the footsteps of your saint and continue his or her good works in the way you live your life.

Words of Faith

Immaculate Conception is the title for Mary that recognizes that God preserved her from sin from the first moment of her life.

A **patron saint** is a model of faith and a protector for you.

Activity — Connect Your Faith

Time for Holiness Use the clock to show what you do each day. Divide the clock so that it looks like a sliced pie. You may have a narrow slice from seven o'clock to eight o'clock for getting up and preparing for school, but you may have a much larger slice for playing after school. After you have shown your activities for a day, color those that God's presence could make holy.

Letanía de los Santos

Oremos

Reúnanse y comiencen con la señal de la cruz.

Líder: Respondan **Ruega por nosotros** o **Rueguen por nosotros** después del nombre de cada santo.

Lector: Santa María, Madre de Dios

Todos: **Ruega por nosotros.**

Lector: San Miguel

San Juan Bautista San José

San Pedro y San Pablo

Santa María Magdalena

San Esteban

Santa Inés

San Gregorio

San Francisco

Santo Domingo

Santa Catalina

Santa Teresa

Santas Perpetua y Felícitas San Martín

Líder: Oremos.

Inclinen la cabeza mientras el líder reza.

Todos: **Amén.**

Canten juntos.

Somos su pueblo, rebaño de Dios.

"Psalm 100" *Lectionary for Mass* © 1969, 1981, 1997, ICEL.

Litany of the Saints

Let Us Pray

Gather and begin with the Sign of the Cross.

Leader: Respond with **Pray for us** after each saint's name.

Reader: Holy Mary, Mother of God

All: **Pray for us.**

Reader: Saint Michael

Saint John the Baptist

Saint Joseph

Saints Peter and Paul

Saint Mary Magdalene

Saint Stephen

Saint Agnes

Saint Gregory

Saint Francis

Saint Dominic

Saint Catherine

Saint Teresa

Saints Perpetua and Felicity

Saint Martin

Leader: Let us pray.

Bow your heads as the leader prays.

All: **Amen.**

Sing together.

We are God's people,
the flock of the Lord.

"Psalm 100" © 1969, 1981, 1997, ICEL.

CAPÍTULO 11

Repasar y aplicar

Ⓐ Comprueba lo que aprendiste Escribe tu respuesta en el espacio provisto.

1. Escribe tres maneras en las que Catalina de Siena mostró su santidad. _____

    _____

2. ¿Por qué al Papa San Juan XXIII se le conocía como el papa bueno? _____

3. ¿Qué significa ser canonizado?

    _____

4. ¿Qué significa la Inmaculada Concepción de María?

    _____

5. ¿Por qué a María se le conoce como Madre de la Iglesia?

    _____

Ⓑ Relaciona Menciona dos cosas que puedes hacer para crecer en santidad.

_____

_____

Actividad Vive tu fe

Símbolos santos Haz un escudo para un santo o una santa que admires. Investiga sobre esa persona. En tu escudo, escribe un lema y dibuja símbolos que representen las cualidades del santo o santa que intentarás imitar.

Review and Apply

A **Check Understanding** Write responses on the lines below.

1. Name three ways that Catherine of Siena showed her holiness.

   _____

   _____

2. Why was Pope Saint John XXIII called Good Pope John?

   _____

3. What does it mean to be canonized?

   _____

4. What is meant by Mary's Immaculate Conception?

   _____

5. Why is Mary called the Mother of the Church?

   _____

B **Make Connections** Name two ways that you can grow in holiness.

   _____

   _____

Activity — Live Your Faith

Saint Symbols Make a crest for a saint whom you admire. You may need to research more about him or her. On your crest, place a motto and symbols that show the qualities of the saint whom you will try to imitate.

Lo que creemos

- La santidad de la Iglesia resplandece en los santos. Todos los que viven su amor a Dios son santos.

- María es el modelo perfecto de santidad y se le conoce como Madre de la Iglesia.

✝ LA SAGRADA ESCRITURA

Lee *1 Tesalonicenses 4, 13–15* para reafirmar tu creencia de que los santos están con Dios.

APRENDE en línea Visita **www.osvcurriculum.com** para encontrar recursos basados en el año litúrgico y lecturas semanales de la Sagrada Escritura.

Actividad

vive tu fe

Álbum de recortes Investiga acerca de un santo patrón para tus familiares. Puedes encontrar información acerca de muchos santos en la biblioteca de tu parroquia o en Internet. En familia, cuenta relatos sobre algunos modelos de santidad. Haz un álbum de recortes con dibujos y descripciones de todos los modelos de fe que encuentres.

Honrado un sacerdote

Modelos de santidad

Siervos de la fe

Kateri Tekakwitha es la primera indígena norteamericana que fue canonizada. Era la hija de un guerrero mohawk y una mujer algonquina que era cristiana. Kateri nació en New York en 1656 y fue bautizada en 1676. Dedicó su vida a la oración, a la penitencia, y al cuidado de los enfermos y los ancianos. Después de su Primera Comunión en 1677, la devoción de Kateri a la Eucaristía fortaleció su fe. Fue canonizada en 2012. Su día se celebra el 14 de julio.

▲ Santa Kateri Tekakwitha 1656–1680

🙌 Una oración en familia

Oh Dios, ayúdanos a crecer en santidad como hizo Kateri. Enséñanos a imitar su amor por ti y su devoción a la Eucaristía. Amén.

CIC *Consulta el Catecismo de la Iglesia Católica, números 828, 829, 963 y 967–970, para obtener más información sobre el contenido del capítulo.*

Family Faith

Catholics Believe

- The Church's holiness shines in the saints. All who live their love of God are saints.

- Mary is the perfect model of holiness, and she is called the Mother of the Church.

✝ SCRIPTURE

Read *1 Thessalonians 4:13–15* for assurance that the saints are with God.

GO online **www.osvcurriculum.com**
For weekly scripture readings and seasonal resources

Activity

Live Your Faith

Scrapbook Research a patron saint for your family. You can find information about many saints in your parish library or on the Internet. Also share stories about models of holiness in your own family. Create a scrapbook with drawings and descriptions of all the models of faith you find.

Priest Honored

Models of Holiness

People of Faith

▲ Saint Kateri Tekakwitha
1656–1680

Kateri Tekakwitha is the first Native American to be canonized. She was the daughter of a Mohawk warrior and an Algonquian woman who was Christian. Kateri was born in New York in 1656 and was baptized in 1676. She devoted herself to a life of prayer, penance, and the care of those who were sick or old. After her First Communion in 1677, Kateri's devotion to the Eucharist strengthened her faith. She was canonized in 2012. Her feast day is July 14.

🙌 Family Prayer

O God, help us grow in holiness as Kateri did. Help us imitate her love for you and her devotion to the Eucharist. Amen.

CCC *See Catechism of the Catholic Church 828–829, 963, 967–970 for further reading on chapter content.* **269**

Capítulo 12
La Iglesia nos enseña

Oremos

Líder: Señor Dios, ayúdanos a seguirte con fidelidad.

"Envíame tu luz y tu verdad:
que ellas sean mi guía"

Salmo 43, 3

Todos: Señor Dios, ayúdanos a seguirte con fidelidad. Amén.

Actividad Comencemos

Un buen maestro es...

• alguien que te alienta a pensar y te enseña a aprender de tus errores.

• alguien que se preocupa de quién eres y qué aprendes.

• alguien que no teme sonreír ni llorar.

¿Qué otras descripciones de un buen maestro añadirías?

Chapter 12 The Church Teaches

Let Us Pray

Leader: God, help us follow in your faithful ways.

"Send your light and fidelity,
that they may be my guide."

Psalm 43:3

All: God, help us follow in your faithful ways.
Amen.

Activity — Let's Begin

A Good Teacher Is . . .

• someone who encourages you to think but allows you to learn from mistakes.

• someone who cares about who you are and what you learn.

• someone who isn't afraid to smile or cry.

• What other statements would you add about good teachers?

Jesús elige a un maestro

Análisis ¿Cómo eligió Jesús a Pedro para que fuera líder de los Apóstoles?

La Iglesia es tu maestra más importante, porque recibió directamente de Jesús la autoridad o el poder para enseñar, y su guía es el Espíritu Santo. Este relato del Evangelio trata acerca del origen de la autoridad de la Iglesia para enseñar.

LA SAGRADA ESCRITURA   Marcos 8, 27–30

¡Tú eres el Mesías!

*S*alió Jesús con sus discípulos hacia los pueblos de Cesarea de Filipo, y por el camino les preguntó: "¿Quién dice la gente que soy yo?". Ellos contestaron: "Algunos dicen que eres Juan Bautista, otros que Elías o alguno de los profetas". Entonces Jesús les preguntó: "Y ustedes, ¿quién dicen que soy yo?". Pedro le contestó: "Tú eres el Mesías". Pero Jesús les dijo con firmeza que no conversaran sobre Él.

Marcos 8, 27–30

Pedro creía en Jesús y así se lo dijo. Jesús les dio a Pedro y a los demás Apóstoles parte de la autoridad qué Él había recibido de su Padre. Después, Jesús los envió a predicar, a enseñar, a perdonar y a curar en su nombre.

❓ **Si Jesús te hiciera la misma pregunta que le hizo a Pedro, ¿qué responderías?**

272

Jesus Chooses a Teacher

⊙ Focus How did Jesus choose Peter as the leader of the Apostles?

The Church is your most important teacher. The Church's authority, or power to teach, was given by Jesus and is guided by the Holy Spirit. Here is a Gospel story about the beginnings of the Church's authority to teach.

✞ **SCRIPTURE** Mark 8:27–30

You Are the Messiah!

Now Jesus and his disciples set out for the villages of Caesarea Philippi. Along the way he asked his disciples, "Who do people say that I am?" They said in reply, "John the Baptist, others Elijah, still others one of the prophets." And he asked them, "But who do you say that I am?" Peter said to him in reply, "You are the Messiah." Then [Jesus] warned them not to tell anyone about him.

Mark 8:27–30

Peter believed in Jesus and said so. Jesus gave Peter and the other Apostles a share in the authority he had from his Father. Then Jesus sent them out to preach, teach, forgive, and heal in his name.

❓ **If Jesus asked you the same question he asked Peter, what would you say?**

Pedro niega a Jesús

Pedro cometió algunos errores en su vida. Mucho tiempo después, en el momento de la crucifixión de Jesús, Pedro y los demás discípulos tuvieron miedo. De hecho, la noche antes de la muerte de Jesús, Pedro negó tres veces haber conocido a Jesús. Después se sintió avergonzado y lloró amargamente.

Apacienta mis corderos

Sin embargo, Jesús nunca perdió la fe en Pedro. Después de su muerte y Resurrección, Jesús estaba hablando con Pedro y con los demás discípulos a orillas de un lago. Jesús preguntó tres veces a Pedro si lo quería. Naturalmente, Pedro respondió que sí. Jesús le dijo: "Apacienta mis corderos. Apacienta mis ovejas". Ver *Juan 21, 15–17*.

A pesar de que lo había negado, Jesús convirtió a Pedro en el pastor de todo su rebaño. Cuando se convirtió en el líder, Pedro tomó buenas decisiones para guiar a los miembros de la Iglesia.

❓ **¿Por qué crees que Jesús le hizo a Pedro la misma pregunta tres veces?**

Actividad ✦ Comparte tu fe

Reflexiona: Piensa en algunas ocasiones en que te hayan perdonado por errores que cometiste.

Comunica: Durante una breve oración en clase, menciona el nombre de alguna persona que te haya perdonado.

Actúa: En una hoja aparte, representa una situación en la que una persona con autoridad te dio una segunda oportunidad.

Peter Denies Jesus

Peter made some mistakes along the way. Much later, at the time of Jesus' crucifixion, Peter and the other disciples were very much afraid. In fact, the night before Jesus died, Peter denied three times that he had ever known Jesus. Afterward, he was ashamed of himself and cried bitterly.

Feed My Lambs

But Jesus never lost faith in Peter. After Jesus' death and Resurrection, Jesus was talking to Peter and the other disciples on the shore of a lake. Jesus asked three times whether Peter loved him. Of course, Peter said that he did. Jesus said to him, "Feed my lambs. Feed my sheep." See *John 21:15–17.*

In spite of Peter's earlier denials, Jesus made Peter the chief shepherd of all his flock. When he became the leader, Peter made good decisions for the members of the Church.

❓ **Why do you think Jesus asked Peter the same question three times?**

Activity · **Share Your Faith**

Reflect: Think of some times when you have been forgiven for mistakes you have made.

Share: During a short class prayer, mention the name of someone who has forgiven you.

Act: Using a separate sheet of paper, show a situation in which someone in authority gave you a second chance.

La Iglesia y tú

 **Análisis** ¿Cuál es tu función como miembro de la Iglesia?

Después de que Jesús ascendió al cielo, Pedro y los demás discípulos tuvieron miedo. Pero el Espíritu Santo descendió en Pentecostés y les dio valor. Entonces, los Apóstoles salieron a predicar la Buena Nueva.

Los Apóstoles, con Pedro a la cabeza, fueron los primeros líderes de la Iglesia. Jesús fundó la Iglesia basada en los Apóstoles. Les otorgó la autoridad para enseñar y guiar a sus discípulos. Hoy día, los principales maestros de la Iglesia son el papa y los obispos, los sucesores de los Apóstoles. Su autoridad para enseñar, conocida como **magisterio**, se remonta a la autoridad que Cristo concedió a los Apóstoles en un principio. El Espíritu Santo obra por medio de los maestros de la Iglesia para que la Iglesia entera se mantenga fiel a las enseñanzas de Jesús.

Tu función

La misión de la Iglesia de transmitir el verdadero mensaje de Jesús no solo les está encomendada al papa y a los obispos. Todos los miembros del Cuerpo de Cristo deben aprender el mensaje de Jesús, tal como lo interpreta la Iglesia, y compartirlo con los demás. Cuando lo hagas, crecerás en el amor a Dios y al prójimo.

❓ ¿De quién has aprendido las enseñanzas de la Iglesia?

The Church and You

Focus What is your role as a member of the Church?

After Jesus ascended into heaven, Peter and all the disciples were afraid. Then on Pentecost, the Holy Spirit came and gave them courage. They went out and began to preach the good news.

The Apostles, with Peter as their head, were the first leaders of the Church. Jesus founded the Church on the Apostles. He gave them the authority to teach and lead his followers. Today the chief teachers in the Church are the pope and the bishops, the successors of the Apostles. Their authority to teach, called the **magisterium**, goes back to the authority Christ first gave to the Apostles. The Holy Spirit works through the Church's teachers to keep the whole Church faithful to the teachings of Jesus.

Your Role

The Church's mission to share the true message of Jesus is not left to the pope and bishops alone. All members of the Body of Christ have a duty to learn Jesus' message as the Church interprets it and to share it with others. As you do this, you will grow in your love of God and neighbor.

❓ **Who has taught you what the Church teaches?**

Reglas para la vida

Algunas de las responsabilidades de los miembros de la Iglesia Católica están resumidas en los **preceptos de la Iglesia**. Los líderes de la Iglesia elaboraron estas normas para enseñarte lo mínimo que debes hacer para llevar una vida moral y fiel. Como católico, tu deber es vivir de acuerdo con estas enseñanzas y preceptos de la Iglesia.

Preceptos de la Iglesia

1. Participa en la Misa los domingos y los días de precepto. Santifica esos días y evita los trabajos innecesarios.

2. Celebra el sacramento de la Reconciliación al menos una vez al año si has cometido un pecado grave.

3. Recibe la Santa Comunión al menos una vez al año durante la Pascua.

4. Guarda ayuno y abstinencia en los días de penitencia.

5. Da tu tiempo, dones y dinero para apoyar a la Iglesia.

Palabras† de fe

El **magisterio** es la autoridad de la Iglesia para enseñar e interpretar la Palabra de Dios, que se encuentra en la Sagrada Escritura y en la Tradición.

Los **preceptos de la Iglesia** son algunos de los requisitos mínimos promulgados por los líderes de la Iglesia para profundizar tu relación con Dios y con la Iglesia.

Actividad Practica tu fe

Sopa de letras Encuentra en la siguiente sopa de letras al menos seis palabras que estén relacionadas con la autoridad de la Iglesia para enseñar.

B	A	I	P	R	E	C	E	P	T	O	S	P
H	P	R	A	L	I	S	P	I	R	E	I	E
A	O	L	P	O	S	T	L	E	S	T	C	D
F	P	O	A	P	O	S	T	O	L	E	S	R
E	S	P	I	R	I	T	U	S	A	N	T	O
D	O	B	I	S	P	O	S	O	P	S	E	R

Usa tres de estas palabras para escribir una frase sobre tu función en la Iglesia. _____

_____

Rules for Living

Some of the responsibilities of members of the Catholic Church are summed up in the **precepts of the Church**. The Church's leaders developed these rules to show you the minimum you should do to live morally and faithfully. As a Catholic, you have a duty to live according to the teachings and precepts of the Church.

Precepts of the Church

1. Take part in the Mass on Sundays and holy days. Keep these days holy and avoid unnecessary work.

2. Celebrate the Sacrament of Reconciliation at least once a year if you have committed a serious sin.

3. Receive Holy Communion at least once a year during Easter time.

4. Observe days of fasting and abstinence.

5. Give your time, gifts, and money to support the Church.

Words of Faith

The **magisterium** is the Church's teaching authority to interpret the word of God found in Scripture and Tradition.

The **precepts of the Church** are some of the minimum requirements given by Church leaders for deepening your relationship with God and the Church.

Activity — Connect Your Faith

Word Search   Find at least six words in this word search puzzle that relate to the teaching authority of the Church.

F	A	I	T	H	O	P	E	A	P
B	P	R	E	C	E	P	T	S	E
H	O	L	Y	S	P	I	R	I	T
A	P	O	S	T	L	E	S	C	E
D	E	B	I	S	H	O	P	S	R

Use three of these words in a sentence about your role in the Church.

_____

_____

Oración al Espíritu Santo

 Oremos

Reúnanse y comiencen con la señal de la cruz.

Canten juntos el estribillo.

Ven buen Señor, tu Espíritu envía,
renueva la faz de la tierra.
Ven buen Señor, tu Espíritu envía,
renueva la faz de la tierra.

"Send Us Your Spirit", David Haas, © 1981, 1982, 1987, GIA Publications, Inc.

Grupo 1: Ven, Espíritu Santo, llena los corazones de tus fieles, y enciende en ellos el fuego de tu amor.

Todos: *Canten el estribillo.*

Grupo 2: Envía tu Espíritu y serán creadas todas las cosas, y renovarás la faz de la tierra.

Todos: *Canten el estribillo.*

Señor, con la luz del Espíritu Santo instruiste los corazones de tus fieles. Con ese mismo Espíritu, ayúdanos a desear lo que está bien y a alegrarnos en tu consuelo. Te lo pedimos por Cristo nuestro Señor. Amén.

Líder: Oremos.

Inclinen la cabeza mientras el líder reza.

Todos: **Amén.**

Prayer to the Holy Spirit

Let Us Pray

Gather and begin with the Sign of the Cross.

Sing together the refrain.

Come Lord Jesus,
send us your Spirit,
renew the face of the earth.
Come Lord Jesus,
send us your Spirit,
renew the face of the earth.

"Send Us Your Spirit" © 1981, 1982, 1987, GIA Publications, Inc.

The Pentecost by Juan de Juanes

Group 1: Come, Holy Spirit, fill the hearts of your faithful. And kindle in them the fire of your love.

All: *Sing refrain.*

Group 2: Send forth your Spirit and they shall be created. And you shall renew the face of the earth.

All: *Sing refrain.*

Lord, by the light of the Holy Spirit you have taught the hearts of your faithful. In the same Spirit, help us desire what is right and always rejoice in your consolation. We ask this through Christ our Lord. Amen.

Leader: Let us pray.

Bow your heads as the leader prays.

All: Amen.

Repasar y aplicar

A **Trabaja con palabras** Completa cada enunciado con el término correcto del vocabulario.

VOCABULARIO

preceptos
Espíritu Santo
autoridad
vivir de
   acuerdo con
Iglesia
magisterio

1. Algunas de las normas que te da la Iglesia para ayudarte a estar más cerca de Jesús son los _____ de la Iglesia.

2. Jesús dio a la Iglesia la _____ para enseñar y para guiar al Cuerpo de Cristo.

3. Tienes el deber de _____ las reglas y leyes de la Iglesia.

4. El _____ es la autoridad de la Iglesia para enseñar.

5. El _____ guía a la Iglesia y al magisterio.

B **Comprueba lo que aprendiste** Escribe dos preceptos de la Iglesia. ¿Cómo te ayudan a ser un mejor miembro de la Iglesia?

_____

_____

_____

Actividad Vive tu fe

Más sobre Pedro Busca en la Biblia el relato de cuando Pedro negó a Jesús *(Marcos 14, 66–72)* y el relato de la conversación entre Jesús y Pedro a la orilla del lago *(Juan 21, 1–19)*. Piensa en una forma creativa de contar uno de estos relatos: una emisión de radio, una canción o una pequeña representación teatral. Presenta tu relato en clase.

Review and Apply

A Work with Words   Complete each sentence with the correct term from the Word Bank.

WORD BANK

precepts
Holy Spirit
authority
live
   according to
Church
magisterium

1. Some of the rules that the Church gives to help you grow closer to Jesus are called the _____ of the Church.

2. Jesus gave the Church the _____ to teach and lead the Body of Christ.

3. You have the duty to _____ the rules and laws of the Church.

4. The _____ is the teaching authority of the Church.

5. The Church and the magisterium are guided by the _____.

B Check Understanding   List two of the precepts of the Church. How do they help you become a better member of the Church?

_____

_____

_____

Activity — Live Your Faith

More About Peter   Find in the Bible the story of Peter's denial of Jesus (*Mark 14:66–72*) and the story of Jesus and Peter as they talked on the shore (*John 21:1–19*). Think of a creative way to retell one of these stories—a radio play, a song, or a skit. Perform your story for the class.

La fe en familia

Lo que creemos

- Jesús dio a los líderes de la Iglesia la autoridad para interpretar a los fieles la Sagrada Escritura y la Tradición.

- El Espíritu Santo dirige a la Iglesia para enseñar y guiar al Pueblo de Dios.

✝ LA SAGRADA ESCRITURA

Lee *Nehemías 8, 1–12* y aprenderás cómo guardaban el Sabbat los antiguos israelitas.

APRENDE en línea Visita **www.osvcurriculum.com** para encontrar recursos basados en el año litúrgico y lecturas semanales de la Sagrada Escritura.

Actividad

vive tu fe

Sugerencias para el domingo En familia, busquen formas de respetar el precepto de santificar el domingo. Elaboren una lista de cosas que deben o no deben hacer.
Por ejemplo:

- **Sí** ir a Misa.
- **Sí** visitar a familiares.
- **Sí** organizar un día de campo en familia.
- **No** pasar el día comprando en un centro comercial.

Anímense unos a otros a poner en práctica estas sugerencias el domingo siguiente. Comenten la experiencia.

Siervos de la fe

▲ Santa María Magdalena Postel 1756–1846

María Magdalena Postel recibió su educación en un convento benedictino, donde se consagró a Dios. A los 18 años abrió una escuela para niñas en Francia poco antes de que estallara la Revolución Francesa. Durante la revolución, su escuela estuvo cerrada y María Magdalena se convirtió en una líder que refugiaba a sacerdotes fugitivos. Cuando terminó la revolución, continuó trabajando en el campo de la educación religiosa. Sus enseñanzas se hicieron muy conocidas. El día de Santa María Magdalena se celebra el 16 de julio.

Una oración en familia

Santa María Magdalena, ruega por nosotros para que abramos nuestro corazón y nuestra mente y sigamos aprendiendo a medida que crecemos en la fe y en nuestro amor a Dios. Amén.

Family Faith

Catholics Believe

- Jesus gave the leaders of the Church the authority to interpret Scripture and Tradition for the faithful.

- The Holy Spirit directs the Church in teaching and guiding the People of God.

✝ SCRIPTURE

Read *Nehemiah 8:1–12* to see how the ancient Israelites kept the Sabbath.

GO online www.osvcurriculum.com
For weekly scripture readings and seasonal resources

Activity

Live Your Faith

Sunday Suggestions As a family, choose ways to observe the Church precept to keep Sunday holy. Create a list of *dos* and *don'ts*. For example:

- **Do** go to Mass.
- **Do** visit relatives.
- **Do** have a family picnic.
- **Don't** spend the day shopping at the mall.
- **Don't** make sports more important than God.

Encourage one another to practice these suggestions on the next Sunday. Discuss the experience.

People of Faith

▲ Saint Mary Magdalen Postel 1756–1846

Mary Magdalen Postel was educated in a Benedictine convent, where she dedicated herself to God. At eighteen she opened a school for girls in France just before the French Revolution broke out. During the revolution her school was closed, and Mary Magdalen became a leader who sheltered fugitive priests. After the revolution Mary Magdalen Postel continued to work in the field of religious education. Her teachings became well known. Saint Mary Magdalen's feast day is July 16.

Family Prayer

Saint Mary Magdalen, pray for us that we may open our hearts and minds to learn more as we grow in faith and in our love for God. Amen.

CCC *In Unit 4 your child is learning about the* CHURCH.
See Catechism of the Catholic Church 85, 87 for further reading on chapter content.

A **Trabaja con palabras** Resuelve el crucigrama con los términos del vocabulario.

VOCABULARIO			
vocación	canonización	reino	laicado
concepción	santo	santo patrón	
magisterio	preceptos	acólito	

Vertical

1. La _____ es el llamado de Dios a servir a Él y a los demás.

2. El _____ de Dios está aquí y ahora, pero aún no ha alcanzado su plenitud.

3. Observar los días de ayuno y de abstinencia es uno de los _____ de la Iglesia.

4. Es la autoridad de la Iglesia para enseñar e interpretar la Sagrada Escritura y la Tradición.

6. La Inmaculada _____ es la enseñanza que nos dice que María fue preservada del pecado desde el primer momento de su vida.

7. Es una persona que la Iglesia declara que llevó una vida santa y que está disfrutando de la vida con Dios en el cielo.

Horizontal

5. Ayuda al sacerdote en Misa.

8. Es el proceso por el cual la Iglesia declara oficialmente santa a una persona.

9. Es un modelo de fe y tu protector.

10. Todos los bautizados que no son sacerdotes ni hermanas o hermanos religiosos.

A **Work with Words**   Solve the puzzle with terms from the Word Bank.

WORD BANK			
vocation	canonization	kingdom	laity
conception	saint	patron saint	
magisterium	precepts	altar server	

Down

1. A _____ is God's call to serve him and others.

2. God's _____ is here now, but has not yet come in its fullness.

3. Observing days of fasting and abstinence is one of the _____ of the Church.

4. The Church's teaching authority to interpret Scripture and Tradition

6. The Immaculate _____ is the teaching that Mary was preserved from sin from the first moment of her life.

7. A person who the Church declares has lead a holy life and is enjoying life with God in heaven

Across

5. Assists the priest at Mass

8. The process by which the Church officially declares someone a saint

9. A model of faith and a protector for you

10. All the baptized who are not priests or religious brothers or sisters

UNIDAD 5

Moralidad

Capítulo 13

El amor en la familia

¿Qué nos enseñan los mandamientos sobre el amor en la familia?

Capítulo 14

Elegir la vida

¿Por qué es sagrada toda vida humana?

Capítulo 15

Vivir en la verdad

¿Por qué es importante ser sincero?

¿Qué crees que vas a aprender en esta unidad acerca de una vida fiel?

UNIT 5

Morality

Chapter 13 Family Love

What do the commandments teach about family love?

Chapter 14 Choosing Life

Why is all human life sacred?

Chapter 15 Live in Truth

Why is it important to be truthful?

What do you think you will learn in this unit about faithful living?

Capítulo 13

El amor en la familia

Oremos

Líder: Señor Dios, haz que siempre compartamos nuestra felicidad con aquellos a quienes amamos. "Felices los que temen al Señor y siguen sus caminos".

Salmo 128, 1

Todos: Señor Dios, haz que siempre compartamos nuestra felicidad con aquellos a quienes amamos. Amén.

Actividad Comencemos

De todas las formas y tamaños Dios ama a todas las familias, sin importar su forma o su tamaño. Él quiere que todos los familiares sean signos de su amor dentro de la familia.

• ¿Qué miembro de tu familia te ha mostrado el amor de Dios?

Chapter 13 Family Love

Let Us Pray

Leader: God, may we always share your happiness with those we love.

"Happy are all who fear the Lord, who walk in the ways of God."

Psalm 128:1

All: God, may we always share your happiness with those we love. Amen.

Activity Let's Begin

All Shapes and Sizes God loves each family, no matter what its shape or size. He wants each family member to be a sign of his love within the family.

• Who in your family has shown you God's love?

Las familias en el plan de Dios

Análisis ¿Qué fortalece a las familias?

El plan de Dios para los seres humanos incluye vivir en familias. El siguiente relato nos enseña una lección importante acerca de vivir como una familia.

UNA FÁBULA

El manojo de palitos

Algunos de los hermanos y hermanas estaban peleando entre ellos, cuando su padre les pidió que le llevaran un puñado de palitos. Ató los palitos en un manojo. Después, por turno, se lo fue poniendo a cada hijo en las manos, diciéndole: "Pártelo en pedazos". Ninguno de los hijos fue capaz de romper el manojo.

Entonces, el padre separó los palitos y le entregó uno a cada hijo. Todos rompieron fácilmente los palitos sueltos. El padre les dijo: "Si están divididos, se romperán con la misma facilidad con que ustedes rompieron los palitos sueltos. Pero si se mantienen unidos y se ayudan mutuamente, serán fuertes como el manojo de palitos. Y nada los podrá separar".

Basado en una fábula de Esop

❓ **¿Cuál es la lección que enseña esta fábula? Menciona alguna ocasión en la que tu familia haya aprendido la misma lección.**

Families in God's Plan

⊙ Focus   What makes families strong?

God's plan for humans includes living in families. The following story shares an important lesson about living as a family.

A FABLE

The Bundle of Sticks

Some brothers and sisters were quarreling among themselves, so their father asked them to bring him a handful of sticks. He tied the sticks together in a bundle. Then the father placed the bundle in the hands of each child in turn and said, "Break it into pieces." None of the children could break the bundle.

Then the father separated the sticks and handed one to each child. The children broke the individual sticks easily. Their father told them, "If you are divided among yourselves, you will be broken as easily as these individual sticks. But if you unite to help one another, you will be strong, like the bundle of sticks. You will not be overcome by attempts to divide you."

Based on an Aesop fable

❓ **What is the lesson of this fable? Name a time when your family has learned the same lesson.**

La unidad de la familia

Dios creó a los seres humanos para que vivieran en familias. Como el padre del relato, Dios quiere que las familias sean fuertes, se protejan mutuamente y vivan en paz y amor.

El cuarto, el sexto y el noveno mandamientos promulgan leyes básicas sobre el amor y el respeto en la familia. El cuarto mandamiento es el siguiente: Honrarás a tu padre y a tu madre. Jesús es el ejemplo perfecto para vivir este mandamiento.

✝ LA SAGRADA ESCRITURA　　　Lucas 2, 41–52

Jesús y su familia

Cuando Jesús tenía doce años fue a Jerusalén con su familia para celebrar la Pascua judía. Regresando a casa, María y José se dieron cuenta de que Jesús no estaba con ellos. Finalmente lo encontraron hablando con los maestros en el Templo. María le dijo a Jesús que habían estado muy preocupados y Jesús volvió a Nazaret con sus padres.

Jesús siguió obedeciéndoles mientras crecía en sabiduría y en edad. Sus acciones agradaban a Dios y a todos los que lo conocían.

Basado en *Lucas 2, 41–52*

❓ ¿En qué ocasión te resultó difícil obedecer a tus padres? ¿Por qué?

Actividad　　Comparte tu fe

Reflexiona: ¿Qué mantiene fuerte y unida a una familia?

Comunica: Comenta tus ideas en grupo.

Actúa: Imagina que tu grupo está trabajando en una nueva serie de televisión que trata acerca de la familia. Inventa un nombre para la serie y los títulos de tres episodios.

Family Unity

God created humans to live in families. Like the father in the story, God wants families to be strong, to protect one another, and to live in peace and love.

The fourth, sixth, and ninth commandments provide basic laws about family love and respect. The fourth commandment is this: Honor your father and mother. Jesus is the perfect example for living out this commandment.

✝ SCRIPTURE   Luke 2:41–52

Jesus and His Family

When Jesus was twelve, he went to Jerusalem with his family to celebrate Passover. As Mary and Joseph were returning home, they realized that Jesus was not with them. They finally found him talking with the teachers in the Temple. Mary told Jesus how worried they had been, and Jesus returned to Nazareth with his parents.

Jesus was obedient as he grew in wisdom and age. His actions were pleasing to God and to all who knew him.

Based on *Luke 2:41–52*

❓ **Why is it important to obey your parents?**

Activity   **Share Your Faith**

Reflect: What keeps a family strong and close?

Share: Talk about these things in a group.

Act: Imagine that your group is working on a new TV series about families. Come up with a name for the series and titles for three episodes.

Mandamientos para las familias

Análisis ¿Qué nos enseñan los mandamientos sobre el amor en la familia?

El cuarto mandamiento te enseña a honrar a tus padres y a quienes te cuidan. Los honras cuando:

- Los escuchas y los **obedeces** en todo lo bueno.
- Les muestras gratitud por todo lo que hacen por ti.
- Los respetas y los cuidas mientras van envejeciendo.
- Respetas a las personas que tienen autoridad.

Tus padres y las personas que te cuidan atienden tus necesidades, te sirven como buenos modelos y comparten su fe contigo. Te ayudan a crecer en la fe, a tomar buenas decisiones y a decidir tu vocación.

Amor fiel

El sexto mandamiento es el siguiente: No cometerás actos impuros. El noveno es: No desearás la mujer de tu prójimo. Estos mandamientos tratan sobre el amor fiel y el compromiso en el matrimonio.

Cuando un hombre y una mujer se casan, hacen unas promesas solemnes llamadas **votos**. Prometen amarse y honrarse mutuamente siempre, y aceptar el don de los hijos.

Un aspecto de la fidelidad es respetar los votos de otras parejas casadas y no realizar actos que puedan debilitar su matrimonio. El adulterio significa ser infiel a estos votos. La gracia del sacramento del Matrimonio fortalece a la pareja para que ambos sean fieles y cumplan sus promesas.

? **¿Qué significa ser un buen modelo? ¿Quién ha sido un buen modelo para ti?**

Commandments for Families

The fourth commandment teaches you to honor your parents and guardians. You honor them when you

- listen to and **obey** them in all that is good.
- show gratitude for all that they do for you.
- respect and care for them as they grow older.
- respect people in authority.

Parents and guardians provide for your needs, serve as good role models, and share their faith with you. They help you grow in faith, make good choices, and decide your vocation.

Faithful Love

The sixth commandment is this: You shall not commit adultery. The ninth is this: You shall not covet your neighbor's wife. These commandments are about the faithful love and commitment between married couples.

When a man and woman marry, they make solemn promises called **vows**. They promise to love and honor each other always and to welcome the gift of children.

Part of being faithful is respecting the vows of other married couples and not acting in ways that could weaken their marriage. Adultery means being unfaithful to these vows. The grace of the Sacrament of Matrimony strengthens the couple to be faithful and true.

? **What does it mean to be a good role model? Who has been a good role model for you?**

La fidelidad y tú

El sexto y el noveno mandamientos se aplican a todas las personas. Puedes respetar estos mandamientos cumpliendo las promesas que hagas a tu familia, a tus amigos y a Dios. Puedes practicar la **modestia** vistiéndote, hablando y obrando de manera que honres tu propia dignidad y la de los demás. Debes tener en cuenta que las diferencias entre hombres y mujeres son dones de Dios.

Decepciones en la familia

En ocasiones, a las familias les resulta difícil vivir como Dios quiere que vivan. Las discusiones, las heridas emocionales y las decepciones pueden hacer que las familias dejen de ser signos del amor de Dios. A veces, los padres y los hijos se hacen daño mutuamente. La separación, el divorcio o incluso la muerte pueden lastimar a las familias.

Sin embargo, Dios sigue amando a todas las familias y ayudándolas a fortalecerse. Cada vez que las familias son signos de amor, reflejan el amor que existe en la Santísima Trinidad.

❓ ¿Qué pueden hacer las familias para ser signos del amor de Dios?

Palabras† de fe

Obedecer es hacer cosas o actuar de determinadas maneras conforme a lo que piden los que tienen autoridad.

Los **votos** son promesas solemnes que se hacen a Dios o ante Él.

La **modestia** es la virtud que ayuda a las personas a vestirse, hablar y actuar de manera apropiada.

Actividad **Practica tu fe**

Construir con bloques sólidos Cada familia es uno de los bloques con que se construye la comunidad cristiana y la sociedad. Escribe en los bloques al menos seis cualidades de las buenas amistades y del amor en la familia. Indica cómo muestra tu familia una de estas cualidades en su relación con los demás.

Faithfulness and You

The sixth and ninth commandments apply to everyone. You can live out these commandments by keeping promises to family, friends, and God. You can practice **modesty** by dressing, talking, and acting in ways that honor your own dignity and that of others. You can respect that the differences between males and females are gifts from God.

Family Disappointments

Sometimes it is hard for families to live as God intends. Arguments, hurts, and disappointments can keep families from being signs of God's love. Parents and children sometimes hurt one another. Some families are hurt through separation, divorce, or even death.

But God continues to love all families and to help them grow stronger. Every time families are signs of love, they reflect the love that exists within the Holy Trinity.

❓ **What can families do to be signs of God's love?**

To **obey** is to do things or act in certain ways that are requested by those in authority.

Vows are solemn promises that are made to or before God.

Modesty is the virtue that helps people dress, talk, and act in appropriate ways.

Activity Connect Your Faith

Build with Solid Blocks The family is the building block of the Christian community and of society. In the blocks, write at least six qualities of good friendships and family love. Tell how your family shows one of these qualities to others.

Oración de petición

 Oremos

Reúnanse y comiencen con la señal de la cruz.

Líder: Dios, de ti aprenden a amar todas las familias. Te pedimos que fortalezcas a nuestras familias.

Todos: **Escúchanos, Señor.**

Lector 1: Que nuestros padres y quienes nos cuidan sean bendecidos por su compromiso de amar a sus hijos y de amarse los unos a los otros.

Todos: **Escúchanos, Señor.**

Lector 2: Que todos los niños encuentren apoyo y seguridad en su familia.

Todos: **Escúchanos, Señor.**

Lector 3: Que todas las familias descubran tu don del amor fiel.

Todos: **Escúchanos, Señor.**

Líder: Oremos.

Inclinen la cabeza mientras el líder reza.

Todos: **Amén.**

Canten juntos.

Los grandes, los chicos,
las madres, los padres,
hermanas y hermanos.
La familia de Dios.

"All Grownups, All Children"
© 2000, GIA Publications, Inc.

Prayer of Petition

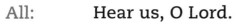 **Let Us Pray**

Gather and begin with the Sign of the Cross.

Leader: God, from you every family learns to love. We ask you to strengthen our families.

All: **Hear us, O Lord.**

Reader 1: May parents and those who care for us be blessed in their commitment to love their children and each other.

All: **Hear us, O Lord.**

Reader 2: May all children find support and security in their families.

All: **Hear us, O Lord.**

Reader 3: May all families discover your gift of faithful love.

All: **Hear us, O Lord.**

Leader: Let us pray.

Bow your heads as the leader prays.

All: **Amen.**

Sing together.

All grownups, all children,
all mothers, all fathers
are sisters and brothers
in the fam'ly of God.

"All Grownups, All Children"
© 2000, GIA Publications, Inc.

Repasar y aplicar

A **Trabaja con palabras**   Completa cada enunciado con el término correcto del vocabulario.

Dios hizo a los seres humanos para que vivieran en

_____ en las que todos se

amaran y se respetaran mutuamente. Siguiendo

el _____ mandamiento,

los niños _____ y obedecen

a sus padres y a quienes los cuidan. El

_____ y el noveno mandamientos nos

llaman a ser _____ en el matrimonio,

a cumplir las promesas y a practicar la

_____.

VOCABULARIO

fieles

modestia

cuarto

familias

sexto

honran

B **Relaciona**   Escribe tres maneras de cumplir el cuarto mandamiento que pondrás en práctica esta semana.

_____

_____

_____

Actividad   Vive tu fe

Sé positivo   Diseña tres pegatinas para el carro con lemas que puedan ayudar a las familias a vivir el cuarto, el sexto y el noveno mandamientos. Piensa en frases positivas que ayuden a la gente a recordar lo que debe hacer.

Review and Apply

A **Work with Words**   Complete each sentence with the correct term from the Word Bank.

God made humans to live as

_____ who love and
respect one another. By following the

_____ commandment,
children _____ and
obey their parents and guardians. The

_____ and ninth commandments are
about being _____
in marriage, keeping promises, and practicing

_____.

WORD BANK

faithful
modesty
fourth
families
sixth
honor

B **Make Connections**   Write three ways you will follow the fourth commandment this week.

_____

_____

_____

Activity   Live Your Faith

Be Positive   Write three bumper sticker slogans that can help families live the fourth, sixth, and ninth commandments. Think of positive phrases to help people remember what to do.

La fe en familia

Lo que creemos

- Dios creó a los seres humanos para que vivieran en familias sólidas y llenas de amor.

- Los mandamientos cuarto, sexto y noveno dan leyes básicas sobre el amor y el respeto en la familia.

✝ LA SAGRADA ESCRITURA

Lee *Gálatas 6, 9–10* para aprender sobre el amor en la familia de fe.

APRENDE en línea Visita **www.osvcurriculum.com** para encontrar recursos basados en el año litúrgico y lecturas semanales de la Sagrada Escritura.

Actividad

vive tu fe

Haz cupones Comenta con tu familia algo que hayas compartido con tu clase esta semana. Después, hablen sobre la importancia de mostrarse amor unos a otros. Haz cupones para entregarlos a los miembros de la familia en los momentos adecuados.

CUPÓN
Vale por un abrazo.

Siervos de la fe

Poco se sabe acerca de los padres de María. La leyenda cuenta que **Ana** y **Joaquín** deseaban tener un hijo desde hacía mucho tiempo. Cuando nació María, la llevaron al templo y se la ofrecieron a Dios. Ana y Joaquín educaron a María para que respetara a los demás, fuera fiel a Dios y siguiera los caminos de Dios en todas las cosas. Santa Ana es la patrona de las mujeres que no tienen hijos y de las embarazadas. A menudo, se representa a santa Ana enseñándole a leer a María. El día de Santa Ana y San Joaquín se celebra el 26 de julio.

▲ Santos Ana y Joaquín, siglo primero a.C.

Una oración en familia

Santos Ana y Joaquín, rueguen por nuestras familias para que seamos signos de la presencia amorosa y misericordiosa de Dios entre nosotros y para el mundo. Amén.

Family Faith

Catholics Believe

- God created humans to live in strong, loving families.

- The fourth, sixth, and ninth commandments provide basic laws of family love and respect.

✝ SCRIPTURE

Read *Galatians 6:9–10* to find out about love in the family of faith.

GO online www.osvcurriculum.com
For weekly scripture readings and seasonal resources

Activity

Live Your Faith

Make Coupons Discuss with your family something you shared with your class this week. Then talk about the importance of showing love to one another. Make coupons that can be given to family members at appropriate times.

Example:

COUPON
Good for one hug.

People of Faith

▲ Saints Anne and Joachim
first century B.C.

Little is known about the parents of Mary. Legend says that **Anne** and **Joachim** had wanted a child for a long time. When Mary was born, they took her to the Temple and dedicated her to God. Anne and Joachim raised Mary to respect others, to be faithful to God, and to follow God's ways in all things. Saint Anne is the patron of women who are childless and women who are pregnant. Saint Anne is often pictured teaching Mary to read. The feast day of Saints Anne and Joachim is July 26.

🌷 Family Prayer

Saints Anne and Joachim, pray for our families, that we may become signs of God's loving and forgiving presence to one another and to the world. Amen.

In Unit 5 your child is learning about MORALITY.

CCC *See Catechism of the Catholic Church 2197–2200, 2204–2206, 2380–2381, 2521–2524 for further reading on chapter content.*

Elegir la vida

Oremos

Líder: Dios, te damos gracias por tus preciosos dones de la vida
y la luz.

"En ti se halla la fuente de la vida,
y es por tu luz que vemos la luz".

Salmo 36, 10

Todos: Dios, te damos gracias por tus preciosos dones de la vida
y la luz. Amén.

Actividad · **Comencemos**

Si logro evitar que se rompa un corazón

Si logro evitar que se rompa un corazón,
No habré vivido en vano;
Si logro aliviar el sufrimiento de una vida,
O suavizar un dolor,
O ayudar a un pájaro herido
A que vuelva a su nido,
No habré vivido en vano.

Emily Dickinson

• ¿Qué puedes hacer para que tu vida sea
más provechosa?

Chapter 14 Choosing Life

 **Let Us Pray**

Leader: God, we thank you for your precious gifts of life and light.

"For with you is the fountain of life, and in your light we see light."

Psalm 36:10

All: God, we thank you for your precious gifts of life and light. Amen.

 **Activity** Let's Begin

If I Can Stop One Heart from Breaking

If I can stop one heart from breaking,
I shall not live in vain;
If I can ease one life the aching,
Or cool one pain,
Or help one fainting robin
Unto his nest again,
I shall not live in vain.

Emily Dickinson

• What are your thoughts about making your life worthwhile?

Respetar la vida

Análisis ¿Cómo respetas la vida?

Vivir una vida provechosa significa respetar y cuidar la vida de los demás. Este es un relato verídico sobre un hombre que tomó la decisión de respetar la vida.

UNA BIOGRAFÍA

UN CAMBIO DE VIDA

Ganadores del Premio Nobel de la Paz

Hace aproximadamente ochenta años, Alfred Nobel hojeaba el periódico una mañana cuando, horrorizado, ¡leyó la noticia de su propia muerte! El periódico la había publicado por error. Nobel leyó el titular: "Muere el rey de la dinamita". En el artículo, lo presentaban como un mercader de la muerte.

Nobel se puso muy triste. Aunque había hecho una fortuna al inventar la dinamita, no quería que lo recordaran como un "mercader de la muerte". Desde entonces, dedicó su energía y su dinero a trabajar por la paz y por el bien de la humanidad.

Hoy en día, a Alfred Nobel se le recuerda como el fundador de los Premios Nobel, especialmente el Premio de la Paz. Estos premios recompensan y ayudan a personas que trabajan por el bien de los demás.

❓ **Si, por error, publicaran hoy la noticia de tu muerte, ¿qué diría el artículo acerca de tu respeto por la vida de los demás?**

Respect Life

Focus How do you respect life?

Living a worthwhile life means respecting and caring for others' lives. Here is a true story about a man who made a choice to respect life.

BIOGRAPHY

A CHANGE OF HEART

About eighty years ago Alfred Nobel picked up the morning paper and, to his horror, read his own death notice! The newspaper had reported his death by mistake. Nobel read the bold heading, "Dynamite King Dies." In the article he was described as a merchant of death.

Nobel was saddened. Although he had made a fortune by inventing dynamite, he did not want to be remembered as a "merchant of death." From then on, he devoted his energy and money to works of peace and the good of humankind.

Today, Alfred Nobel is remembered as the founder of the Nobel Prizes, especially the Peace Prize. These prizes reward and encourage people who work for the good of others.

❓ **If your death notice were written accidentally today, what could it say about your respect for the lives of others?**

Nobel Peace Prize winners

El quinto mandamiento

Alfred Nobel cambió el rumbo de su vida y comenzó a apoyar obras que daban vida a otros. Se convirtió en un claro ejemplo de respeto al quinto mandamiento: No matarás.

Toda vida humana es sagrada, y todas las acciones que respetan y protegen la vida respetan también el quinto mandamiento. Al final de su vida, Moisés dijo al pueblo que recordara que la ley de Dios era vida para todos.

✝ LA SAGRADA ESCRITURA

"Que los cielos y la tierra escuchen y recuerden lo que acabo de decir; te puse delante la vida o la muerte, la bendición o la maldición. Escoge, pues, la vida para que vivas tú y tu descendencia. Ama a Yavé, escucha su voz, uniéndote a él, para que vivas y se prolonguen tus días..."

Deuteronomio 30, 19–20

El sendero a la vida

La ley de Dios muestra el sendero de la vida y de la felicidad. El quinto mandamiento te recuerda el respeto fundamental a la vida que merecen todas las personas. Porque toda vida viene de Dios, toda vida humana es sagrada desde el momento de la concepción hasta el momento de la muerte.

Actividad — Comparte tu fe

Reflexiona: Piensa en alguna persona que conozcas que merezca un premio por su forma de respetar la vida.

Comunica: Cuéntale a un compañero lo que hace esa persona para respetar la vida.

Actúa: Diseña una medalla para condecorar a la persona que elegiste. Escribe su nombre a continuación.

_____

The Fifth Commandment

Alfred Nobel changed the direction of his life and began supporting work that gave life to others. He was a clear example of respect for the fifth commandment: You shall not kill.

All human life is sacred, and all actions that support and protect life support the fifth commandment. At the end of his life Moses told the people to remember that God's law was life for them.

✚ SCRIPTURE

I call heaven and earth today to witness against you: I have set before you life and death, the blessing and the curse. Choose life, then, that you and your descendants may live, by loving the LORD, your God, heeding his voice, and holding fast to him. For that will mean life for you. . . .

Deuteronomy 30:19–20

A Path to Life

God's laws show the path to life and happiness. The fifth commandment reminds you of the fundamental respect for life that is owed to every person. Because every life comes from God, every human life is sacred from the moment of conception until the time of death.

Activity   Share Your Faith

Respect Life Award

Reflect: Think about someone you know who deserves a prize for the way that he or she respects life.

Share: Share with a partner what this person does to respect life.

Act: Design a medal to honor the person you chose. Write his or her name on the line.

_____

Cumplir el quinto mandamiento

( ) Análisis ¿Cómo cumples el quinto mandamiento?

Toda vida humana es sagrada, incluyendo la vida de los que aún no han nacido y la de los ancianos. La vida de un niño que aún está en el vientre de su madre es muy frágil, y merece el mayor de los respetos y cuidados. Por eso, terminar intencionalmente con la vida de un niño no nacido es un pecado grave.

Terminar con la propia vida es cometer un suicidio. El suicidio está totalmente en contra del don de la vida y del amor de Dios. Sin embargo, la responsabilidad de la persona puede estar atenuada por ciertos factores. El **asesinato** , que es el acto de matar intencionalmente a una persona inocente, es un pecado grave porque contradice la ley del amor de Jesús. Sin embargo, matar en defensa propia está justificado, si es la única manera de proteger la propia vida.

La Iglesia Católica enseña que la pena de muerte, o pena capital, es casi siempre un error. Son preferibles otras alternativas, como la cadena perpetua sin libertad condicional.

El respeto hacia el cuerpo

La Iglesia enseña que tu cuerpo y tu alma están unidos. Tú eres un templo en el que habita el Espíritu de Dios. El quinto mandamiento te enseña a respetar tu cuerpo y el del prójimo. Comer alimentos saludables y hacer ejercicio son maneras importantes de proteger tu vida y tu salud. A tu edad, tomar alcohol es una falta contra el quinto mandamiento. El consumo de tabaco y de drogas ilegales es dañino para el cuerpo. Tentar o animar a otros a que no respeten el don de la vida también es incorrecto.

❓ ¿Qué puedes hacer para ayudar a los demás a respetar la vida?

Keeping the Fifth Commandment

Focus How do you keep the fifth commandment?

All human life is sacred, including the life of the unborn and the elderly. The life of an unborn child is most fragile, and it is deserving of the greatest respect and care. Thus, the intentional ending of the life of an unborn child is a grave sin.

The taking of one's own life is suicide. It is seriously contrary to God's gift of life and love. However, one's responsibility may be lessened by certain factors. **Murder**, the intentional killing of an innocent person, is seriously sinful because it contradicts Jesus' law of love. To kill in self-defense, however, is justified, if it is the only way to protect one's own life.

The Catholic Church teaches that the death penalty, or capital punishment, is almost always wrong. Alternatives, such as life in prison without parole, are preferred.

Respect for the Body

The Church teaches that your body and soul are united. You are a temple in which God's Spirit dwells. The fifth commandment teaches you to respect your body and those of others. Eating healthful foods and getting enough exercise are important to protect your life and health. At your age, using alcohol is an offense against the fifth commandment. The use of tobacco and illegal drugs is harmful to the body. Tempting or encouraging others to disrespect the gift of life is wrong, too.

❓ **What can you do to help others respect life?**

El mensaje de Jesús

Jesús dijo que incluso el enojo puede ser pecado si no se controla. El enojo se puede convertir en odio, y el odio puede llevar a la venganza, que es hacer pagar a alguien por algo que pasó, o también a la violencia.

Puede resultar difícil mostrar amor y respeto hacia quienes te intimidan o te tratan injustamente. Pero Jesús te llama a amar de esta manera.

Palabras† de fe

El **asesinato** es el acto de matar intencionalmente a una persona inocente.

✝ LA SAGRADA ESCRITURA — Mateo 5, 43–45

Amar a los enemigos

Ustedes han oído que se dijo: "Amarás a tu prójimo y no harás amistad con tu enemigo". Pero yo les digo: Amen a sus enemigos y recen por sus perseguidores, para que así sean hijos de su Padre que está en los Cielos. Porque él hace brillar su sol sobre malos y buenos, y envía la lluvia sobre justos y pecadores".

Mateo 5, 43–45

❓ ¿A qué se refería Jesús cuando dijo que Dios hace brillar su sol sobre malos y buenos?

Actividad — Practica tu fe

Elige la vida Encierra en un círculo la acción que vas a realizar hoy a favor de la vida.

- Proteger a los niños aún no nacidos.
- Dejar pasar el enojo.
- Perdonar a tus enemigos.

- Dar un buen ejemplo a los demás.
- Mostrar respeto por tu cuerpo comiendo alimentos saludables.

Jesus' Message

Jesus said that even anger can be sinful if it is not controlled; anger can harden into hatred. Hatred can lead to revenge, or getting back at someone for something that has happened, or to violence.

It can be difficult to show love and respect for those who bully or treat you unfairly. Jesus calls you to love in this way.

Words of Faith

Murder is the intentional killing of an innocent person.

SCRIPTURE   Matthew 5:43–45

Love of Enemies

You have heard that it was said, "You shall love your neighbor and hate your enemy." But I say to you, love your enemies, and pray for those who persecute you, that you may be children of your heavenly Father, for he makes his sun rise on the bad and the good, and causes rain to fall on the just and unjust.

Matthew 5:43–45

❓ **What did Jesus mean when he said that God makes his sun rise on the bad and the good?**

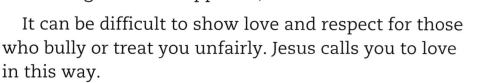

Activity — Connect Your Faith

Choose Life   Circle one life-giving action that you will practice today.

- Protect unborn children.
- Let go of anger.
- Forgive your enemies.
- Set a good example for others.
- Show respect for your body by eating healthful foods.

Celebración de la Palabra

 Oremos

Reúnanse y comiencen con la señal de la cruz.

Lector 1: Lectura de la primera Carta de Pedro.

Lean 1 Pedro 3, 9–12.

Palabra de Dios.

Todos: **Te alabamos, Señor.**

Lector 2: Cuando tengamos que elegir entre alejarnos o quedarnos a pelear,

Todos: **Ayúdanos a elegir tu camino, oh Señor.**

Lector 3: Cuando tengamos que elegir entre quedarnos enojados o perdonar,

Todos: **Ayúdanos a elegir tu camino, oh Señor.**

Lector 4: Cuando tengamos la posibilidad de ayudar a los enfermos, los minusválidos o los ancianos,

Todos: **Ayúdanos a elegir tu camino, oh Señor.**

Líder: Oremos.

Inclinen la cabeza mientras el líder reza.

Todos: **Amén.**

Canten juntos.

Jesús, Jesús, queremos servir
al prójimo más, llénanos con tu amor.

"Jesu, Jesu", Tom Colvin,
© 1969, Hope Publishing Co.

Celebration of the Word

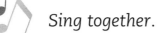 **Let Us Pray**

Gather and begin with the Sign of the Cross.

Reader 1: A reading from the First Letter of Peter.

Read 1 Peter 3:9–12.

The word of the Lord.

All: **Thanks be to God.**

Reader 2: When we are given the choice to walk away or to stay and fight,

All: **Help us choose your way, O Lord.**

Reader 3: When we are given the choice to stay angry or to forgive,

All: **Help us choose your way, O Lord.**

Reader 4: When we are given the chance to help those who are sick, disabled, or elderly,

All: **Help us choose your way, O Lord.**

Leader: Let us pray.

Bow your heads as the leader prays.

All: **Amen.**

Sing together.

Jesu, Jesu, fill us with your love, show us how to serve the neighbors we have from you.

"Jesu, Jesu."© 1969, Hope Publishing Co.

Repasar y aplicar

A **Comprueba lo que aprendiste** Completa los siguientes enunciados.

1. El quinto mandamiento dice lo siguiente:

   _____.

2. Una manera de cumplir el quinto mandamiento es

   _____.

3. Un pecado grave contra el quinto mandamiento es

   _____.

4. Toda vida humana es _____.

5. El odio puede llevar a _____.

B **Relaciona** Contesta brevemente estas preguntas.

¿Qué nueva lección dio Jesús acerca del quinto mandamiento?

_____.

¿Cómo muestras que respetas la vida?

_____.

Actividad Vive tu fe

Lluvia de ideas Piensa en tres pasos que puedes tomar para controlar tu enojo cuando estás en una situación difícil. Escríbelos aquí.

Review and Apply

A **Check Understanding**   Complete the following statements.

1. The fifth commandment says this:

   _____.

2. One way you can follow the fifth commandment is by

   _____.

3. One serious sin against the fifth commandment is

   _____.

4. All human life is _____.

5. Hatred can lead to _____.

B **Make Connections**   Write brief answers to these questions.
What new lesson did Jesus give about the fifth
commandment?

_____.

How do you show that you respect life?

_____.

Activity   Live Your Faith

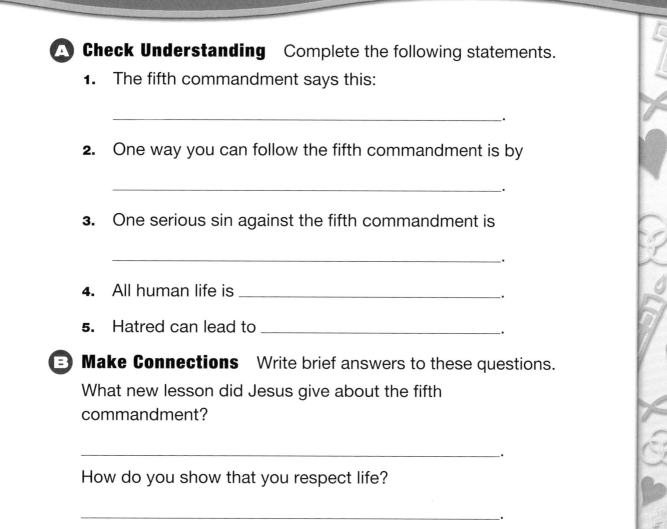

Brainstorm   What are three
steps you can take to control
your anger when you are in a
difficult situation? Write them
here.

La fe en familia

Lo que creemos

- Toda vida humana es sagrada porque viene de Dios.

- El quinto mandamiento prohíbe todo lo que pueda arrebatar una vida humana.

✝ LA SAGRADA ESCRITURA

Lee *Isaías 9, 1–6* para aprender sobre el Príncipe de la Paz.

APRENDE en línea Visita **www.osvcurriculum.com** para encontrar recursos basados en el año litúrgico y lecturas semanales de la Sagrada Escritura.

Actividad

vive tu fe

Escribe una carta de agradecimiento Investiga la vida y la obra de una persona que haya recibido el Premio Nobel de la Paz recientemente y que esté viva. Descubre cómo esa persona contribuyó y trabajó por la paz. Escribe una carta a esa persona, dándole las gracias por haber elegido cuidar de la vida.

Siervos de la fe

Maximiliano Kolbe fue ordenado sacerdote franciscano y era muy devoto de Nuestra Señora de la Inmaculada Concepción. Durante la Segunda Guerra Mundial fue encarcelado en Auschwitz. Estando en prisión, Maximiliano animó a los demás prisioneros a mantenerse fieles al amor de Dios. Se ofreció como voluntario para tomar el lugar de un joven padre de familia condenado a muerte por los nazis. Eligió la vida cuando entregó la suya para salvar a otra. Maximiliano fue canonizado en 1982. Su día se celebra el 14 de agosto.

▲ San Maximiliano Kolbe
1894–1941

Una oración en familia

San Maximiliano Kolbe, ruega por nosotros para que seamos fieles al amor de Dios y elijamos siempre el camino de la vida y de la esperanza. Amén.

CIC *Consulta el Catecismo de la Iglesia Católica, números 2258, 2268 y 2269, para obtener más información sobre el contenido del capítulo.*

Family Faith

Catholics Believe

- All human life is sacred because it comes from God.

- The fifth commandment forbids anything that takes a human life.

✝ SCRIPTURE

Read *Isaiah 9:1–6* to find out about the Prince of Peace.

GO online www.osvcurriculum.com
For weekly scripture readings and seasonal resources

Activity

Live Your Faith

Write a Letter of Thanks Research the life and work of a recent Nobel Peace Prize winner who is still alive. Find out about the person's contribution and how he or she has worked for peace. Write a letter to the person, thanking him or her for choosing life.

People of Faith

▲ Saint Maximilian Kolbe
1894–1941

Maximilian Kolbe was ordained a Franciscan priest and was devoted to Our Lady of the Immaculate Conception. During World War II he was imprisoned at Auschwitz. While in prison, Maximilian encouraged other prisoners to hold fast to God's love. He volunteered to take the place of a young father condemned to execution by the Nazis. He chose life even as he gave his own for another. Maximilian was named a saint in 1982. His feast day is August 14.

Family Prayer

Saint Maximilian Kolbe, pray for us that we may be faithful to God's love and always choose the path of life and hope. Amen.

In Unit 5 your child is learning about MORALITY.
CCC *See Catechism of the Catholic Church 2258, 2268–2269 for further reading on chapter content.*

Capítulo 15 Vivir en la verdad

Oremos

Líder: Dios, que seamos siempre honestos en nuestra alabanza a ti.
"Tus caminos enséñame, Señor, para que así ande en tu verdad".

Salmo 86, 11

Todos: Dios, que seamos siempre honestos en nuestra alabanza a ti. Amén.

La honestidad es el mejor de los principios.

No puedo decir mentiras.

La verdad los hará libres.

Actividad Comencemos

¡Es la verdad! Mira las frases que están escritas en el pizarrón.

• Escribe tu propia frase acerca de la importancia de decir la verdad.

Chapter 15 Live in Truth

Let Us Pray

Leader: Lord God, may we always be honest in our praise of you.

"Teach me, LORD, your way
that I may walk in your truth,"

Psalm 86:11

All: Lord God, may we always be honest in our praise of you. Amen.

Honesty is the best policy.

I cannot tell a lie.

The truth will set you free.

Activity — Let's Begin

It's the Truth! Look at the sayings on the board.

• Create your own saying about the importance of telling the truth.

323

Decisiones honestas

 **Análisis** ¿Cómo podemos dar testimonio de la verdad?

Tomás Moro, un hombre importante en Inglaterra en el siglo XVI, fue encarcelado por negarse a decir una mentira. Tomás tuvo que tomar una decisión importante. En una carta a su hija le hablaba de su dilema.

UNA CARTA

TOMÁS MORO

Queridísima Meg:

Tu padre te saluda con todo su afecto pero sin mucha esperanza. El dilema al que me enfrento no se resolverá pronto.

He estado en la cárcel durante algunos meses. Lo único que tengo que hacer para que me liberen es prestar el Juramento de Supremacía. ¿Pero cómo puedo hacerlo?

Si presto el juramento, estaré diciendo que Enrique VIII es la cabeza suprema de la Iglesia Católica en Inglaterra. Tú sabes que mi fe católica es firme y yo creo que el papa es la verdadera cabeza de la Iglesia Católica.

El rey Enrique está enojado. Teme que, si yo me opongo a su voluntad, otras personas seguirán mi ejemplo. Me están obligando a elegir entre ser honesto y morir, o decir una mentira y salvar la vida.

Ruega por mí.
Tu padre que te quiere,

Tomás Moro

❓ **¿Alguna vez tuviste que decidir entre decir la verdad, mentir o callar algo? ¿Qué sucedió?**

Honest Choices

 Focus How do people witness to the truth?

Thomas More, an important official in England in the sixteenth century, was imprisoned for refusing to tell a lie. Thomas had an important decision to make. In a letter to his daughter, he discussed his dilemma.

A LETTER

THOMAS MORE

My dearest Meg,

Your father greets you with all his affection but not much hope. The dilemma I face will not soon go away.

I have been imprisoned now for some months. All I have to do to be set free is to take the Oath of Supremacy. But how can I?

If I take the oath, I will be saying that Henry VIII is the supreme head of the Catholic Church in England. You know that my Catholic faith is strong, and I believe that the pope is the true head of the Catholic Church.

King Henry is angry. He is afraid that if I go against him, other people will follow my example. I am being forced to make a choice: be honest and be killed, or tell a lie and live.

Pray for me.
Your loving father,

Thomas More

? Have you ever had to decide whether to speak the truth, tell a lie, or remain silent? What happened?

Vivir la verdad

Tomás Moro decidió permanecer fiel a sus creencias y decir la verdad. Como consecuencia, el rey ordenó que lo mataran, pero la Iglesia Católica lo declaró santo. Muchos santos y héroes han sufrido torturas y han enfrentado la muerte por defender la verdad de su fe. Una persona que permanece fiel a Cristo y elige el sufrimiento y la muerte en vez de falsear la verdad se conoce como **mártir** . Los mártires viven en la verdad respaldando sus palabras con acciones.

Probablemente, tú nunca serás llamado a ser mártir. Pero todos los discípulos de Jesús están llamados a vivir en la verdad. Por medio de tus acciones, tú muestras tu fidelidad a Jesús y a la verdad de su mensaje.

Palabras† de fe

Un **mártir** es alguien que entrega su vida para testimoniar la verdad de la fe.

Actividad

Comparte tu fe

Decir la verdad

Reflexiona: Piensa por qué siempre es mejor decir la verdad.

Comunica: Con un compañero, escribe una lista de diez razones para decir la verdad.

Actúa: Escribe varias palabras para una canción acerca de decir la verdad.

Living the Truth

Thomas More chose to remain true to his beliefs and speak the truth. As a result, the king had him killed, but the Catholic Church named him a saint. Many saints and heroes have suffered torture and death for the sake of the truth of their faith. A person who stays faithful to Christ and suffers and dies rather than denying the truth is called a **martyr**. Martyrs live the truth by backing up their words with actions.

You probably will not be called on to be a martyr. But every follower of Jesus is called to live in the truth. By your actions you show your faithfulness to Jesus and the truth of his message.

Words of Faith

A **martyr** is someone who gives up his or her life to witness to the truth of the faith.

Activity

Share Your Faith

Truth-telling

Reflect: Think about why it is always best to tell the truth.

Share: With a partner, list ten reasons for truth-telling.

Act: List words for a song about truth-telling.

327

El octavo mandamiento

Análisis ¿Qué te pide hacer el octavo mandamiento?

Dios es la fuente de toda verdad. Su palabra y su ley llaman a las personas a vivir en la verdad. El octavo mandamiento dice: No dirás falso testimonio ni mentirás.

El octavo mandamiento prohíbe mentir o deliberadamente falsear la verdad. La mentira puede manifestarse de varias formas. Si una persona miente ante un tribunal cuando está bajo juramento, comete perjurio o falso testimonio. Contar chismes es hablar sobre otra persona a sus espaldas. Los chismes pueden ser verdaderos o falsos, pero todos los chismes pueden dañar la buena reputación de una persona.

Todas las mentiras son injustas y contrarias al amor. Todas ellas requieren una **reparación** , o enmienda. La reparación puede ser tan sencilla como una disculpa, o puede ser más difícil, como intentar ayudar a una persona a recuperar la reputación dañada.

❓ ¿De qué maneras puedes reparar el daño que le has hecho a otra persona por no haber dicho la verdad?

The Eighth Commandment

God is the source of all truth. His word and his law call people to live in the truth. The eighth commandment says this: You shall not bear false witness against your neighbor.

The eighth commandment forbids lying, or purposely not telling the truth. Lying can take many forms. If a person lies in court when under oath, he or she commits perjury, or false witness. Gossip is talking about another person behind his or her back. Gossip may or may not be a lie, but all gossip can harm the good reputation of another person.

All lies are unjust and unloving. All require **reparation**, or repair. Reparation may be as simple as an apology, or it may take more work, such as trying to help a person get back the reputation you have hurt.

❓ **What are some ways you can repair the damage to another person when you have not told the truth?**

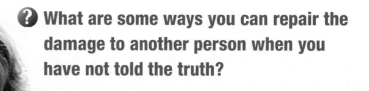

Jesús es la verdad

Vivir en el espíritu del octavo mandamiento no solo consiste en no mentir. Debes decidir ser fiel a la verdad en palabras y acciones. Cuando eres fiel a la verdad, vives como un discípulo de Jesús, que siempre dijo la verdad.

✝ LA SAGRADA ESCRITURA — Juan 8, 31–32; 14, 6

La verdad los hará libres

Jesús decía…: "Ustedes serán verdaderos discípulos míos si perseveran en mi palabra; entonces conocerán la verdad, y la verdad los hará libres… Yo soy el Camino, la Verdad y la Vida. Nadie va al Padre sino por mí".

Juan 8, 31–32; 14, 6

La gente confiaba en lo que Jesús decía y hacía. Cuando eres fiel a la verdad, la gente confía en ti. Cuando prometes decir la verdad, asumes un deber especial. Que tu "sí" sea "sí", y tu "no" sea "no". Decir la verdad te hará libre para seguir a Jesús y vivir en el amor.

Palabras† de fe

La **reparación** es una acción que se realiza para remediar el daño causado por el pecado.

Actividad — Practica tu fe

Vive la verdad Lee la siguiente lista. Junto a cada enunciado, escribe una X si significa vivir en la verdad, y una O si significa falsear la verdad. En cada enunciado que señales con una O, menciona una manera de reparar la decisión equivocada.

_____ Juanita escuchó un rumor feo sobre una compañera de clase, pero no se lo contó a nadie.

_____ Eduardo presumió de lo bueno que era en los deportes, cuando en realidad no era tan bueno.

_____ Samanta les dijo a sus padres que se iba a la biblioteca, pero se fue al parque.

_____ María descubrió que su amiga había sacado una D en una prueba, pero no dijo nada a sus otras amigas.

Jesus Is the Truth

Living in the spirit of the eighth commandment is more than not lying. You must choose to be truthful in words and actions. When you are truthful, you are living as a follower of Jesus, who always told the truth.

✝ SCRIPTURE   John 8:31–32, 14:6

The Truth Will Set You Free

Jesus . . . said . . . , "If you remain in my word, you will truly be my disciples, and you will know the truth, and the truth will set you free. . . . I am the way and the truth and the life. No one comes to the Father except through me."

John 8:31–32, 14:6

People trusted what Jesus did and said. When you are truthful, people trust you. When you promise to tell the truth, you have a special duty. Let your "yes" mean "yes" and your "no" mean "no." Telling the truth will set you free to follow Jesus and to live in love.

Words of Faith

Reparation is action taken to repair the damage done by sin.

Activity — Connect Your Faith

Live the Truth Read the following list, and mark an X if a statement talks about living in truth and an O if it does not. For each statement marked with an O, tell one way the person could make up for his or her wrong choice.

_____ Juanita heard an unkind story about a classmate. She did not repeat it.

_____ Scott bragged falsely about how good he was at sports.

_____ Samantha told her parents that she was going to the library, but instead she went to the park.

_____ Maria discovered that her friend had shoplifted. She did not tell her other friends.

331

Oración de petición

Oremos

Reúnanse y comiencen con la señal de la cruz.

Líder: Cuando tengamos miedo de decir la verdad,

Todos: **Espíritu de la Verdad, ¡guíanos!**

Líder: Cuando estemos tentados de contar chismes,

Todos: **Espíritu de la Verdad, ¡guíanos!**

Líder: Cuando tengamos que decidir entre decir la verdad o mentir,

Todos: **Espíritu de la Verdad, ¡guíanos!**

Líder: Cuando juzguemos a otra persona falsamente,

Todos: **Espíritu de la Verdad, ¡guíanos!**

Líder: Dios de toda verdad, cuando debamos decidir si decir la verdad o no, guíanos hacia tu luz. Danos fortaleza para tomar buenas decisiones. Te lo pedimos en el nombre de Jesús. Amén.

Canten juntos.

Envía fuego de justicia,
Envía tu lluvia de amor.

Ven, danos tu Espíritu,
da vida a tu pueblo,
seremos el pueblo de Dios.

"Send Down the Fire" ©2001,
GIA Publications, Inc.

Prayer of Petition

Let Us Pray

Gather and begin with the Sign of the Cross.

Leader: Whenever we are afraid to tell the truth,

All: **Spirit of Truth, guide us!**

Leader: Whenever we are tempted to gossip,

All: **Spirit of Truth, guide us!**

Leader: Whenever we are faced with choices about telling the truth,

All: **Spirit of Truth, guide us!**

Leader: Whenever we falsely judge another,

All: **Spirit of Truth, guide us!**

Leader: God of all truth, whenever we face choices about telling the truth, guide us to your light. Give us strength to make good choices. We ask this in Jesus' name. Amen.

Sing together.

Send down the fire of your justice, Send down the rains of your love; Come, send down the Spirit, breathe life in your people, and we shall be people of God.

"Send Down the Fire" ©2001, GIA Publications, Inc.

Repasar y aplicar

A **Comprueba lo que aprendiste**   En cada enunciado, encierra en un círculo la palabra Verdadero si el enunciado es verdadero y la palabra Falso si el enunciado es falso. Corrige los enunciados falsos.

1. Un mártir es una persona que entrega su vida para dar testimonio de Jesús y de la verdad de la fe.

   Verdadero Falso _____

2. El falso testimonio, el perjurio y el amor son tres pecados que van en contra del octavo mandamiento.

   Verdadero Falso _____

3. La reparación es la acción de remediar un daño.

   Verdadero Falso _____

4. El octavo mandamiento es "No matarás".

   Verdadero Falso _____

5. Solamente los mártires están llamados a vivir en la verdad.

   Verdadero Falso _____

B **Relaciona**   Escribe una respuesta a continuación. ¿A qué se refería Jesús cuando dijo "La verdad los hará libres"?

_____

_____

Actividad Vive tu fe

Mini representaciones   Trabaja en grupo.

• Inventa una breve representación en la que una persona ofenda a otra o dañe su reputación diciendo una mentira.

• Muestra cómo esa persona repara el daño que causó.

Review and Apply

A **Check Understanding** Circle True if a statement is true, and circle False if a statement is false. Correct any false statements.

1. A martyr is someone who gives up his or her life to witness to Jesus and the truth of the faith.

   True   False _____

2. Three sins against the eighth commandment are false witness, perjury, and love.

   True   False _____

3. Reparation is repairing a wrong.

   True   False _____

4. The eighth commandment is "You shall not kill."

   True   False _____

5. Only martyrs are called to live in truth.

   True   False _____

B **Make Connections** Write a response on the lines below. What did Jesus mean when he said, "The truth will set you free"?

_____

_____

Activity   Live Your Faith

Mini-dramas   Work with a group.

- Create a skit in which a person hurts another or damages another's reputation by telling a lie.

- Show how the person makes reparation for the wrong that he or she has done.

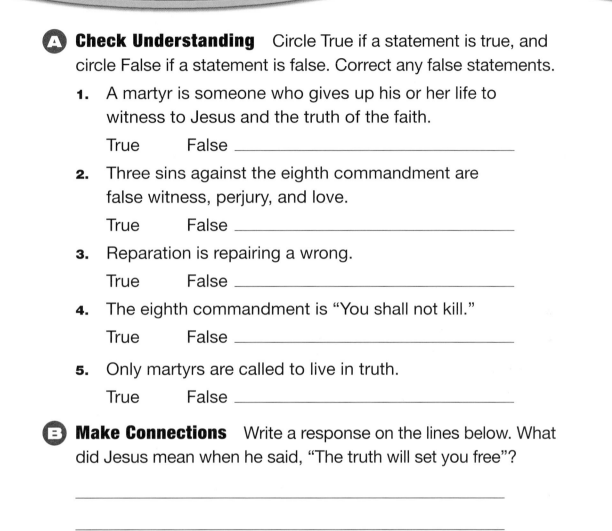

La fe en familia

Lo que creemos

- Porque Dios es la verdad, su pueblo está llamado a vivir en la verdad.

- El octavo mandamiento prohíbe mentir.

LA SAGRADA ESCRITURA

Lee *Proverbios 12, 12–26* para aprender más acerca de las recompensas que esperan a quienes son honestos.

 APRENDE en línea Visita **www.osvcurriculum.com** para encontrar recursos basados en el año litúrgico y lecturas semanales de la Sagrada Escritura.

Actividad

vive tu fe

Conversación sobre la verdad En familia, tomen tiempo esta semana para hablar acerca de las siguientes preguntas:

- ¿Cómo resuelven una situación en la que decir la verdad lastimaría a una persona?

- ¿Cuándo está bien y cuándo está mal acusar a alguien?

- ¿Cómo pueden ayudarse unos a otros a vivir en la verdad?

Siervos de la fe

▲ Santa Juana de Arco
1412–1431

Juana de Arco fue fiel a la voluntad de Dios y nunca se apartó de esa verdad. Tuvo visiones y oyó voces que le decían que dirigiera un ejército para luchar por la verdad y salvar a Francia de los invasores. Fue valiente al decir la verdad acerca de las visiones y las voces, y salvó a Francia en muchas batallas. Sin embargo, fue acusada de estar en contra de la Iglesia y de ser una bruja, y fue quemada en la hoguera cuando todavía era una adolescente. Juana fue canonizada en 1920 y su día se celebra el 30 de mayo.

Una oración en familia

Santa Juana de Arco, ruega por nosotros para que fortalezcamos nuestra fe y tengamos la valentía de decir y vivir la verdad. Amén.

CIC *Consulta el Catecismo de la Iglesia Católica, números 1741 y 2465–2470, para obtener más información sobre el contenido del capítulo.*

Family Faith

Catholics Believe

- Because God is truth, his people are called to live in the truth.

- The eighth commandment forbids lying.

SCRIPTURE

Read *Proverbs 12:12–26* to learn more about the rewards that await those who are honest.

GO online www.osvcurriculum.com
For weekly scripture readings and seasonal resources

Activity
Live Your Faith

Truth Talk   As a family, take time this week to talk about the following questions:

- How do you handle a situation in which being honest would hurt someone?
- When is it right to tell on someone, and when is it wrong?
- How can you help one another live in truth?

People of Faith

▲ Saint Joan of Arc 1412–1431

Joan of Arc was true to God's will and truth. She had visions and heard voices that told her to lead an army to fight for truth and save France from invaders. She bravely told the truth about her visions and voices and saved France in many battles. However, Joan was accused of being against the Church and of being a witch. She was burned at the stake when she was still a teenager. Joan was named a saint in 1920, and her feast day is May 30.

Family Prayer

Saint Joan of Arc, pray for us that we may grow strong in our faith and have the courage to speak and live the truth. Amen.

A **Trabaja con palabras** Usa las pistas para resolver el crucigrama.

Horizontal

1. Este mandamiento dice: No matarás.
3. El acto de matar intencionalmente a una persona inocente.
6. Hacer cosas o actuar de la manera que exijan quienes tienen autoridad.
7. La virtud que ayuda a las personas a vestirse, hablar y obrar de manera adecuada.
9. Acción que se realiza para reparar el daño causado a través del pecado.

Vertical

2. Este mandamiento está dirigido específicamente a los hijos y las hijas.
4. Continúa el ciclo de enojo y odio.
5. Este mandamiento dice: No dirás falso testimonio ni mentirás.
7. Una persona que entrega su vida para testimoniar la verdad de la fe.
8. Promesas solemnes que se hacen a Dios o ante Él.

Work with Words Use the clues to solve the puzzle.

Across

1. This commandment says: You shall not kill.
3. The intentional killing of an innocent person
5. This commandment says: You shall not bear false witness against your neighbor.
6. To do things or act in certain ways that are requested by those in authority
7. The virtue that helps people dress, talk, and act in appropriate ways
9. Action taken to repair the damage done through sin

Down

2. This commandment specifically addresses sons and daughters.
4. Continuing the cycle of anger and hatred
7. Someone who gives up his or her life to witness to the truth of the faith
8. Solemn promises that are made to or before God

UNIDAD 6

Sacramentos

Capítulo 16 El año litúrgico
¿Qué celebra el año litúrgico?

Capítulo 17 Los siete sacramentos
¿Cómo te ayudan a crecer los sacramentos?

Capítulo 18 Curación y Reconciliación
¿Cuál es el mensaje de Jesús acerca del perdón?

? ¿Qué crees que vas a aprender en esta unidad acerca del Misterio Pascual?

UNIT 6
Sacraments

? What do you think you will learn in this unit about the Paschal Mystery?

Capítulo 16 El año litúrgico

 **Oremos**

Líder: Dios creador, nos alegramos con la belleza y la variedad de tu creación.

"Los cielos cuentan la gloria del Señor,
proclama el firmamento
la obra de sus manos".

Salmo 19, 2

Todos: Dios creador, nos alegramos con la belleza y la variedad de tu creación. Amén.

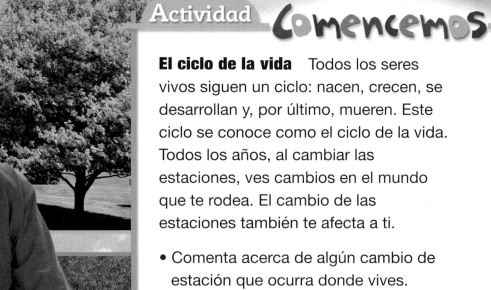

Actividad Comencemos

El ciclo de la vida Todos los seres vivos siguen un ciclo: nacen, crecen, se desarrollan y, por último, mueren. Este ciclo se conoce como el ciclo de la vida. Todos los años, al cambiar las estaciones, ves cambios en el mundo que te rodea. El cambio de las estaciones también te afecta a ti.

• Comenta acerca de algún cambio de estación que ocurra donde vives.

Chapter 16 The Church Year

Let Us Pray

Leader: Creator God, we rejoice in the beauty and variety of your creation.

"The heavens declare the glory of God;
    the sky proclaims its builder's craft."

Psalm 19:2

All: Creator God, we rejoice in the beauty and variety of your creation. Amen.

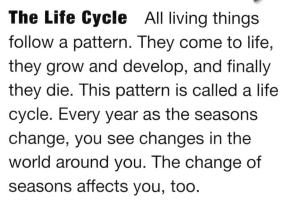

Activity Let's Begin

The Life Cycle All living things follow a pattern. They come to life, they grow and develop, and finally they die. This pattern is called a life cycle. Every year as the seasons change, you see changes in the world around you. The change of seasons affects you, too.

• Tell about one seasonal change that happens where you live.

El ciclo de la vida

Análisis ¿Qué es el Misterio Pascual?

Tu vida está llena de ciclos y estaciones. A medida que crezcas en la fe, aprenderás a reconocerlos mejor. Una vez, un sabio escribió un poema sobre el ciclo de la vida. Su poema está en la Biblia.

✝ LA SAGRADA ESCRITURA — Eclesiastés 3, 1–8

El momento apropiado

Hay bajo el sol un momento para todo,
y un tiempo para hacer cada cosa:

Tiempo para nacer, y tiempo para morir;

tiempo para plantar, y tiempo para arrancar lo plantado;

tiempo para matar y tiempo para curar;

tiempo para demoler y tiempo para edificar;

tiempo para llorar y tiempo para reír;

tiempo para gemir y tiempo para bailar;

tiempo para lanzar piedras y tiempo
para recogerlas;

tiempo para los abrazos y tiempo para
abstenerse de ellos;

tiempo para buscar y tiempo para perder;

tiempo para conservar y tiempo para
tirar fuera;

tiempo para rasgar y tiempo para coser;

tiempo para callarse y tiempo para hablar;

tiempo para amar y tiempo para odiar;

tiempo para la guerra y tiempo para la paz.

Eclesiastés 3, 1–8

? **¿Qué piensas que el poeta quiere que entiendas?**

The Cycle of Life

 Focus   What is the Paschal mystery?

Your life is full of cycles and seasons. As you grow in faith, you will notice them more. A wise man once wrote a poem about the cycle of life. It is in the Bible.

✝ **S C R I P T U R E**   **Ecclesiastes 3:1–8**

The Right Time

There is an appointed time for everything,
and a time for every affair under the heavens.

A time to be born, and a time to die;
 a time to plant, and a time to uproot the plant.

A time to kill, and a time to heal;
 a time to tear down, and a time to build.

A time to weep, and a time to laugh;
 a time to mourn, and a time to dance.

A time to scatter stones, and a time to
  gather them;
 a time to embrace, and a time to be far
  from embraces.

A time to seek, and a time to lose;
 a time to keep, and a time to cast away.

A time to rend, and a time to sew;
 a time to be silent, and a time
  to speak.

A time to love, and a time to hate;
 a time of war, and a time of peace.

Ecclesiastes 3:1–8

❓ **What do you think the poet wants
you to understand?**

345

El Misterio Pascual

Jesús experimentó el ciclo natural de la vida, pero su ciclo de vida no terminó con su muerte en la cruz. Dios Padre resucitó a Jesús de entre los muertos. Después, Jesús ascendió para reunirse con su Padre en el cielo. La pasión, la muerte, la Resurrección y la Ascensión de Jesús se conocen como el **Misterio Pascual**. Este misterio revela que Jesús salvó a todos los seres humanos del poder del pecado y de la muerte eterna.

La Iglesia celebra este misterio en todos los sacramentos y, en especial, en cada Eucaristía. Todos los domingos te reúnes con la comunidad de tu parroquia para celebrar la nueva vida que te da la Resurrección de Jesús.

El año litúrgico

A medida que pasan las semanas, observarás que en la Misa del domingo cambian las lecturas, los himnos y los colores. Estas tres cosas distinguen a cada período del año eclesiástico, que se conoce también como el **año litúrgico**. El año litúrgico comienza el primer domingo de Adviento, normalmente cerca del 1 de diciembre, y termina con la solemnidad de Cristo Rey.

❓ **¿Cuáles símbolos del tiempo litúrgico actual puedes ver?**

Palabras† de fe

El **Misterio Pascual** es el misterio de la pasión, la muerte, la Resurrección y la Ascensión de Jesús.

El **año litúrgico** es el ciclo de fiestas de la Iglesia y tiempos que componen el año eclesiástico del culto a Dios.

Actividad — Comparte tu fe

Reflexiona: Piensa en las cosas que hiciste la semana pasada.

Comunica: Cuéntale a un compañero algunos de los mejores y peores momentos que pasaste la semana pasada.

Actúa: Dibuja un símbolo de los "tiempos" de tu vida en los siguientes cuadros. Si el lunes fue un día feliz, dibuja un símbolo que muestre que estuviste contento. Usa símbolos diferentes para representar tus momentos.

DOMINGO	LUNES	MARTES	MIÉRCOLES	JUEVES	VIERNES	SÁBADO

The Paschal Mystery

Jesus experienced the natural cycle of life, but his life cycle did not end with his death on the cross. God the Father raised Jesus from the dead. Then Jesus ascended to join his Father in heaven. The suffering, death, Resurrection, and Ascension of Jesus are called the **Paschal mystery**. This mystery reveals that Jesus saved all humans from the power of sin and everlasting death.

The Church celebrates this mystery in every Sacrament and especially at every Eucharist. Every Sunday you gather with the parish community to celebrate the new life that Jesus' Resurrection gives you.

The Liturgical Year

From week to week at Sunday Mass, you may notice different readings, hymns, and colors. These mark the seasons of the Church's year, called the **liturgical year**. The liturgical year begins on the first Sunday of Advent, usually around December 1, and ends with the feast of Christ the King.

❓ **What signs of the present liturgical season do you see?**

Words of Faith

The **Paschal mystery** is the mystery of Jesus' suffering, death, Resurrection, and Ascension.

The **liturgical year** is the cycle of feasts and seasons that make up the Church's year of worship.

Activity — Share Your Faith

Reflect: Reflect on the things you did last week.

Share: With a partner, share some of the best times and worst times you had last week.

Act: In the boxes below, sketch a symbol for the "times" of your life. If Monday was a happy time, draw a symbol to show that you were happy. Use different symbols to represent your "times."

SUNDAY	MONDAY	TUESDAY	WEDNESDAY	THURSDAY	FRIDAY	SATURDAY

Los tiempos

 ¿Cuáles son los tiempos del año litúrgico?

Al igual que las estaciones del año marcan los ciclos de la vida y la muerte en la naturaleza, los tiempos del año litúrgico marcan y conmemoran los hechos del Misterio Pascual.

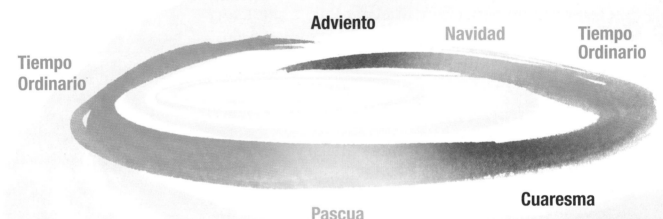

Adviento

Navidad

Tiempo Ordinario

Tiempo Ordinario

Cuaresma

Pascua

Adviento

El Adviento marca el comienzo del año litúrgico. Las cuatro semanas anteriores a la Navidad son un tiempo de preparación para la venida de Jesús. La Iglesia pide al Espíritu Santo que ayude al pueblo a recibir cada día a Jesús en su corazón. El color de este período es el morado, que simboliza la espera.

Navidad

El tiempo de Navidad comprende desde la vigilia de Navidad hasta el Bautismo del Señor. Es un tiempo para estar alegres y dar gracias a Dios Padre porque nos envió a su Hijo para convertirse en uno de nosotros. Los colores blanco y dorado nos recuerdan celebrar el don de Jesús.

❓ ¿Cómo se preparan tu familia y tu parroquia para la Navidad?

The Seasons

Focus What are the seasons of the Church year?

Just as the seasons of the year mark the cycles of life and death in nature, the seasons of the liturgical year mark and celebrate the events of the Paschal mystery.

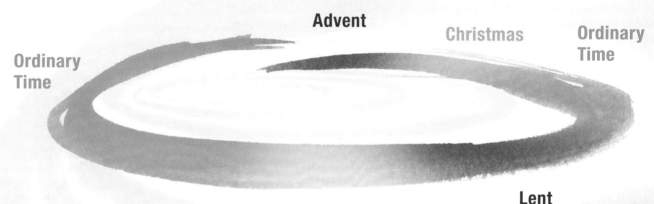

Advent

Advent is the beginning of the Church year. The four weeks before Christmas are a time of preparation for the coming of Jesus. The Church asks the Holy Spirit to help people welcome Jesus into their hearts every day. The seasonal color is violet, a sign of waiting.

Christmas

The Christmas Season lasts from Christmas Eve through the Sunday after Epiphany, which is twelve days after Christmas. It is a time to be joyful and to thank God the Father for sending his Son to become one of us. White and gold colors are reminders to celebrate the gift of Jesus.

❷ **How do your family and parish prepare for Christmas?**

Cuaresma

La Cuaresma dura cuarenta días. Comienza el Miércoles de Ceniza y termina el Jueves Santo. La Cuaresma es un tiempo de preparación para la Pascua, siguiendo más de cerca a Jesús. En este tiempo se utiliza el color morado como signo de penitencia.

Pascua

El tiempo de Pascua está precedido por una celebración del Misterio Pascual durante tres días que se conoce como **Triduo Pascual** . Comienza el Jueves Santo con la Cena del Señor y termina con la oración de la tarde del Domingo de Pascua.

El tiempo de Pascua se prolonga durante cincuenta días hasta Pentecostés. Es un tiempo para recordar tu Bautismo y para dar gracias por la Resurrección de Jesús, que salvó a todas las personas del poder del pecado y de la muerte eterna. Durante este tiempo, se utiliza el color blanco o el dorado como signo de gran gozo.

Tiempo Ordinario

El Tiempo Ordinario se divide en dos partes. La primera parte comprende desde después de la Navidad hasta antes del primer domingo de Cuaresma. La segunda parte está entre la Pascua y el Adviento. El Tiempo Ordinario es la época en que se recuerdan las obras de Jesús y se escuchan sus enseñanzas. Durante este tiempo, se utiliza el color verde como símbolo de esperanza y crecimiento.

❓ **¿Cuál es tu tiempo litúrgico favorito?**

Palabras de fe

El **Triduo Pascual** es la celebración de la pasión, la muerte y la Resurrección de Cristo. En el año litúrgico, el Triduo Pascual comienza la noche del Jueves Santo y termina la noche del Domingo de Pascua.

Actividad Practica tu fe

Recuerden su amor En la tabla de tiempos litúrgicos de la página siguiente, dibuja símbolos que ilustren las acciones salvadoras de Jesús que se celebran en cada tiempo del año litúrgico.

Lent

Lent lasts for forty days. It begins on Ash Wednesday and ends on Holy Thursday. Lent is a time to prepare for Easter by following Jesus more closely. The seasonal color of violet is used as a sign of penance.

Triduum

The Easter Season is preceded by a three-day celebration of the Paschal mystery called the **Triduum**. It starts with the celebration of the Lord's Supper on Holy Thursday and ends with evening prayer on Easter Sunday.

Easter

The Easter Season continues for fifty days until Pentecost. It is a time to remember your Baptism and to give thanks for the Resurrection of Jesus that saved all people from the power of sin and everlasting death. White or gold colors are used during this season as a sign of great joy.

Ordinary Time

Ordinary Time is a season in two parts. The first is between the Christmas Season and the First Sunday of Lent. The second is between the Easter Season and Advent. Ordinary Time is the time to remember the works of Jesus and listen to his teachings. The color green is used during this season as a sign of hope and growth.

❓ **What is your favorite liturgical season?**

Words of Faith

Triduum is a celebration of the passion, death, and Resurrection of Christ. In the Church year, the Triduum begins on Holy Thursday evening and concludes on Easter Sunday night.

Activity — Connect Your Faith

Remember His Love   On the chart of seasons on the opposite page, design symbols to illustrate the saving actions of Jesus that are celebrated in each Church season.

Oración de alabanza

Oremos

Reúnanse y comiencen con la señal de la cruz.

Canten juntos el estribillo.

¡Grita de gozo, gozo, gozo! ¡Grita de gozo, gozo, gozo!
¡Dios es luz, es amor; Dios es eterno!

"Shout for Joy", David Mowbray, © 1982, Jubilate Hymns, Ltd.
(admin. by Hope Publishing Co.)

Líder: Dios, Padre bueno, tú nos enviaste a Jesús,
tu Hijo, para rescatarnos del poder del pecado
y de la muerte eterna. Este es nuestro canto.

Todos: *Canten el estribillo.*

Líder: Jesús, tú trajiste la luz a este mundo de tinieblas.

Tus palabras llevaron amor a los enfermos y a los débiles.
Perdonaste a los pecadores y los libraste
de la vergüenza. Este es nuestro canto.

Todos: *Canten el estribillo.*

Líder: Jesús, tú moriste en la cruz, e hiciste tal sacrificio
de amor para liberarnos de nuestros pecados.
Este es nuestro canto.

Todos: *Canten el estribillo.*

Líder: Jesús, tú resucitaste de entre los muertos y ascendiste al
cielo. Enviaste al Espíritu para que estuviera siempre con
nosotros. Esperamos compartir la vida eterna
contigo. Este es nuestro canto.

Todos: *Canten el estribillo.*

Líder: Oremos.

Inclinen la cabeza mientras el líder reza.

Todos: **Amén.**

Prayer of Praise

Let Us Pray

Gather and begin with the Sign of the Cross.

Sing together the refrain.

Shout for joy, joy, joy! Shout for joy, joy, joy!
God is love, God is light, God is everlasting!

"Shout for Joy" © 1982, Jubilate Hymns, Ltd.

Leader: God, our good Father, you sent Jesus, your Son, to rescue us from the power of sin and everlasting death. This is our song.

All: *Sing refrain.*

Leader: Jesus, you came into this world of darkness as the light. Your words of love touched those who were sick and weak. You forgave sinners and freed them from shame. This is our song.

All: *Sing refrain.*

Leader: Jesus, you died on the cross, a sacrifice of love to set us free from our sins. This is our song.

All: *Sing refrain.*

Leader: Jesus, you were raised from the dead and ascended into heaven. You sent the Spirit to be with us always. We hope to share eternal life with you. This is our song.

All: *Sing refrain.*

Leader: Let us pray.

Bow your heads as the leader prays.

All: **Amen.**

A **Trabaja con palabras**   Empareja cada descripción de la columna 1 con el término correcto de la columna 2.

Columna 1

_____ **1.** Un tiempo de ayuno y penitencia.

_____ **2.** Celebra el nacimiento de Jesús.

_____ **3.** Se centra en la Resurrección de Jesús.

_____ **4.** Prepara la venida de Jesús.

_____ **5.** La pasión, la muerte, la Resurrección y la Ascensión de Jesús.

Columna 2

a. Adviento

b. Navidad

c. Misterio Pascual

d. Cuaresma

e. Pascua

B **Comprueba lo que aprendiste**   Escribe las respuestas a continuación. ¿En qué se centra el Tiempo Ordinario? ¿Qué color litúrgico se usa durante ese tiempo?

_____

_____

Actividad vive tu fe

¿En qué tiempo estamos?   Recuerda el tiempo litúrgico que celebra la Iglesia actualmente.

• Decide qué puedes hacer ahora para celebrar este tiempo.

• Elabora un plan para la próxima semana.

Review and Apply

A **Work with Words**   Match each description in Column 1 with the correct term in Column 2.

Column 1

_____ **1.** A time of fasting and penance

_____ **2.** Celebrates the birth of Jesus

_____ **3.** Focuses on the Resurrection of Jesus

_____ **4.** Prepares for the coming of Jesus

_____ **5.** The suffering, death, Resurrection, and Ascension of Jesus

Column 2

a. Advent

b. Christmas

c. Paschal mystery

d. Lent

e. Easter

B **Check Understanding**   Write responses on the lines below. What is the focus of Ordinary Time? What liturgical color is used?

_____

_____

Activity   Live Your Faith

What Season Is It?   Recall the liturgical season the Church is currently celebrating.

• Decide what you can do to celebrate this season now.

• Make a plan for the coming week.

Actividad

vive tu fe

Percibe los signos de la estación Den un paseo o hagan una excursión familiar para buscar signos de la estación del año. Escuchen los sonidos, busquen los cambios y capten la belleza de la creación de Dios. Comenten cómo esos signos de la naturaleza reflejan también el tiempo litúrgico. Pronuncien una oración sencilla de agradecimiento y vayan enumerando los signos de la estación. Después celebren con un refrigerio o un almuerzo.

Navidad, Cuaresma, Pascua y Tiempo Ordinario.

✞ LA SAGRADA ESCRITURA

Lee el *Salmo 148, 1–14* para alabar la belleza de las muchas creaciones maravillosas de Dios.

APRENDE en línea Visita **www.osvcurriculum.com** para encontrar recursos basados en el año litúrgico y lecturas semanales de la Sagrada Escritura.

Siervos de la fe

Beda nació en Sunderland, Inglaterra. Después de convertirse en monje, se dedicó al estudio de la Sagrada Escritura. Escribió muchas lecciones sobre la Biblia y expuso muchas maneras de reformar la Iglesia. Beda también se convirtió en un experto en la historia de la Iglesia inglesa. Cuando advirtió que iba a morir pronto, Beda se dedicó a finalizar la traducción al inglés del Evangelio según San Juan. El día de San Beda se celebra el 25 de mayo.

▲ San Beda
673–735

Una oración en familia

Dios, ayúdanos a acercarnos más a ti por medio del culto a Dios en la Eucaristía, el aprendizaje de nuestra fe católica y nuestra devoción por la oración. Amén.

CIC *Consulta el Catecismo de la Iglesia Católica, números 1067, 1068 y 1168–1171, para obtener más información sobre el contenido del capítulo.*

Family Faith

Catholics Believe

- The Church year celebrates the Paschal mystery.

- The seasons of the liturgical year include Advent, Christmas, Lent, Easter, and Ordinary Time.

✝ SCRIPTURE

Read *Psalm 148:1–14* to praise the beauty of God's many wonderful creations.

GO online www.osvcurriculum.com
For weekly scripture readings and seasonal resources

Activity
Live Your Faith

Notice Signs of the Season Take a family walk or hike to look for signs of the season. Listen to the sounds, look for changes, and take in the beauty of God's creation. Discuss how these signs of the season in nature reflect the liturgical season as well. Pray a simple prayer of thanks as you list each sign of the season. Then celebrate with a snack or meal.

People of Faith

Bede was born in Sunderland, England. After he became a monk, Bede studied the Scriptures. He wrote many lessons about the Bible and explained ways to reform the Church. Bede also became an expert in the history of the English Church. When he realized that he was dying, Bede worked hard and finished translating the Gospel of John into English. The feast day of Saint Bede is May 25.

▲ Saint Bede
673–735

🙌 Family Prayer

O God, help us grow closer to you by our worship at the Eucharist, our learning of our Catholic faith, and our devotion to prayer. Amen.

17 Los siete sacramentos

 **Oremos**

Líder: Dios, vemos tu poder en las obras que realizaste.
"¡Que la gloria del Señor dure por siempre
y en sus obras el Señor se regocije!".

Salmo 104, 31

Todos: Dios, vemos tu poder en las obras que realizaste. Amén.

Actividad **Comencemos**

Me acordaré La temporada favorita del año para Juana es la primavera. Todas las primaveras, Juana y su abuela trabajaban juntas en el jardín. Pero esta primavera fue diferente. La abuela murió durante el invierno y Juana la echaba mucho de menos.

Un día, Juana pasaba junto al jardín y se dio cuenta de que había capullos en los brotes verdes. "Esas son las flores de los bulbos que plantamos la abuela y yo en el otoño", pensó. "Cada vez que los vea recordaré que ahora ella vive con Dios".

• ¿Qué cosas te recuerdan a la gente especial que hay en tu vida cuando no están contigo?

The Seven Sacraments

 **Let Us Pray**

Leader: Lord, we see your mightiness in the works you have done.

"May the glory of the LORD endure forever; may the LORD be glad in these works!"

Psalm 104:31

All: Lord, we see your mightiness in the works you have done. Amen.

Activity — Let's Begin

I Will Remember Juana's favorite time of year is spring. Every spring Juana and her *abuela,* or grandmother, would garden together. This spring was different. Abuela died during the winter, and Juana missed her very much.

One day Juana walked past the flower bed and noticed buds on the green shoots. "Those are the flowers from the bulbs Abuela and I planted in the fall!" she thought. "When I see them, I will remember that she is living with God now."

• What things remind you of the special people in your life when they are not with you?

359

El amor de Dios está presente

Análisis ¿Qué es un sacramento?

Las flores en el jardín de Juana eran signos de que su abuela seguía viviendo con Dios y que Él la amaba. Dios Padre envió a Jesús al mundo como signo de su amor a todas las personas. Él indicó a todos sus discípulos el camino para llegar a Dios.

Jesús recibió a personas como Pedro y Zaqueo y ellos cambiaron su vida por Él. Jesús mostró a la gente el perdón de Dios Padre. Curó a algunas personas y llamó a otras para servir al Pueblo de Dios. A través de las palabras y las acciones de Jesús, mucha gente experimentó el amor salvador de Dios. Jesús hizo presentes a Dios y su amor.

Esto es lo que Jesús dijo a sus Apóstoles en la Última Cena.

✚ LA SAGRADA ESCRITURA

Nadie va al Padre sino por mí. Si me conocen a mí, también conocerán al Padre. Pero ya lo conocen y lo han visto.

Juan 14, 6–7

Hasta después de la Resurrección de Jesús, los Apóstoles no comprendieron quién era Jesús en realidad. Poco a poco, llegaron a comprender que Él no era solo un signo de Dios, sino que era Dios en persona.

❓ ¿Cómo mostró Jesús al mundo el amor salvador de Dios?

God's Love Is Present

Focus What is a Sacrament?

The flowers in Juana's garden were signs to her that her *abuela* still lived with God and was loved by him. God the Father sent Jesus into the world as a sign of his love for all people. He pointed the way to God for all who followed him.

Jesus welcomed people like Peter and Zacchaeus, and they changed their lives for him. Jesus showed people God the Father's forgiveness. He healed some and called others to serve God's people. Through Jesus' words and actions, many people experienced God's saving love. Jesus made God and his love present.

Jesus said this to his Apostles at the Last Supper.

SCRIPTURE

No one comes to the Father except through me. If you know me, then you will also know my Father. From now on you do know him and have seen him.

John 14:6–7

It was only after Jesus' Resurrection that his Apostles began to understand who Jesus really was. Gradually, they came to understand that he was not just a sign of God—he really was God!

? How did Jesus show God's saving love to the world?

Los signos del amor de Dios

Jesús dijo a sus discípulos que siempre estaría con ellos y que ellos continuarían su obra de salvación. Una de las maneras en que Jesús está con su pueblo hoy día es mediante los siete **sacramentos** . Los sacramentos son acciones del Espíritu Santo que están presentes en el Cuerpo de Cristo, es decir, la Iglesia. Jesús está presente en los sacramentos.

La Iglesia nombró siete sacramentos que tienen su origen en Jesús. Cada uno de ellos celebra una manera en que la obra salvadora de Jesús continúa en el mundo.

Palabras† de fe

Los **sacramentos** son signos que conceden la gracia. Los sacramentos fueron instituidos por Cristo y los celebra su Iglesia.

Los siete sacramentos

Bautismo	Nueva vida en Cristo.
Confirmación	Fortalecimiento mediante el Espíritu Santo.
Eucaristía	Unidad y salvación en Cristo por medio del Cuerpo y la Sangre de Cristo.
Reconciliación	Conversión y perdón a través de Cristo.
Unción de los enfermos	Curación en Cristo.
Orden (sacerdotal)	Ministerio para el Cuerpo de Cristo, es decir, la Iglesia.
Matrimonio	Alianza del matrimonio como signo de la alianza de Cristo con su Iglesia.

Actividad

Comparte tu fe

Reflexiona: Piensa en alguna persona que ames.

Comunica: Dibuja un signo que te recuerde a esa persona. Explica el signo a la clase y di cómo se llama esa persona.

Actúa: Juega con tus compañeros de clase a emparejar los signos con los nombres.

Signs of God's Love

Jesus told his followers that he would always be with them and that they would continue his saving work. One of the ways that Jesus is with his people today is through the seven **Sacraments**. The Sacraments are actions of the Holy Spirit at work in Christ's Body, the Church. Jesus is present in the Sacraments.

The Church has named seven Sacraments that have their origins in Jesus. Each one celebrates a way that Jesus' saving work continues in the world.

Words of Faith

The **Sacraments** are signs that give grace. Sacraments were instituted by Christ and are celebrated by his Church.

The Seven Sacraments

Baptism	New life in Christ
Confirmation	Strengthening through the Holy Spirit
Eucharist	Unity and salvation in Christ through the Body and Blood of Christ
Reconciliation	Conversion and forgiveness through Christ
Anointing of the Sick	Healing in Christ
Holy Orders	Ministry to Christ's Body, the Church
Matrimony	Marriage covenant as a sign of Christ's covenant with his Church

Activity — Share Your Faith

Reflect: Think of someone you love.

Share: Sketch a sign that reminds you of the person. Explain the sign to the class as you say the name.

Act: With your classmates, play a game matching the signs and names.

La Eucaristía

Análisis ¿Cuáles son los fundamentos de la vida cristiana?

Jesús comía a menudo con sus amigos. La noche antes de su muerte, cenó con sus Apóstoles y les pidió que lo recordaran siempre.

✝ LA SAGRADA ESCRITURA — Lucas 22, 17–20

La Última Cena

Jesús recibió una copa, dio gracias y les dijo: "Tomen esto y repártanlo entre ustedes, porque les aseguro que ya no volveré a beber del jugo de la uva hasta que llegue el Reino de Dios". Después tomó pan y, dando gracias, lo partió y se lo dio diciendo: "Esto es mi cuerpo, que es entregado por ustedes. Hagan esto en memoria mía". Hizo lo mismo con la copa después de cenar, diciendo: "Esta copa es la alianza nueva sellada con mi sangre, que es derramada por ustedes".

Lucas 22, 17–20

La fracción del pan

Después de que Jesús resucitara de entre los muertos y volviera junto al Padre, sus discípulos se reunían todas las semanas para celebrar una comida especial. Llamaban a esta comida "la fracción del pan". Creían, como creen los católicos hoy en día, que Jesús estaba presente cuando partían juntos el pan. Actualmente, esta comida se conoce como la **Eucaristía** o la misa.

❓ **¿Cuándo recibiste por primera vez a Jesús en la Sagrada Comunión? Cuenta lo que recuerdes de aquel día.**

Eucharist

Jesus often ate meals with his friends. On the night before he died, Jesus shared a meal with his Apostles and asked them to remember him always.

✝ SCRIPTURE   Luke 22:17–20

The Last Supper

Then [Jesus] took a cup, gave thanks, and said, "Take this and share it among yourselves; for I tell you [that] from this time on I shall not drink of the fruit of the vine until the kingdom of God comes." Then he took the bread, said the blessing, broke it, and gave it to them, saying, "This is my body, which will be given for you; do this in memory of me." And likewise the cup after they had eaten, saying, "This cup is the new covenant in my blood, which will be shed for you."

Luke 22:17–20

Breaking of the Bread

After Jesus was raised from the dead and returned to the Father, his followers gathered weekly for a special meal. They called this meal the "breaking of the bread." They believed, as Catholics do today, that Jesus was present when they broke bread together. Today this meal is called the **Eucharist**, or Mass.

❓ **When did you first receive Jesus in Holy Communion? Tell what you remember about the day.**

La Eucaristía

La palabra *Eucaristía* significa "acción de gracias". Al comienzo de la Misa, pides el perdón de Dios por tus pecados. Tus pecados veniales quedan perdonados por tu participación en la Eucaristía. Escuchas la palabra de Dios y das gracias a Dios Padre por el gran don de su Hijo. Cuando recibes a Jesús en la Sagrada Comunión, te unes a los demás miembros del Cuerpo de Cristo.

Vivir la Eucaristía

Cuando Jesús dijo a sus Apóstoles "Hagan esto en memoria mía", no solo quería decir que debían partir juntos el pan. Quería decir que debían vivir como Él había vivido. Vivir la Eucaristía significa amar, aceptar y perdonar a los demás. Tú vives la Eucaristía cuando compartes lo que tienes con quienes lo necesitan.

? **¿De qué maneras puedes vivir la Eucaristía?**

Palabras† de fe

La **Eucaristía** es el sacramento por el cual los católicos se unen en la vida, la muerte y la Resurrección de Jesús.

Actividad Practica tu fe

Invitados a cenar   Piensa en las personas que te gustaría que te acompañaran a cenar en tu casa y escribe su nombre en las sillas. Escribe en el espacio de la mesa lo que podrías hacer para darles la bienvenida y mostrarles el amor de Jesús.

The Eucharist

The word *Eucharist* means "thanksgiving." At the beginning of Mass, you ask God's mercy because of your sins. Your venial sins can be forgiven through your celebration of the Eucharist. You listen to God's word. You thank God the Father for the great gift of his Son. When you receive Jesus in Holy Communion, you are united with the other members of the Body of Christ.

Words of Faith

Eucharist is the Sacrament through which Catholics are united with the life, death, and Resurrection of Jesus.

Living the Eucharist

When Jesus told the Apostles to "do this in memory of me," he did not mean only that they should break bread together. He meant that they should live their lives as he did. Living the Eucharist means loving, welcoming, and forgiving others. You live the Eucharist when you share with those who do not have what you do.

❓ **What are some ways that you can live the Eucharist?**

Activity Connect Your Faith

Dinner Guests Think of people you would like to have as company for dinner at your house, and write their names on the chairs. In the space on the table, write what you might do to welcome them and show them the love of Jesus.

367

Oración de agradecimiento

 Oremos

Reúnanse y comiencen con la señal de la cruz.

Lector: El Señor esté con vosotros.

Todos: **Y con tu espíritu.**

Lector: Levantemos el corazón.

Todos: **Lo tenemos levantado hacia el Señor.**

Lector: Demos gracias al Señor nuestro Dios.

Todos: **Es justo y necesario.**

Lector: Nos alegramos al darte gracias y alabarte porque nos amas.

Canten juntos.

Venimos a decir del misterio,
  y a partir el pan de vida,

Venimos a saber de nuestra eternidad.

"Song of the Body of Christ", © 1989, GIA Publications, Inc.

Lector: Porque nos amas, nos diste este gran mundo maravilloso.

Todos: *Canten juntos.*

Lector: Porque nos amas, enviaste a Jesús, tu Hijo, para que nos condujera a ti.

Todos: *Canten juntos.*

Líder: Oremos.

Inclinen la cabeza mientras el líder reza.

Todos: **Amén.**

Prayer of Thanks

Gather and begin with the Sign of the Cross.

Reader: The Lord be with you.

All: **And with your spirit.**

Reader: Lift up your hearts.

All: **We lift them up to the Lord.**

Reader: Let us give thanks to the Lord our God.

All: **It is right and just.**

Sing together.

We come to share our story,
   we come to break the bread,
We come to know our rising from the dead.

"Song of the Body of Christ" © 2001, GIA Publications, Inc.

Reader: Because you love us, you gave us this
            great and beautiful world.

All: *Sing refrain.*

Reader: Because you love us,
            you sent Jesus your
            Son to bring us to you.

All: *Sing refrain.*

Leader: Let us pray.
            *Bow your heads as the
            leader prays.*

All: **Amen.**

369

Repasar y aplicar

A **Comprueba lo que aprendiste**   Encierra en un círculo la palabra Verdadero si el enunciado es verdadero y la palabra Falso si el enunciado es falso. Corrige los enunciados falsos.

1. Hay ocho sacramentos.

   Verdadero Falso _____

2. Jesús está presente en todos los sacramentos.

   Verdadero Falso _____

3. Los primeros cristianos no celebraban la Eucaristía.

   Verdadero Falso _____

4. La Eucaristía significa "acción de gracias".

   Verdadero Falso _____

5. Cuando vives la Eucaristía continúas la obra de Jesús en el mundo.

   Verdadero Falso _____

B **Relaciona**   ¿Por qué los sacramentos se conocen como acciones de salvación?

_____

_____

_____

_____

_____

Actividad vive tu fe

Haz un cartel de la Eucaristía   Haz un cartel y colócalo en el tablero de anuncios de tu parroquia para que los fieles lo vean cuando vayan a Misa.

• Titula el cartel "Vivir la Eucaristía".

• Dibuja en el cartel diferentes formas de vivir la Eucaristía.

Review and Apply

A **Check Understanding** Circle True if a statement is true, and circle False if a statement is false. Correct any false statements.

1. There are eight Sacraments.

   True   False _____

2. Jesus is present in all of the Sacraments.

   True   False _____

3. The early Christians did not celebrate the Eucharist.

   True   False _____

4. Eucharist means "thanksgiving."

   True   False _____

5. When you live the Eucharist, you continue Jesus' work in the world.

   True   False _____

B **Make Connections**   Why are the Sacraments called saving actions?

_____

_____

_____

_____

_____

Activity Live Your Faith

Make a Eucharist Poster   Create a poster for your parish bulletin board for people to see as they come to Mass.

• Title the poster "Living the Eucharist."

• On the poster, draw several ways people can live the Eucharist.

La fe en familia

◎ Lo que creemos

- **Los siete sacramentos son signos instituidos por Cristo que conceden la gracia.**

- **El sacramento de la Eucaristía es el corazón de la vida cristiana.**

✝ LA SAGRADA ESCRITURA

Lee el *Salmo 107* como forma de agradecer a Dios sus bendiciones.

APRENDE en línea Visita **www.osvcurriculum.com** para encontrar recursos basados en el año litúrgico y lecturas semanales de la Sagrada Escritura.

Actividad

vive tu fe

Haz una lista de agradecimiento En la plegaria eucarística, escuchas las palabras "Levantemos el corazón" y "Demos gracias al Señor nuestro Dios". Haz una lista de cosas por las que deseas dar gracias a Dios. Recuerda estas cosas la próxima vez que participes en la Eucaristía.

Siervos de la fe

▲ Santa Margarita María Alacoque 1647–1690

Margarita María Alacoque nació en Francia, en el seno de una familia campesina. Entró en un convento y comenzó a llevar una profunda vida de oración. Tuvo varias visiones en las que Jesús le habló de su corazón lleno de amor. A causa de su inspiración, se desarrolló y creció en la Iglesia la devoción al Sagrado Corazón de Jesús, que incluye participar en la Misa y recibir la Eucaristía el primer viernes de cada mes. El día de Santa Margarita María se celebra el 16 de octubre.

🙌 Una oración en familia

Santa Margarita María Alacoque, ruega por nosotros para que profundicemos en nuestras vidas de oración y en nuestra devoción a la Eucaristía. Amén.

Family Faith

Catholics Believe

- The seven Sacraments are signs, instituted by Christ, that give grace.

- The Sacrament of the Eucharist is at the heart of Christian life.

✝ SCRIPTURE

Read *Psalm 107* as a way to give thanks to God for his blessings.

GO online **www.osvcurriculum.com**
For weekly scripture readings and seasonal resources

Activity

Live Your Faith

Create a Thank-you List In the Eucharistic Prayer you hear the words "Lift up your hearts" and "Let us give thanks to the Lord our God." Make a list of things for which you offer thanks to God. Remember these things the next time you participate in the Eucharist.

▲ Saint Margaret Mary Alacoque 1647–1690

People of Faith

Margaret Mary Alacoque was born into a peasant family in France. When she joined a convent, Margaret Mary developed a deep prayer life. She had several visions in which Jesus told her about his loving heart. Devotion to the Sacred Heart of Jesus, which includes participating in Mass and receiving the Eucharist on the first Friday of each month, developed and grew in the Church because of her inspiration. Her feast day is October 16.

Family Prayer

Saint Margaret Mary Alacoque, pray for us that we may deepen our prayer lives and our devotion to the Eucharist. Amen.

CCC *See Catechism of the Catholic Church 1210, 1407 for further reading on chapter content.*

Capítulo 18 Curación y Reconciliación

Oremos

Líder: Dios, acompáñanos cuando oramos.
"Acuérdate que has sido compasivo
y generoso desde toda la eternidad".

Salmo 25, 6

Todos: Dios, acompáñanos cuando oramos. Amén.

Actividad — Comencemos

Perdonar ¿Cómo completarías los siguientes enunciados?

• Es fácil perdonar cuando…

• Es difícil perdonar cuando…

• Yo siempre puedo perdonar…

• Cuando perdono, …

• Cuando soy perdonado, …

Chapter 18 Healing and Reconciliation

Let Us Pray

Leader: Merciful God, be always with us as we pray.

"Remember your compassion and love,
O LORD;
for they are ages old."

Psalm 25:6

All: Merciful God, be always with us as we pray. Amen.

Activity Let's Begin

Forgiveness How would you complete these sentences?

• Forgiveness is easy when . . .

• Forgiveness is difficult when . . .

• I can always forgive . . .

• When I forgive, I . . .

• When I am forgiven, I . . .

El perdón de Dios

Análisis ¿Quién es perdonado?

Jesús mostró el perdón de Dios a los demás a través de sus palabras y acciones. En este relato, Jesús conoce a un rico recaudador de impuestos que decide seguirlo.

LA SAGRADA ESCRITURA   Lucas 19, 1–10

El relato de Zaqueo

Un día Jesús pasaba por la ciudad de Jericó. Zaqueo, un rico recaudador de impuestos, quería ver a Jesús y saber acerca de Él. Como Zaqueo era de poca altura, se subió a un árbol para ver por encima de la multitud.

Jesús vio a Zaqueo en el árbol. Le dijo: "Zaqueo, baja en seguida, pues hoy tengo que quedarme en tu casa". Zaqueo bajó contento.

La multitud se quejó, diciendo que Jesús no debía quedarse con Zaqueo, porque Zaqueo era un pecador.

Zaqueo le dijo a Jesús que daría dinero a los pobres. Se ofreció a dar a todas las personas a las que había engañado cuatro veces más de lo que les debía.

"Hoy ha llegado la salvación a esta casa", dijo Jesús.

"Porque el Hijo del Hombre ha venido a buscar y a salvar lo que estaba perdido".

Basado en *Lucas* 19, 1–10

❓ ¿Quién es la persona que más te ha enseñado sobre el perdón? ¿Qué te dijo o qué hizo esa persona?

God's Forgiveness

 Focus Who is forgiven?

Jesus showed God's forgiveness to others through his words and actions. In this story, Jesus meets a wealthy tax collector who decides to become his follower.

✝ SCRIPTURE   Luke 19:1–10

The Story of Zacchaeus

One day Jesus was passing through the town of Jericho. Zacchaeus, a rich tax collector, wanted to see Jesus and learn about him. Zacchaeus was short, so he climbed a tree to see past the crowd.

Jesus noticed Zacchaeus in the tree. He said, "Zacchaeus, come down quickly, for today I must stay at your house." Zacchaeus came down happily.

The crowd complained, saying that Jesus should not stay with Zacchaeus because Zacchaeus was a sinner.

Zacchaeus told Jesus that he would give money to those who were poor. He offered to give anyone he had cheated four times the amount of money that he owed to that person.

"Today salvation has come to this house," said Jesus. "For the Son of Man has come to seek and to save what was lost."

Based on *Luke 19:1–10*

❓ **Who has taught you the most about forgiveness? What did the person or persons say or do?**

377

Volver a Dios

Dios está siempre esperando, dispuesto a perdonar. Cuando decides alejarte del pecado y volver a Dios, experimentas la conversión. Dios te da la bienvenida, de la misma manera que Jesús dio la bienvenida a Zaqueo.

A lo largo de su vida, Jesús perdonó a muchas personas en el nombre de su Padre. Después de su Resurrección, Jesús les dijo a sus discípulos que les enviaría al Espíritu Santo, que les daría el poder de perdonar los pecados. Actualmente, la Iglesia continúa celebrando el perdón de Dios con el **sacramento de la Reconciliación**, que también se conoce como Penitencia o Confesión. En este sacramento recibes el perdón de Dios por tus pecados a través de la Iglesia. La gracia de este sacramento te fortalece para hacer las paces con aquellos a los que puedes haber herido.

Palabras† de fe

El **sacramento de la Reconciliación** celebra la misericordia y el perdón de Dios, y la reconciliación de un pecador con Dios y con la Iglesia por medio de la absolución que le da el sacerdote.

Actividad — Comparte tu fe

Reflexiona: Piensa en alguna persona que te haya perdonado. ¿Por qué necesitabas el perdón?

Comunica: En grupos, comenten sobre las maneras de mostrar que están arrepentidos y de hacer las paces con los demás.

Actúa: Menciona dos maneras en las que puedes estar más dispuesto a perdonar a los demás.

_____

_____

Turn to God

God is always ready and waiting to forgive. When you decide to turn away from sin and turn back toward God, you are experiencing conversion. God welcomes you back, just as Jesus welcomed Zacchaeus.

During his life Jesus forgave many people in his Father's name. After his Resurrection, Jesus told his disciples that he would send the Holy Spirit, who would give them the power to forgive sins. Today the Church continues to celebrate God's forgiveness in the **Sacrament of Reconciliation**. Sometimes this is called Penance or Confession. In this Sacrament, you receive God's forgiveness of sins through the Church. The grace of this Sacrament strengthens you to make peace with those whom you may have hurt.

Words of Faith

The **Sacrament of Reconciliation** celebrates God's mercy and forgiveness and a sinner's reconciliation with God and with the Church through the absolution of the priest.

Activity — Share Your Faith

Reflect: Think of someone who has forgiven you. Why did you need forgiveness?

Share: In groups discuss ways to show you are sorry and make peace with others.

Act: List two ways that you can be more forgiving of others.

_____

_____

Los sacramentos de Curación

 **Análisis** ¿Cómo celebra la Iglesia el perdón y la curación?

Celebrar el sacramento de la Reconciliación es un signo público de que quieres alejarte del pecado y volver al amor de Dios y de la comunidad. Cuando confiesas tus pecados al sacerdote, pides el perdón de Dios por el poder que el Espíritu Santo otorga a la Iglesia. Dios perdonará todos tus pecados, incluso los pecados mortales, si estás verdaderamente arrepentido y quieres cambiar. Cuando el sacerdote pronuncia las palabras de la **absolución**, sabes que Dios ha borrado tus pecados.

 ¿Por qué es importante celebrar el sacramento de la Reconciliación?

Reparar el daño

Dios perdona tus pecados, pero los efectos del pecado permanecen en el mundo. Debes hacer lo posible para reparar el daño que causó tu pecado. Llevar a cabo la **penitencia** que el sacerdote te impone es una manera de enmendar tu pecado.

The Sacraments of Healing

Celebrating the Sacrament of Reconciliation is a public sign that you are willing to turn away from sin and toward the love of God and the community. When you confess your sins to a priest, you ask for God's forgiveness through the power the Holy Spirit gives to the Church. God will forgive all sins, even mortal sins, if you are truly sorry and want to change your heart. When the priest says the words of **absolution**, you know that God has taken your sins away.

❓ Why is it important to celebrate the Sacrament of Reconciliation?

Repairing the Harm

God forgives your sins, but the effects of your sins are still in the world. You must do what you can to repair the harm your sin has caused. Part of making up for your sin is to do the **penance** that the priest gives you.

El amor de Dios nos cura

Actualmente, la Iglesia unge a los enfermos o moribundos por medio del **sacramento de la Unción de los enfermos** . Este sacramento fortalece a los que lo celebran y les recuerda que el amor de Dios cura. El amor y el perdón de Dios están al alcance de todos los que depositan su fe en Él.

En tiempos de Jesús, la gente pensaba que la enfermedad era un castigo de Dios por el pecado de alguien, pero Jesús enseñó un mensaje diferente.

Palabras† de fe

Las palabras de la **absolución** son pronunciadas por el sacerdote durante el sacramento de la Reconciliación.

La **penitencia** es el nombre con que se conocen las oraciones, las ofrendas o las buenas obras que el sacerdote te impone en el sacramento de la Reconciliación.

El **sacramento de la Unción de los enfermos** lleva el don curativo de Jesús a los que están gravemente enfermos o cercanos a la muerte para fortalecerlos, consolarlos y perdonar sus pecados.

✝ **LA SAGRADA ESCRITURA** **Juan 9, 1–38**

El ciego de nacimiento

Un día Jesús vio a un hombre que era ciego de nacimiento. Sus discípulos le preguntaron: "¿Por qué es ciego este hombre? ¿Es a causa de su pecado o del de sus padres?".

Jesús contestó: "Esta cosa no es por haber pecado él o sus padres, sino para que unas obras de Dios se hagan en él, y en forma clarísima".

Jesús untó arcilla sobre los ojos del hombre y le dijo que fuera a cierto lugar a lavarse. Cuando el hombre lo hizo, ¡empezó a ver!

Muchas personas no creyeron que Jesús había hecho aquello. Cuando el hombre regresó, Jesús le preguntó: "¿Tú crees en el Hijo del Hombre?... Tú lo has visto, y es el que está hablando contigo".

El hombre contestó: "Creo, Señor".

Basado en *Juan 9, 1–38*

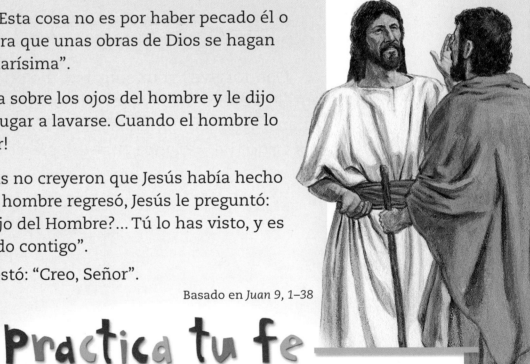

Actividad **Practica tu fe**

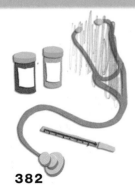

Reflexiona acerca de la curación En el espacio a continuación, escribe una enfermedad que tú o alguien que conoces haya tenido. Después añade las personas y los medicamentos u otras cosas que Dios haya dado para la curación.

_____

_____

God's Healing Love

Today the Church anoints the sick or dying through the **Sacrament of the Anointing of the Sick**. This Sacrament strengthens those who celebrate it and reminds them of God's healing love. God's love and forgiveness are available to all who turn to him.

In Jesus' time, people thought that sickness was God's punishment for someone's sin. But Jesus taught a different message.

Words of **absolution** are spoken by the priest during the Sacrament of Reconciliation.

Penance is the name for the prayer, offering, or good works the priest gives you in the Sacrament of Reconciliation.

The **Sacrament of the Anointing of the Sick** brings Jesus' healing touch to strengthen, comfort, and forgive the sins of those who are seriously ill or close to death.

✝ SCRIPTURE   John 9:1–38

The Man Born Blind

One day Jesus saw a man who had been blind from birth. His disciples asked him, "Why is this man blind? Is it because of his own sin or that of his parents?"

Jesus answered, "Neither he nor his parents sinned; it is so that the works of God might be made more visible through him."

Jesus rubbed clay on the man's eyes and told him to go to a certain place and wash it off. When the man did, he could see!

Many did not believe that Jesus had done this. When the man came back, Jesus asked the man, "Do you believe in the Son of Man? . . . You have seen him and the one speaking with you is he."

The man answered, "I do believe, Lord."

Based on *John 9:1–38*

Activity — Connect Your Faith

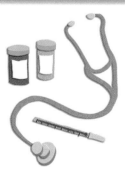

Think About Healing   In the space below, name an illness that you've had or that someone you know has had. Then add the people and medicines or other things God has provided for healing.

_____

_____

Oración por la paz

Oremos

Reúnanse y comiencen con la señal de la cruz.

Lector 1: Padre misericordioso, estamos unidos en la tierra, solos en el universo.

Todos: **Concédenos la paz, Señor.**

Lector 2: Míranos y ayúdanos a amarnos los unos a los otros. Enséñanos a entendernos los unos a los otros, como tú nos entiendes.

Todos: **Concédenos la paz, Señor.**

Lector 3: Haz que nuestras almas sean frescas como la mañana. Haz que nuestros corazones sean tan inocentes como el de un bebé.

Todos: **Concédenos la paz, Señor.**

Lector 4: Que nos perdonemos los unos a los otros y olvidemos el pasado. Y que la paz sea con nosotros y con nuestro mundo, ahora y siempre.

Todos: **Concédenos la paz, Señor.**

Líder: Oremos.

Inclinen la cabeza mientras el líder reza.

Todos: **Amén.**

Canten juntos.

Vayan en paz.
Vayan en paz.

Que el amor de Dios
los cubra, dondequiera,
dondequiera que vayan.

"Go Now in Peace" ©1976 Hinshaw Music, Inc.

Prayer for Peace

Let Us Pray

Gather and begin with the Sign of the Cross.

Reader 1: Merciful Father, we are together on earth, alone in the universe.

All: **Grant us peace, Lord.**

Reader 2: Look at us and help us love one another. Teach us to understand one another, just as you understand us.

All: **Grant us peace, Lord.**

Reader 3: Make our souls as fresh as the morning. Make our hearts as innocent as a baby's.

All: **Grant us peace, Lord.**

Reader 4: May we forgive one another and forget the past. And may we have peace within—and in our world today and forever.

All: **Grant us peace, Lord.**

Leader: Let us pray.

Bow your heads as the leader prays.

All: **Amen.**

Sing together.

Go now in peace.
Go now in peace.
May the love of God
surround you ev'rywhere,
ev'rywhere you may go.

"Go Now in Peace" ©1976 Hinshaw Music, Inc.

Repasar y aplicar

Repasar y aplicar Utiliza las pistas para resolver el crucigrama.

Vertical

1. Recibir a alguien que ha cometido una falta.

2. Te separan de Dios y de los demás.

3. Otro nombre con que se conoce la Reconciliación.

4. Cuando dices al sacerdote tus pecados, en verdad estás _____ con Dios.

5. Se da a los que están muy enfermos o moribundos.

Horizontal

6. El sacramento que celebra el perdón de Dios de los pecados.

7. _____ siempre está dispuesto a perdonarte.

8. Te ayuda a enmendar tus pecados.

9. Decisión de alejarse del pecado y volver a Dios.

10. Cuando el sacerdote dice estas palabras, tú sabes que Dios ha borrado tus pecados.

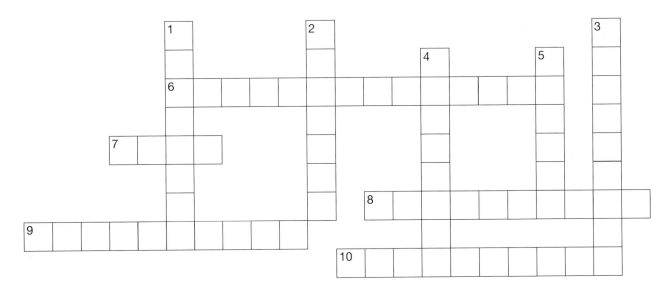

Actividad vive tu fe

Comunica el perdón Piensa en un amigo o familiar que necesite escuchar de ti un mensaje de perdón. Dibuja una tarjeta con un mensaje escrito y entrégasela a esa persona.

Review and Apply

Work with Words   Use the clues to solve the puzzle.

Down

1. Welcoming someone back after a wrong has been done

2. These separate you from God and others.

3. This is done for those who are very sick or dying.

5. When you tell the priest your sins, you are really _____ to God.

Across

4. The Sacrament that celebrates God's forgiveness of sins

6. When the priest says this, you know that God has taken your sins away.

7. Deciding to turn away from sin and turn back to God

8. This helps you make up for your sins.

9. _____ is always ready to forgive you.

10. Another name for Reconciliation

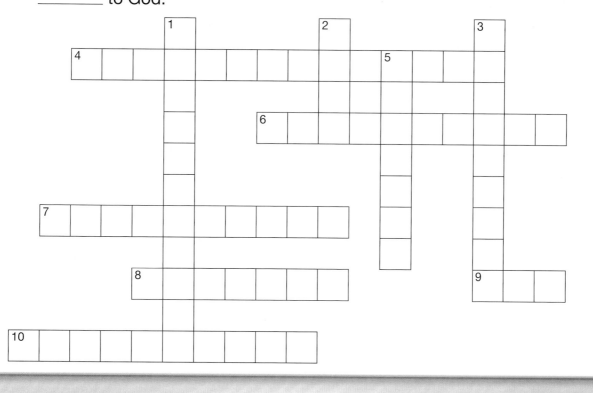

Activity   Live Your Faith

Share Forgiveness   Think of a friend or family member who needs to hear a message of forgiveness from you. Create a card with a handwritten message, and deliver it to that person.

La fe en familia

Lo que creemos

- El perdón de Dios se ofrece a todos los que lo piden.

- Los sacramentos de la Penitencia y la Reconciliación y de la Unción de los enfermos celebran el amor de Dios que cura.

✝ LA SAGRADA ESCRITURA

Lee *Mateo 18, 21–35* para aprender de Jesús cómo debemos perdonar.

APRENDE en línea Visita **www.osvcurriculum.com** para encontrar recursos basados en el año litúrgico y lecturas semanales de la Sagrada Escritura.

Actividad

vive tu fe

El juego del ovillo Reúne a tu familia y formen un círculo. Sostén un extremo de un ovillo de lana con una mano y el ovillo con la otra. Sin soltar el extremo, lánzale el ovillo a otra persona. Dile a esa persona que estás arrepentido por algo que le hiciste. Luego esa persona repite la acción con otro miembro de la familia. Repitan el proceso hasta que hayan tejido una red de perdón con el ovillo. Recen juntos el Acto de contrición.

Siervos de la fe

Matt Talbot nació en Dublín, Irlanda, en una familia pobre. Cuando se hizo mayor, tuvo problemas con la bebida. Después de haber estado sumergido en la bebida durante años, Matt decidió dejar de tomar. Había lastimado y defraudado a muchos de sus amigos y familiares, pero les pidió perdón. Oró e hizo sacrificios personales, como dar la mayor parte de su sueldo de obrero a los pobres y hambrientos. Así, Matt mejoró su vida y la de muchas otras personas.

▲ El venerable Matt Talbot 1856–1925

Una oración en familia

Dios, danos la gracia de superar nuestros defectos, y enséñanos a sacrificarnos como hizo Matt Talbot. Amén.

CIC *Consulta el Catecismo de la Iglesia Católica, números 1420, 1421, 1489 y 1490, para obtener más información sobre el contenido del capítulo.*

Family Faith

Catholics Believe

- God's forgiveness is offered to all who seek it.

- The Sacraments of Reconciliation and the Anointing of the Sick celebrate God's healing love.

✝ SCRIPTURE

Read *Matthew 18:21–35* to learn from Jesus how we should forgive.

GO online **www.osvcurriculum.com**
For weekly scripture readings and seasonal resources

Activity

Live Your Faith

Play the Yarn Game Gather your family in a circle with a ball of yarn. Hold the end of the yarn in one hand and the ball in the other. Hold your end of the yarn and toss the ball to another person. Tell that person you are sorry for something that you did to him or her. Then that person repeats the action with someone else. Repeat the process until you weave a web of forgiveness with the yarn. Pray the Act of Contrition together.

People of Faith

▲ Venerable
Matt Talbot
1856–1925

Matt Talbot was born in Dublin, Ireland, to a family that was poor. As he grew up he developed a drinking problem. After years of heavy drinking, Matt decided to become sober. He had hurt and disappointed many of his friends and family members, but he asked their forgiveness. He prayed and practiced self-sacrifice. Matt gave most of his lumberyard wages to people who were poor or hungry. He made a better life for himself and many other people.

Family Prayer

O God, give us the grace to overcome our shortcomings, and teach us to be self-sacrificing, as Matt Talbot was. Amen.

In Unit 6 your child is learning about SACRAMENTS.

CCC *See Catechism of the Catholic Church 1420–1421, 1489–1490 for further reading on chapter content.*

A **Trabaja con palabras** Completa cada enunciado con la palabra correcta. Luego, busca la palabra en la sopa de letras.

```
k c a i c n e t i n e p o q r o
i z b l l s t n u m n w r c a c
i e y w e m e m a n t s d n e i
e e l a u c s a p o u d i r t g
f u s n c h o t s e l r a n y r
o c k o a j l o e p g t n o l ú
p s a c r a m e n t o s r r a t
k h z a i n t i c i n g y d c i
l a u c s a p o i r e t s i m l
b r n n t l e i a s m w a n g o
m i c t í i j r r t c h d a r ñ
z s i i a l a h y e s s a r u a
k t ó p e r d ó n n r r h i t p
x k n n a k s v t ó r k s o i e
k n ó i c a i l i c n o c e r s
```

1. El sacramento de la _____ te fortalece para hacer las paces con aquellos a quienes pudiste haber herido.

2. El sacerdote da la absolución para comunicar el _____ de Dios.

3. En el sacramento de la _____ de los enfermos, el don curativo de Jesús fortalece a aquellos que están gravemente enfermos y perdona sus pecados.

4. La _____ es el sacramento por medio del cual los cristianos se unen a la vida, la muerte y la Resurrección de Jesús.

5. El ciclo de las fiestas y los tiempos de la Iglesia es el _____.

6. A través del _____ Jesús nos salva del pecado y de la muerte.

7. La _____ es una oración o acción que el sacerdote te impone para ayudarte a reparar los efectos de tus pecados.

8 Los _____ son signos que conceden la gracia.

9. El _____ celebra la Pasión, la muerte y la Resurrección de Cristo.

10. El tiempo _____ es uno de los tiempos del año litúrgico.

UNIT 6 REVIEW

A **Work with Words**   Complete each sentence with the correct word. Then find the word in the word search.

```
k  c  b  l  y  e  c  n  a  n  e  p  o  q  r
i  z  y  w  g  n  n  s  t  m  n  w  r  c  a
t  e  s  a  c  r  a  m  e  n  t  s  d  n  e
e  e  k  n  d  i  m  h  o  t  l  r  i  n  y
f  u  z  o  r  e  s  j  l  o  g  t  n  k  l
o  c  b  a  n  o  i  n  t  i  n  g  a  i  a
p  h  u  n  c  z  o  l  e  i  e  w  r  c  c
k  a  q  i  z  i  f  i  j  r  m  h  y  d  i
y  r  e  t  s  y  m  l  a  h  c  s  a  p  g
b  i  z  n  n  x  y  k  s  v  s  r  d  g  r
m  s  z  g  f  a  d  t  w  b  r  k  a  n  u
z  t  n  i  x  m  u  u  d  i  r  t  h  p  t
k  k  z  f  o  r  g  i  v  e  n  e  s  s  i
x  a  w  e  o  x  s  i  b  j  k  e  f  g  l
k  n  o  i  t  a  i  l  i  c  n  o  c  e  r
```

1. The Sacrament of _____ strengthens you to make peace with those whom you may have hurt.

2. Absolution is spoken by a priest to communicate God's _____.

3. Jesus' healing touch strengthens and forgives the sins of those who are seriously ill in the Sacrament of the _____ of the Sick.

4. _____ is the Sacrament through which Christians are united with the life, death, and Resurrection of Jesus.

5. The cycle of the Church's feasts and seasons is the _____.

6. Through the _____ Jesus saves us from sin and death.

7. _____ is a prayer or action the priest gives you to help you make up for the effects of your sins.

8. The _____ are signs that give grace.

9. The _____ celebrates the Passion, death, and Resurrection of Christ.

10. _____ Time is a season of the Church year.

UNIDAD 7

El Reino

 ¿Qué crees que vas a aprender en esta unidad acerca de ser juzgados por el amor?

UNIT 7
The Kingdom of God

Chapter 19 **A Generous Spirit**

*What does it mean to have
a generous spirit?*

Chapter 20 **The Church in the World**

*What is the mission of the
universal Church?*

Chapter 21 **I Want to See God**

When will you see God?

 What do you think you will learn in this
unit about being judged on love?

Capítulo 19 Un espíritu generoso

 **Oremos**

Líder: Dios, tu espíritu generoso asombra a todos tus hijos.

"Dios se porta muy bien con Israel
con los que tienen puro el corazón".

Salmo 73, 1

Todos: Dios, tu espíritu generoso asombra a todos tus hijos.
Amén.

Actividad Comencemos

El obsequio Algunos indígenas tienen una costumbre llamada *el obsequio*. En vez de recibir regalos, la persona que celebra su cumpleaños piensa en alguna de sus pertenencias que otra persona haya admirado durante el año, y se la regala. Los indígenas dicen que esta costumbre los ayuda a mostrar su agradecimiento por los dones de la vida y de la buena suerte.

• ¿Posees algo que alguien haya admirado?

• ¿Te resultaría difícil regalar ese objeto? ¿Por qué?

19 A Generous Spirit

Let Us Pray

Leader: Kindly God, your generous spirit amazes all your children.
"How good God is to the upright,
the Lord, to those who are clean of heart!"

Psalm 73:1

All: Kindly God, your generous spirit amazes all your children.
Amen.

Activity — Let's Begin

The Giveaway Some Native Americans have a custom called *giveaway*. Instead of receiving gifts on his or her birthday, a person thinks of some personal possession that someone else has admired during the year. Then the person celebrating the birthday gives that possession to the person who has admired it. Native Americans say that this custom helps them show how grateful they are for the gifts of life and good fortune.

• What do you own that someone else has admired?

• How difficult would it be for you to give that possession away? Why?

Ambición de riquezas

Análisis ¿Qué quiere Jesús que sepas acerca de las riquezas?

Muchas culturas tienen relatos que tratan acerca del exceso de riquezas. Este es un relato de la antigua Grecia.

UN RELATO

EL REY MIDAS

Hace mucho tiempo, vivía en Grecia un rey llamado Midas. Un día, un anciano entró en el jardín de rosas del rey. Midas les pidió a sus sirvientes que le dieran de comer y lo cuidaran.

Midas acompañó al anciano de regreso a su casa. El dios Baco se complació de ver cómo Midas había tratado al hombre, y le concedió un deseo. Midas pidió que todo lo que tocara se convirtiera en oro. ¡Y el deseo le fue concedido!

Cuando llegó a su palacio, Midas ordenó un banquete para celebrar su buena suerte. Pero cuando intentó comer, se dio cuenta de que toda la comida que tocaba se convertía en oro. Muy pronto, Midas comenzó a tener hambre y sed, y se lamentó ante su hija. Pero cuando la hija de Midas abrazó a su padre para consolarlo, ¡también ella se convirtió en oro!

? **¿Qué puedes aprender del relato de Midas?**

Desire for Riches

 **Focus** What does Jesus want you to know about riches?

Many cultures have stories that explore how much is too much. Here is one from ancient Greece.

A STORY

KING MIDAS

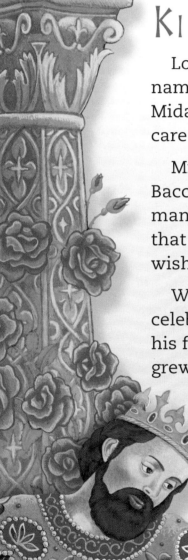

Long ago and far away there lived in Greece a king named Midas. One day an old man wandered into King Midas's rose garden. Midas had his servants feed and care for the man.

Midas escorted the old man back to his home. The god Bacchus was pleased with the care Midas had given the man. Bacchus granted Midas one wish. Midas wished that everything he touched would turn to gold. And his wish was granted!

When he reached his palace, Midas ordered a feast to celebrate his good fortune. But when Midas tried to eat, his food turned to gold when he touched it. Midas soon grew hungry and thirsty, and he complained to his daughter. But when Midas's daughter hugged her father to console him, she also turned to gold!

❷ **What can you learn from the story of Midas?**

El espíritu del pobre

El rey Midas no era una mala persona. Sin embargo, no pensó en las consecuencias de su deseo. Por dar prioridad a su ambición de riquezas, se perjudicó a sí mismo y a los demás.

Todo lo que Dios hizo es bueno. Las personas son buenas. Las cosas que las personas crean con amor y con cariño son buenas. Pero Jesús enseñó que los bienes materiales no son lo más importante. ¿Recuerdas el relato de Mateo 19, 16–22 sobre el joven rico? Jesús lo amaba y quería que fuera feliz.

? **¿Qué acto de fe le pidió Jesús al joven rico?**

Lo primero es lo primero

A veces las personas necesitan dejar atrás los bienes materiales para poder dedicar más tiempo y energía a hacer el bien. Los Apóstoles dejaron sus casas, sus familias y sus empleos para seguir a Jesús y ayudarlo a difundir la Palabra de Dios.

La primera bienaventuranza dice: "Felices los que tienen el espíritu del pobre, porque de ellos es el Reino de los Cielos" (*Mateo 5, 3*). Quienes no están demasiado apegados a sus bienes materiales son capaces de trabajar por el amor y por la paz en el mundo, y de ayudar a hacer realidad el Reino de Dios.

Actividad — Comparte tu fe

Reflexiona: Piensa en buenas y malas decisiones que podrías tomar en las siguientes situaciones:

- Un videojuego que te gusta mucho está en una mesa afuera en una venta callejera.
- Otra persona gana un premio que tú querías.

Comunica: En un grupo pequeño, representa una de estas situaciones, mostrando cómo podrías tomar una buena decisión.

Actúa: Escribe lo que harías para tomar una buena decisión en otra situación. ¿Por qué sería esa una buena decisión?

Poor in Spirit

King Midas did not think of the consequences of his wish. Because Midas put his desire for riches first, he hurt himself and others.

Everything that God made is good. People are good. The things that people create with love and care are good. But Jesus taught that possessions are not the most important things. Do you remember the story found in *Matthew 19:16–22* about the rich young man? Jesus loved him and wanted him to be happy.

❓ **What did Jesus tell the rich young man to do?**

First Things First

Sometimes people need to leave behind their material possessions in order to have the time and energy to do good. The Apostles left their homes, families, and jobs in order to follow Jesus and help him spread God's word.

The first beatitude says, "Blessed are the poor in spirit, for theirs is the kingdom of heaven" (*Matthew 5:3*). Those who do not become too attached to their possessions are able to work for love and peace in the world and help bring about God's kingdom.

Activity Share Your Faith

Reflect: Think about right and wrong choices for the following situations.

- A video game that you want is on an outdoor table during a sidewalk sale.
- Someone else wins an award that you wanted.

Share: In a small group, role-play one of these situations, showing how you could make a good choice.

Act: Write what you would do to make a good choice in the other situation. Why would this be a good choice?

Vivir una vida generosa

Análisis ¿Qué te enseñan los mandamientos séptimo y décimo?

Hay dos mandamientos que te ayudan a tener la actitud correcta frente a los bienes materiales. El séptimo mandamiento dice: No robarás. El décimo mandamiento dice: No codiciarás los bienes ajenos.

El robo, la avaricia y la envidia son pecados contra los mandamientos séptimo y décimo. Robar es tomar algo que no es tuyo. Cuando tienes envidia, sientes rencor o tristeza porque otra persona tiene algo que tú deseas mucho. La envidia daña el Cuerpo de Cristo, porque divide al Pueblo de Dios en vez de unir a todas las personas. La avaricia es el deseo de obtener bienes terrenales sin preocuparse por lo que es razonable o correcto.

Un corazón abierto

La humildad, el espíritu de generosidad y la confianza en el cuidado que Dios tiene de nosotros pueden ayudarnos a superar la envidia y la avaricia. Si estás contento con lo que has recibido, puedes alegrarte por el bien de los demás. Normalmente, preocuparse demasiado por las cosas materiales ocasiona infelicidad y desilusión.

Debido a que todo viene de Dios, todas las personas tienen derecho a contar con lo necesario para vivir con comodidad. Como miembro del Cuerpo de Cristo, tú estás llamado a compartir tus bienes con los demás, especialmente con los que no tienen alimento, hogar o ropa.

❓ **¿De qué maneras están tentados los niños de tu edad a ser envidiosos o avariciosos?**

RECOLECTA DE JUGUETES NAVIDEÑOS

400

Living a Generous Life

Focus What do the seventh and tenth commandments teach you?

There are two commandments that help you have the right attitude about material possessions. The seventh commandment says this: You shall not steal. The tenth commandment says this: You shall not covet your neighbor's goods.

Theft, greed, and envy are all sins against the seventh and tenth commandments. Theft is taking what is not yours. When you have **envy**, you resent or are sad because someone else possesses something that you really want. Envy harms the Body of Christ because it divides God's people rather than bringing everyone together. **Greed** is the desire to gain earthly possessions without concern for what is reasonable or right.

An Open Heart

Humility, a spirit of generosity, and trust in God's care can help overcome envy and greed. If you are happy with what you have received, then you can be happy for the good fortune of others. Caring too much for things usually brings unhappiness and disappointment.

Because everything comes from God, all people have a right to what they need to live comfortably. As a member of the Body of Christ, you are called to share your possessions with others, especially those who do not have food, shelter, or decent clothing.

❓ **In what ways are people your age tempted to be envious or greedy?**

Llamados a administrar

Los mandamientos séptimo y décimo te piden que seas generoso con los demás. Ser generoso significa dar más de lo necesario.

Dios creó el mundo para todas las criaturas, y llamó a los seres humanos a administrar la creación. Como administradoras o cuidadoras, las personas están llamadas a cuidar los recursos naturales y a proteger el medio ambiente para todos los habitantes de la Tierra, tanto en el presente como en el futuro. También están llamadas a respetar toda la vida como un don de Dios y a brindar su tiempo, su dinero y sus talentos para ayudar a los demás.

Palabras† de fe

La **envidia** es el entimiento de rencor o tristeza por querer para ti lo que pertenece a otros. La **avaricia** es el deseo de obtener bienes terrenales en cantidades ilimitadas o más allá de las propias posibilidades.

✝ LA SAGRADA ESCRITURA   Marcos 12, 41–44

La limosna de la viuda

Jesús observaba a las personas que depositaban dinero en el tesoro del templo. Pasaban ricos que daban mucho dinero. Una viuda pobre depositó dos moneditas, que no valían más que unos pocos centavos. Jesús dijo a sus discípulos: "Yo les aseguro que esta viuda pobre ha dado más que todos los demás. Todos han dado lo que les sobraba, mientras que ella ha dado lo único que tenía".

Basado en *Marcos 12, 41–44*

❓ **¿En qué sentido dio la viuda más que todos los demás?**

❓ **¿Conoces a alguien que tenga un espíritu generoso?**

Actividad Practica tu fe

Sé un buen administrador Haz un diseño para un anuncio sobre la buena administración en el que tú o tu grupo estén brindando su tiempo, sus talentos o sus riquezas para el bien de los demás. Anima a otras personas de tu parroquia a compartir de manera similar.

Called to Stewardship

The seventh and tenth commandments require you to be generous with others. Being generous means giving more than is necessary.

God created the world for all creatures and called humans to stewardship. As stewards, or caretakers, people are called to use natural resources well and protect the environment for everyone now and in the future; to respect all life as a gift from God; and to share time, money, and talent to help others.

Words of Faith

To **envy** is to resent or be sad from wanting for yourself what belongs to others.

Greed is the desire to acquire earthly goods without limit or beyond one's means.

✚ SCRIPTURE   Mark 12:41–44

The Widow's Contribution

Jesus watched people put money into the temple treasury. Many rich people put in large sums of money. A poor widow put in two small coins worth only a few cents. Jesus said to his disciples, "I say to you, this poor widow put in more than all the others. They contributed their extra money, but the widow has given all she had."

Based on *Mark 12:41–44*

❓ **How did the widow contribute more than the rest?**

❓ **Who do you know who has a generous spirit?**

Activity — Connect Your Faith

Be a Good Steward Sketch a design for a stewardship ad that shows you or your group giving your time, talent, or treasure for the good of others. Encourage other people in your parish to share in similar ways.

403

Oración pidiendo ayuda

Oremos

Reúnanse y comiencen con la señal de la cruz.

Líder: Dios Padre nuestro, escucha nuestra oración. Ayúdanos a ver a tu Hijo en los demás.

Todos: **Para que podamos dar desinteresada y generosamente.**

Lector 1: Ayúdanos a apreciar lo que se nos ha dado.

Todos: **Para que podamos mostrar agradecimiento a los que han sido generosos con nosotros.**

Lector 2: Ayúdanos a alegrarnos cuando otros reciben regalos.

Todos: **Para que podamos ser buenos amigos suyos.**

Lector 3: Ayúdanos a recordar a los demás.

Todos: **Para que deseemos compartir nuestros bienes.**

Líder: Te pedimos que continúes guiándonos y amándonos en el nombre de Jesús por la gracia del Espíritu Santo.

Todos: **Amén.**

Canten juntos.

Por tu bendición,
por tu gran bondad
y por tu Palabra,
te damos gracias, Dios.

"For Your Gracious Blessing," Traditional.

Prayer for Help

Let Us Pray

Gather and begin with the Sign of the Cross.

Leader: God our Father, please hear our prayer. Help us see your Son in others.

All: **So that we may give freely and generously.**

Reader 1: Help us appreciate what we have been given.

All: **So that we may show gratitude to those who have been generous to us.**

Reader 2: Help us be happy when others have received gifts.

All: **So that we may be good friends to them.**

Reader 3: Help us remember others.

All: **So that we are willing to share our possessions.**

Leader: We ask for your guidance and continued love in Jesus' name by the grace of the Holy Spirit.

All: **Amen.**

Sing together.

For your gracious blessing, for your wondrous word, for your loving kindness, we give thanks, O God.

"For Your Gracious Blessing," Traditional.

Repasar y aplicar

A **Trabaja con palabras** Completa los siguientes enunciados.

1. El _____ dice que no debes robar.

2. La responsabilidad de cuidar de toda la creación de Dios se conoce como _____ .

3. El _____ dice que no debes desear lo que otros tienen.

4. Cuando _____ a alguien, sientes rencor o tristeza porque esa persona tiene algo que tú quieres.

5. La _____ es la acumulación ilimitada de bienes materiales.

B **Comprueba lo que aprendiste** Explica cómo preocuparte demasiado por los bienes materiales puede apartarte de colaborar con el Reino de Dios.

_____

_____

Actividad Vive tu fe

Sugiere cambios En cada columna, escribe varios cambios que te gustaría que ocurrieran en tu familia, tus amigos o tu comunidad. Luego toma la decisión de ayudar a que se produzca uno de esos cambios.

Centro comunitario

Familia	Amigos	Comunidad
_____	_____	_____
_____	_____	_____
_____	_____	_____

Review and Apply

A **Work with Words** Complete the following statements.

1. The _____ states that you should not steal.

2. The responsibility to care for all of God's creation is _____.

3. The _____ states that you should not desire what others have.

4. When you _____ someone, you are resentful or sad that he or she possesses something that you want.

5. The unlimited gathering of material possessions is _____.

B **Check Understanding** Explain how caring too much about possessions can get in the way of helping you cooperate with God's kingdom.

_____

_____

Activity — Live Your Faith

Suggest Changes In each column, list several changes you would like to see happen for your family, friends, or community. Then make a resolution to help bring about one of these changes.

Community Center

Family	Friends	Community
_____	_____	_____
_____	_____	_____
_____	_____	_____

La fe en familia

Lo que creemos

- Los mandamientos te llaman a ser generoso y a tener la actitud correcta hacia los bienes materiales.

- Los bienes de la tierra fueron hechos para que toda la familia humana se beneficiara de ellos.

✝ LA SAGRADA ESCRITURA

Lee *2 Corintios 9, 6–9* para aprender cómo los Corintios fueron animados a ser generosos.

APRENDE en línea Visita **www.osvcurriculum.com** para encontrar recursos basados en el año litúrgico y lecturas semanales de la Sagrada Escritura.

Actividad

Vive tu fe

Comienza una nueva costumbre Conversa con tu familia sobre el relato *El obsequio* que leíste al comienzo de este capítulo.

- ¿Qué tan difícil les resultaría incorporar esa costumbre a un cumpleaños o a otra celebración?

- ¿De qué otras maneras podrían expresar un espíritu generoso hacia los demás?

Elijan una manera y decidan cómo van a implementarla en familia.

Siervos de la fe

▲ **Catherine de Hueck Doherty** 1900–1985

Catherine de Hueck Doherty fue una mujer perteneciente a la nobleza rusa que se mudó a Canadá. Era una persona muy consciente de la pobreza que hay en el mundo, y decidió tomar acción. Fundó la primera Casa de la Amistad, un lugar de acogida para los pobres. Luego fundó la Casa de Nuestra Señora, una casa rural en la que se practica la oración y un estilo de vida sencillo. Desde su muerte en 1985, las Casas de Nuestra Señora y las Casas de la Amistad continúan expandiéndose en Estados Unidos y Canadá.

Una oración en familia

Jesús, ayúdanos a imitar el espíritu de amor de Catherine de Hueck Doherty para que aprendamos a compartir lo que tenemos con los necesitados. Amén.

Family Faith

Catholics Believe

- The commandments call you to be generous and to have the right attitude toward possessions.

- The goods of the earth are meant for the benefit of the whole human family.

✝ SCRIPTURE

Read *2 Corinthians 9:6–9* to find out how the Corinthians were challenged to be generous.

GO online www.osvcurriculum.com
For weekly Scripture readings and seasonal resources

Activity

Live Your Faith

Start a New Custom Talk about the *giveaway* story at the beginning of this chapter.

- How hard would it be to add this custom to a birthday or to another celebration?

- In what other ways could you express a generous spirit toward others?

Choose one way, and decide how you will act on it as a family.

People of Faith

Catherine de Hueck Doherty was a Russian noblewoman who moved to Canada. She saw poverty in the world around her and decided to act. She founded the first Friendship House, a welcoming place for those who are poor. She then started Madonna House, a farm that combines prayer and a simple lifestyle. Since her death in 1985, Madonna Houses and Friendship Houses have continued to spread in the United States and Canada.

▲ Catherine de Hueck Doherty 1900–1985

Family Prayer

Jesus, help us imitate Catherine de Hueck Doherty's caring spirit as we learn how to share what we have with those in need. Amen.

CCC *See Catechism of the Catholic Church 299, 2402–2405 for further reading on chapter content.*

20 La Iglesia en el mundo

Oremos

Líder: Dios, gracias por el mundo que creaste y por toda la gente que lo comparte.

"¡Qué bueno y qué tierno
es ver a esos hermanos vivir juntos!".

Salmo 133, 1

Todos: Dios, gracias por el mundo que creaste y por toda la gente que lo comparte. Amén.

Actividad **Comencemos**

Diferentes pero iguales Mira a tu alrededor. Estás rodeado de diferencias. Los niños y niñas del salón de clases tienen distintos peinados, distinto color de ojos y diferente tono de piel. Tienen apellidos diferentes y pueden provenir de culturas diferentes.

Y aun así, con todas estas diferencias, todos pertenecen a la misma familia humana.

• Con un compañero, mencionen todas las cosas en que ustedes dos son iguales. Después, mencionen todo aquello que los hace diferentes. Describan lo más importante que tienen en común y la diferencia más importante entre ustedes.

Chapter 20 The Church in the World

Let Us Pray

Leader: Giving God, thank you for the world you made and all the people who share it.

"How good it is, how pleasant,
where the people dwell as one!"

Psalm 133:1

All: Giving God, thank you for the world you made and all the people who share it. Amen.

Activity Let's Begin

Different, Yet the Same Look around you. You are surrounded by differences. The people sitting in the room with you have different hairstyles, different eye colors, and different skin tones. They have different last names and may have different cultural backgrounds.

And yet, with all these differences, you all belong to the same human family.

• With a partner, name all of the things that are the same for both of you. Then name all the ways that the two of you are different. Describe the most important thing that is the same for both of you and then the most important difference between you.

La Iglesia en Bolivia

Análisis ¿Cómo incluye la Iglesia culturas diferentes?

En este relato contado por un misionero de Maryknoll, descubrirás algunas semejanzas y diferencias entre la Iglesia de Bolivia y tu parroquia.

UNA HISTORIA DE LA VIDA REAL

Una iglesia flotante

La barca de nuestra parroquia

Trabajo con otros misioneros en la región selvática del noreste de Bolivia. La mayor parte de la gente trabaja en las profundidades de la jungla. Algunos trabajan con árboles de caucho y otros cosechan nueces del Brasil. Viajamos en la barca de nuestra parroquia por el río Beni para visitar a las personas que viven río arriba. Cuando vamos, decimos a los pobladores que viven en el camino que se congreguen con sus vecinos para celebrar misas, bautizos y matrimonios el día que pasemos de regreso. Ese día, la gente se reunirá junto al río y bautizaremos, celebraremos la Misa y matrimonios.

La gente

A la gente de esta región les gusta que vayamos a celebrar los sacramentos con ellos. El noventa y cinco por ciento de los bolivianos son católicos. Sus antepasados se convirtieron al cristianismo hace mucho tiempo. Muchas de las personas con quienes nos encontramos a lo largo del río aún hablan su lengua indígena. Esas personas también introducen algunas costumbres indígenas en su vida religiosa.

❓ **¿Qué aspectos de la experiencia de los misioneros en Bolivia son diferentes de la experiencia que vives en tu parroquia?**

The Church in Bolivia

Focus How does the Church include different cultures?

In the following story told by a Maryknoll missionary, you will find some ways that the Church in Bolivia is like your parish and some ways that it is different from your parish.

A REAL-LIFE STORY

A Floating Church

Our Parish boat

I work with other missionaries in the jungle region of northeast Bolivia. We travel in our parish boat to visit the people who live far apart along the Beni River. Most of the people work deep in the jungle. Some work with rubber trees, and others harvest Brazilian nuts. On our way up the river, we tell whoever is home to gather their neighbors together for Mass, Baptisms, and marriages on the day we will return downstream. When we return, the people gather near the river. There we baptize people, celebrate Mass, and perform marriages.

The People

The people are happy to have us come and celebrate the sacraments with them. Ninety-five percent of Bolivians are Catholic. Their ancestors were converted to Christianity a long time ago. Many of the people we meet along the river still speak their native Indian languages. The people we meet also bring some of their native customs into their religious life.

❓ **What about the missionaries' experience in Bolivia is different from the experience in your parish?**

La misión

Mis compañeros y yo aprendimos las lenguas locales porque pasamos mucho tiempo hablando y escuchando a la gente. Podemos ayudarlos a cuidar su salud en una clínica y brindarles educación en una escuela. Los ayudamos a formar un tipo de empresa llamada *cooperativa*, que pertenece a las mismas personas que se benefician de sus servicios. Por ejemplo, ayudamos a los agricultores a formar una cooperativa para que pudieran cobrar precios justos por sus cultivos de caucho y nueces.

Bolivia tiene muchos problemas. En una ocasión, hubo un levantamiento en una ciudad y una de las personas del gobierno me pidió que fuera alcalde durante cuatro meses. En otra ocasión, me arrestaron junto a otro sacerdote. Nos llevaron presos porque habíamos ayudado a la gente a formar una cooperativa.

Nuestra clínica al aire libre

El río Beni

Actividad

Comparte tu fe

Reflexiona: Piensa en qué se parece la "iglesia flotante" a tu parroquia.

Comunica: Con un compañero, usen algunos ejemplos de esta historia para describir cómo la Iglesia acoge a otras culturas.

Actúa: Escribe una cosa que puedes hacer para apoyar a las personas de la Iglesia que provienen de culturas diferentes.

_____

_____

The Mission

My coworkers and I have learned the languages of the people. We spend time talking and listening to the people. We are able to help them take care of their health in a clinic, and we educate them in a school. We have helped them set up a type of company called a *cooperative*, which is owned by the people who use its services. For example, we helped the farmers set up a cooperative so that they could get fair prices for their rubber and nut crops.

Bolivia has a lot of troubles. Once there was an uprising in a town, and one of the government people asked me to be mayor for four months. Another time I was arrested with another priest. We were put in jail because we had helped the people form a cooperative.

Our outdoor clinic

The Beni River

Activity — Share Your Faith

Reflect: Think about how the "floating church" is the same as your parish church.

Share: With a partner, use examples from the story to describe how the Church includes different cultures.

Act: Write one thing that you can do to support people in the Church who come from different cultures.

_____

_____

A todo el mundo

Análisis ¿Cómo llega la Iglesia al mundo?

Los misioneros católicos llevan la fe católica a personas de todo el mundo. Tienen cuidado de respetar e incluir las costumbres de los distintos grupos en la oración y en el culto a Dios.

En Bolivia, los misioneros predican el Evangelio de Jesús con la palabra y con sus acciones. Antes de ascender al cielo, Jesús dio la siguiente orden a sus Apóstoles.

LA SAGRADA ESCRITURA — Mateo 28, 18–20

¡Evangeliza!

"Me ha sido dada toda autoridad en el Cielo y en la tierra. Vayan, pues, y hagan que todos los pueblos sean mis discípulos. Bautícenlos en el Nombre del Padre y del Hijo y del Espíritu Santo, y enséñenles a cumplir todo lo que yo les he encomendado a ustedes. Yo estoy con ustedes todos los días hasta el fin de la historia".

Mateo 28, 18–20

Jesús quería que sus discípulos fueran a todos los sitios. Hoy en día, no importa donde vayas, encontrarás discípulos de Jesús. En todos los países encontrarás comunidades católicas y otras comunidades cristianas. Cada una de esas comunidades y todos los discípulos de Jesús están llamados a continuar la **misión** de Jesús.

? ¿Cómo vives la misión de Jesús?

To the Whole World

Catholic missionaries bring the Catholic faith to people all over the world. They are careful to respect and include the customs of different groups in prayer and worship.

The missionaries in Bolivia are preaching the gospel of Jesus in word and deed. Before Jesus ascended into heaven, he gave his Apostles this command.

✝ **SCRIPTURE** Matthew 28:18–20

Go Forth

"All power in heaven and on earth has been given to me. Go, therefore, and make disciples of all nations, baptizing them in the name of the Father, and of the Son, and of the holy Spirit, teaching them to observe all that I have commanded you. And behold, I am with you always, until the end of the age."

Matthew 28:18–20

Jesus wanted his followers to go out to all places. Today, no matter where you go in the world, you will find followers of Jesus. In every country, you will find communities of Catholics and other Christians. Every one of these communities and all of the followers of Jesus are called to continue the **mission** of Jesus.

❓ **How do you live out the mission of Jesus?**

417

La misión universal de Jesús

La misión universal, o mundial, de Jesús en la tierra era comunicar el amor de Dios a todos los pueblos. Cuando lees la Sagrada Escritura, puedes ver que Jesús llegó a todas las personas, y en especial a los pobres y a los marginados. Jesús curó, perdonó y amó a las personas, especialmente a las que eran consideradas pecadoras. Jesús trató a todos con dignidad y respeto. La misión de Jesús fue una misión de **justicia**

La diversidad en la Iglesia

Hay diferencias en el modo en que las personas de otros países y culturas practican su fe. Incluso dentro de tu parroquia es posible que exista **diversidad**, o variedad en el modo en que la gente expresa su fe. Estas diferencias no dividen a la Iglesia, sino que la mejoran. La Iglesia permanece unida por su fidelidad a la creencia común transmitida por los Apóstoles y luego por sus sucesores, los obispos. La Iglesia se une en la celebración de la Misa, en los sacramentos y en la oración. También se une cuando los fieles de todas las culturas contribuyen a llevar la justicia al mundo. Tú ayudas a llevar la justicia al mundo cuando trabajas para dar a los demás lo que les corresponde por legítimo derecho.

❓ ¿Qué prácticas culturales lleva a cabo tu parroquia o tu familia?

Palabras† de fe

Ser enviado a una **misión** significa ser enviado a comunicar la Buena Nueva de Jesús y del Reino de Dios.

La **justicia** es la virtud de dar a Dios y a los demás lo que les corresponde.

Diversidad significa variedad, particularmente entre las personas.

Actividad — Practica tu fe

Cuéntaselo al mundo Escribe un titular de periódico que exprese una manera de llevar la justicia al mundo hoy en día o en el futuro.

_____

_____

Gaceta Gaceta Gaceta

Noticias

Jesus' Universal Mission

Jesus' universal, or worldwide, mission on earth was to share God's love with all people. When you read the Scriptures, you see that Jesus reached out to all people, especially people who were poor and those who were left out by others. Jesus healed, forgave, and loved people, especially those people who were considered sinners. Jesus treated everyone with dignity and respect. Jesus' mission was one of **justice**.

Diversity in the Church

There are differences in the way the people of other countries and cultures practice their faith. Even in your parish you may notice a **diversity**, or variety, in the ways that people express their faith. These differences do not divide the Church. They make it better. The Church is united because of its faithfulness to the common belief handed down from the Apostles through their successors, the bishops. The Church is united in the celebration of the Mass, in the Sacraments, in prayer, and when people in every culture help bring justice to the world. You bring justice to the world by working to give others what is rightfully theirs.

❓ **What cultural practices does your parish or family have?**

Words of Faith

To be sent on a **mission** means to be sent to share the Good News of Jesus and the kingdom of God.

Justice is the virtue of giving to God and people what is due them.

Diversity means variety, especially among people.

Activity — Connect Your Faith

Tell the World Write a newspaper headline that tells one way that you can bring justice to the world now or in the future.

_____

_____

Oración de alabanza

 Oremos

Reúnanse y comiencen con la señal de la cruz.

 *Canten juntos.*

La Buena Nueva lleven
a todo el mundo.

"Psalm 117: Go Out to All the World" © 1969, 1981, and 1997, ICEL.

Líder: Señor, todas las naciones te alaban. Todos los pueblos de la tierra te glorifican.

Todos: **Dios, Padre bondadoso, te damos gracias por el don de tu Hijo, Jesús. Te damos gracias por la maravillosa diversidad de nuestro mundo. Todas las naciones y los pueblos son símbolo de tu grandeza. Llénanos de tu Espíritu para que podamos comunicar la Buena Nueva de Jesús a todas las personas con las que nos encontremos. Amén.**

Prayer of Praise

Gather and begin with the Sign of the Cross.

Sing together.

Go out to all the world, and tell the Good News.

"Psalm 117: Go Out to All the World" © 1969, 1981, and 1997, ICEL.

Leader: Lord, all the nations praise you. All the people of the world glorify you.

All: **God our loving Father, we thank you for the gift of your Son, Jesus. We thank you for the beautiful diversity of our world. All nations and people show us your greatness. Fill us with your Spirit so that we can bring the Good News of Jesus to all whom we meet. Amen.**

Repasar y aplicar

A Trabaja con palabras Completa cada enunciado ordenando las letras entre paréntesis para formar una palabra.

1. La (sónimi) _____ de Jesús fue compartir el amor de Dios con todas las personas.

2. La Iglesia es una, compuesta por una gran (vididersad) _____ de miembros.

3. La misión de cada miembro de la Iglesia es comunicar la Buena Nueva de Jesús al (numod) _____.

4. La virtud de la (tcjiiaus) _____ invita a los discípulos de Jesús a trabajar por las necesidades y los derechos de los demás.

5. Los misioneros deben (serprtea) _____ la cultura y las costumbres de la gente de cualquier parte del mundo.

B Comprueba lo que aprendiste Escribe tu respuesta a continuación. ¿Cómo puedes llevar la justicia al mundo?

_____

_____

_____

Actividad Vive tu fe

Comunica la Buena Nueva Escribe en una tarjeta la declaración de Buena Nueva que escribiste para el tiempo de oración, y adórnala. ¿Cómo puedes comunicarle la Buena Nueva a alguien esta semana? Escribe tu idea y ponla en práctica durante la próxima semana.

Cosas que haré
- ☐ _____
- ☐ _____
- ☐ _____
- ☐ _____
- ☐ _____

Review and Apply

A **Work with Words**   Complete each sentence by unscrambling the word in parentheses.

1. Jesus' (sonsimi) _____ was to share God's love with all people.

2. The Church is one, made up of a great (vidityers) _____ of members.

3. The mission of every person in the Church is to bring the good news of Jesus to the (lorwd) _____.

4. The virtue of (tcjuise) _____ challenges followers of Jesus to work to provide for the needs and rights of others.

5. Missionaries must (serpcet) _____ the culture and customs of the local people.

B **Check Understanding**   Write a response on the lines below. How can you bring justice to the world?

_____

_____

_____

Activity   Live Your Faith

Share Good News   Take the good news statement that you created for the prayer service, print it on a card, and decorate it. How can you share this good news with someone this week? Write your idea, and act on it in the coming week.

To Do

☐ _____
☐ _____
☐ _____
☐ _____
☐ _____

La fe en familia

Lo que creemos

- La misión del Pueblo de Dios es proclamar el Evangelio y trabajar por el bien de todas las personas.

- La Iglesia está formada por personas de muchas culturas, pero todas están unidas por su fe en Cristo.

✝ LA SAGRADA ESCRITURA

Lee *Efesios 4, 7–16* para aprender acerca de la unidad en la diversidad.

APRENDE en línea Visita **www.osvcurriculum.com** para encontrar recursos basados en el año litúrgico y lecturas semanales de la Sagrada Escritura.

Actividad

Vive tu fe

Investigar tradiciones religiosas Comenta tus experiencias sobre diferentes tradiciones religiosas. Si es posible, investiga en Internet con un miembro de tu familia las tradiciones religiosas de una cultura que no sea la tuya. Planifica un momento especial con tu familia para contar lo que descubriste.

Siervos de la fe

De niño, **César Chávez** era trabajador agrícola migratorio. De adulto, mejoró las condiciones laborales de los trabajadores migratorios y fundó el sindicato United Farm Workers (Unión de Trabajadores Agrícolas). César tenía una profunda fe cristiana. Siguió también las enseñanzas no violentas de Mohandas Gandhi y Martin Luther King, Jr. En compañía de otros manifestantes, solía ir a Misa antes de sus marchas de protesta. Organizó huelgas y boicots para lograr salarios justos para los trabajadores agrícolas.

▲ César Chávez
1927–1993

👐 Una oración en familia

Amadísimo Dios, concédenos el sentido de la justicia y el valor necesarios para llevar a cabo tu misión de justicia en nuestro mundo, como lo hizo César Chávez. Amén.

CIC *Consulta el Catecismo de la Iglesia Católica, números 849, 858, 859, 1807 y 1934–1938, para obtener más información sobre el contenido del capítulo.*

Family Faith

Catholics Believe

- The mission of the People of God is to proclaim the Gospel and to work for the good of all people.

- The Church is made up of people of many cultures, but all are united by their belief in Christ.

✝ SCRIPTURE

Read *Ephesians 4:7–16* to find out about unity in diversity.

GO online www.osvcurriculum.com
For weekly Scripture readings and seasonal resources

Activity

Live Your Faith

Research Religious Traditions Share your experiences of different religious traditions. If possible, go online with a family member to research the religious traditions from a culture other than your own. Plan a special family time to tell what you discovered.

People of Faith

As a child, **Cesar Chavez** was a migrant farm worker. As an adult, he improved working conditions for migrant workers and started the United Farm Workers union. Cesar had a deep Christian faith. He also followed the nonviolent teachings of Mohandas Gandhi and of Martin Luther King, Jr. He and other protesters often went to Mass together before they began a march. He organized strikes and boycotts to get fair wages for farm workers.

▲ Cesar Chavez
1927–1993

🙌 Family Prayer

Dear God, give us a sense of justice and the courage to carry out your mission of justice in our world as Cesar Chavez did. Amen.

CCC *See Catechism of the Catholic Church 849, 858–859, 1807, 1934–1938 for further reading on chapter content.* **425**

21 Quiero ver a Dios

 **Oremos**

Líder: Dios, enséñanos a vivir para que podamos compartir contigo la vida eterna.

"Apártate del mal y haz el bien,
busca la paz y ponte a perseguirla".

Salmo 34, 15

Todos: Dios, enséñanos a vivir para que podamos compartir contigo la vida eterna. Amén.

 **Actividad** **Comencemos**

Con Jesús Josefina se sentó con su mamá en el carro. Su mamá le enjugó las lágrimas y le dijo: "Yo también echaré de menos a la abuelita Rut, pero ahora ella es feliz porque está con Jesús en el cielo".

Al llegar a la funeraria, Josefina dio una ojeada a la habitación en la que yacía su abuela. Estaba llena de flores de dulce aroma y se escuchaba una música suave. Con asombro, Josefina exclamó: "¡Ah, ya veo cómo debe ser el cielo!".

• ¿Cómo crees que es el cielo?

Chapter 21 I Want to See God

Let Us Pray

Leader: God, teach us to live so that we may share eternal life with you.

"Turn from evil and do good;
   seek peace and pursue it."

Psalm 34:15

All: God, teach us to live so that we may share eternal life with you. Amen.

Activity Let's Begin

With Jesus Jessie sat with her mother in the car. Her mother wiped away Jessie's tears and said, "I will miss your Grandma Ruth, too. But she is happy and in heaven with Jesus."

When they arrived at the funeral home, Jessie gazed around the room where the body of her grandmother lay. Sweet-smelling flowers filled the room, and soft music played. With a huge gasp, Jessie declared, "Oh, so this is heaven!"

• What do you think heaven is like?

Estar con Dios

Análisis ¿Cómo te ayudan los dones del Espíritu Santo a vivir en amistad con Dios?

El cielo no es una habitación con flores de dulce aroma. Tampoco es un lugar entre las nubes. El **cielo** es la vida que todas las personas santas compartirán con Dios para siempre.

Para disfrutar de la eternidad con Dios, primero debes cultivar tu amistad con Él. Por medio del Espíritu Santo, Dios te dio los dones que te ayudarán a crecer en tu amistad con Él y con los demás. Recibes los dones del Espíritu Santo con el Bautismo y, cuando haces la Confirmación, esos dones se fortalecen en tu interior. Estos siete dones poderosos te ayudan a seguir más de cerca a Jesús. Abren tu corazón para que el Espíritu Santo te pueda orientar a tomar decisiones buenas y generosas.

EL DON DE	TE AYUDA A
SABIDURÍA	• Verte como te ve Dios y obrar como Dios quiere que obres. • Vivir a imagen y semejanza de Dios.
INTELIGENCIA	• Conocer mejor a Dios, a ti mismo y a los demás. • Comprender por qué a veces tomas decisiones equivocadas. • Aprender a tomar mejores decisiones. • Aprender a perdonar con más facilidad.
CONSEJO (o buen juicio)	• Dar buenos consejos a los demás. • Escuchar al Espíritu Santo, que te habla por medio de tu conciencia y de los buenos consejos y el buen ejemplo de los demás.

Being with God

Focus How do the gifts of the Holy Spirit help you live in friendship with God?

Heaven is not a room with sweet-smelling flowers. It is not a place in the sky among the clouds. **Heaven** is the life that all holy people will share with God forever.

To spend eternity with God, you first must grow in friendship with God. Through the Holy Spirit, God has given you gifts that will help you grow in friendship with him and with others. You receive the gifts of the Holy Spirit at Baptism, and in Confirmation these gifts are strengthened in you. These seven powerful gifts help you follow Jesus more closely. They open your heart so that the Holy Spirit can guide you to make good and unselfish choices.

THE GIFT OF	HELPS YOU
WISDOM	• see yourself as God sees you and act as God wants you to act • live in the image and likeness of God
UNDERSTANDING	• get to know God, yourself, and other people better • see why you sometimes make wrong choices • learn to make better choices • learn to forgive more freely
COUNSEL (or right judgment)	• give good advice to others • hear the Holy Spirit, who speaks to you through your conscience and through the good advice and good example of others

429

EL DON DE	TE AYUDA A
FORTALEZA (o valor)	• Defender lo correcto aunque sea difícil hacerlo. • Afrontar y superar tu miedo, que a veces es la razón por la que tomas una mala decisión o no actúas con amor.
CIENCIA	• Estar abierto a la comunicación amorosa de Dios o revelación. • Conocer a Dios como conoces a alguien a quien amas y que te ama.
PIEDAD (o veneración)	• Mostrar amor a Dios y honrarlo con fidelidad. • Reconocer la importancia de dedicar tiempo a hablar con Dios y escucharlo en la oración. • Mostrar respeto a los demás porque todos son hijos de Dios.
TEMOR DE DIOS (o asombro y admiración)	• Saber que Dios es más grande y maravilloso que cualquier cosa de la creación. • Acordarte de estar abierto a la bondad sorprendente y poderosa de Dios.

Palabras† de fe

El **cielo** es el estado de eterna felicidad con Dios.

Actividad

Comparte tu fe

Reflexiona: Piensa en momentos en que usaste los dones del Espíritu Santo.

Comunica: Comenta con un compañero uno de esos momentos.

Actúa: Escribe uno de los dones en el cuadro de la izquierda y describe cómo utilizas ese don en tu vida cotidiana.

THE GIFT OF	HELPS YOU
FORTITUDE (or courage)	• stand up for what is right even when doing so is difficult • face and overcome your fear, which is sometimes the reason why you make a bad choice or fail to act in loving ways
KNOWLEDGE	• be open to God's loving communication, or revelation • know God in the way that you come to know someone you love and someone who loves you
PIETY (or reverence)	• show faithful love and honor to God • recognize the importance of spending time talking and listening to God in prayer • show respect to others because all people are children of God
FEAR OF THE LORD (or wonder and awe)	• know that God is greater and more wonderful than any created thing • remember to be open to the surprising and powerful goodness of God

Words of Faith

Heaven is the state of eternal happiness with God.

Activity — Share Your Faith

Reflect: Think about times when you used the gifts of the Holy Spirit.

Share: With a partner, discuss one of those times.

Act: Write one of these gifts in the box on the left, and describe how you use this gift in your everyday life.

431

El juicio final

Análisis ¿Cómo se prepara una persona para el juicio final?

Los dones del Espíritu Santo te ayudan a evitar las acciones egoístas y a prepararte para estar eternamente con Dios. A lo largo de toda tu vida, tienes la opción de aceptar o rechazar la gracia ofrecida por Jesús. En el momento de tu muerte, Dios juzgará cómo aceptaste sus dones. Esto se conoce como **juicio particular**.

Jesús te pide que ames a Dios sobre todas las cosas y a tu prójimo como a ti mismo. Si permaneces en la gracia y en la amistad de Dios siguiendo su ley, la felicidad eterna del cielo será finalmente tuya. Algunas personas pecan mucho y rechazan la alianza de amor con Dios. Rechazan su gracia y su perdón. Estos pecadores serán apartados para siempre de Dios por sus propias decisiones. Esa separación se llama *infierno*.

Al final de los tiempos, todas las personas que vivieron se levantarán de nuevo y comparecerán ante Dios para someterse a su juicio. Este **juicio final** no cambiará el juicio particular de cada persona, sino que marcará la venida del Reino de Dios en toda su plenitud. Ese será el momento en que Cristo volverá en gloria.

Prepararse para el cielo

Si durante tu vida tienes presentes el juicio particular y el juicio final, intentarás trabajar cada día por la justicia, por el amor y por la paz del Reino de Dios. Así te preparas para vivir eternamente con Dios. Jesús les dijo a sus discípulos lo que ocurriría el día del juicio final.

The Last Judgment

 **Focus** How does a person prepare for the last judgment?

The gifts of the Holy Spirit help you turn away from selfish actions and prepare you to be with God forever. All through your life you have the choice of accepting or rejecting the grace offered through Jesus. At the time of your death, God will judge how well you have accepted his gifts. This is called the **particular judgment**.

Jesus asks you to love God above all things and your neighbor as yourself. If you remain in God's grace and friendship by following his law, the everlasting happiness of heaven will eventually be yours. Some people sin greatly and reject God's covenant of love. They refuse his grace and forgiveness. These sinners will be separated forever from God because of their own choices. That separation is called hell.

At the end of time, all people who have ever lived will rise again and appear before God for judgment. This **last judgment** will not change each person's particular judgment. Rather, it will mark the coming of God's kingdom in its fullness. This is the time when Christ will come again in glory.

Preparing for Heaven

When you live with the particular and last judgments in mind, you will try to work every day for the justice, love, and peace of God's reign. As you do so, you are preparing to live forever with God. Jesus told his followers what would happen on the day of the last judgment.

433

LA SAGRADA ESCRITURA

El juicio final

"Entonces el Rey dirá a los que están a su derecha '....tomen posesión del reino que ha sido preparado para ustedes... Porque tuve hambre y ustedes me dieron de comer; tuve sed y ustedes me dieron de beber. Fui forastero y ustedes me recibieron en su casa. Anduve sin ropas y me vistieron. Estuve enfermo y fueron a visitarme. Estuve en la cárcel y me fueron a ver'. Entonces los justos dirán: 'Señor, ¿cuándo te vimos hambriento y te dimos de comer, o sediento y te dimos de beber? ¿Cuándo te vimos forastero y te recibimos, o sin ropa y te vestimos? ¿Cuándo te vimos enfermo o en la cárcel, y fuimos a verte?'. El Rey responderá: 'En verdad les digo que, cuando lo hicieron con alguno de los más pequeños de estos mis hermanos, me lo hicieron a mí'".

Mateo 25, 34–40

❓ **¿Quién es el rey de este relato?**

❓ **¿Quiénes son los justos de este relato?**

Palabras de fe

El **juicio particular** es el juicio individual que te hará Dios en el momento de tu muerte.

El **juicio final** sucederá al final de los tiempos, cuando Jesús regrese para juzgar a todos los que vivieron. Después, todos verán y comprenderán por completo el plan de Dios para la creación.

Actividad — Practica tu fe

Exprésate Diseña una pegatina para el carro con un lema que explique cómo vivir de acuerdo con la forma en que serás juzgado. Después decora la pegatina con marcadores o lápices de colores.

The Last Judgment

"Then the king will say to those on his right, '. . . . Inherit the kingdom prepared for you. . . . For I was hungry and you gave me food, I was thirsty and you gave me drink, a stranger and you welcomed me, naked and you clothed me, ill and you cared for me, in prison and you visited me.' Then the righteous will answer him and say, 'Lord, when did we see you hungry and feed you, or thirsty and give you drink? When did we see you a stranger and welcome you, or naked and clothe you? When did we see you ill or in prison, and visit you?' And the king will say to them in reply, 'Amen, I say to you, whatever you did for one of these least brothers of mine, you did for me.' "

Matthew 25:34–40

Particular judgment is the individual judgment by God at the time of your death.

The **last judgment** will occur at the end of time when Jesus returns to judge all who have ever lived. Then, all will fully see and understand God's plan for creation.

❓ **Who is the king in this story?**

❓ **Who are the righteous in this story?**

Activity Connect Your Faith

Express Yourself Make a slogan for a bumper sticker about living according to how you will be judged. Then decorate the bumper sticker with markers or colored pencils.

Oración por el Reino

Oremos

Reúnanse y comiencen con la señal de la cruz.

Líder: Señor Jesús, a veces describiste el cielo como una fiesta o un banquete. Ayúdanos a recordar el don de tu vida y tu enseñanza que compartimos este año. Permanece junto a nosotros mientras recordamos y rezamos.

Cuenten un relato de Jesús que recuerden haber leído este año. Después recen juntos.

Todos: **Señor Jesús, anhelamos ver tu rostro. Que tu reino venga a nuestros corazones y a nuestro mundo. Abre nuestros corazones a los pobres, a los enfermos, a los presos, a los que están solos y a los que sufren. Haz de nosotros un solo Cuerpo en Cristo por los dones de tu Espíritu. Ayúdanos a prepararnos para el banquete del cielo. Amén.**

Canten juntos.

Venimos a decir del misterio,
y partir el pan de vida.
Venimos a saber de nuestra eternidad.

"We Come to Share Our Story", © 1989, GIA Publications, Inc.

Prayer for the Kingdom

Let Us Pray

Gather and begin with the Sign of the Cross.

Leader: Lord Jesus, you sometimes described heaven as a feast or a banquet. Help us remember the gift of your life and teaching that we have shared together this year. Be with us as we remember and pray.

Share a story of Jesus that you remember from this year. Then pray together.

All: Lord Jesus, we long to see your face. May your kingdom come into our hearts and into our world. Open our hearts to those who are poor, sick, imprisoned, lonely, and suffering. Make us one Body in Christ through the gifts of your Spirit. Help us ready ourselves for the banquet of heaven. Amen.

Sing together.

We come to share our story,
Venimos a decir del misterio,
we come to break the bread.
y partir el pan de vida.
We come to know our rising from the dead.
Venimos a saber de nuestra eternidad.

"We Come to Share Our Story" © 1989, GIA Publications, Inc.

Repasar y aplicar

A **Trabaja con palabras**   Completa cada enunciado con el don apropiado del Espíritu Santo.

1. José le da un buen consejo a su mejor amigo al decirle que no robe en las tiendas. _____

2. Luisa no hizo su tarea, pero decide decirle la verdad a la maestra. _____

3. Ana estaba a punto de robar un CD. Cuando se acordó de lo que se había hablado en la clase de religión, volvió a dejar el disco compacto en su sitio. _____

4. Dolores está asombrada por la belleza del firmamento y piensa en Dios. _____

5. Amelia tiene que tomar una decisión difícil. Piensa en lo que haría Jesús. _____

B **Comprueba lo que aprendiste**   Explica en tus propias palabras lo que ocurrirá en el juicio final.

_____

_____

Actividad   Vive tu fe

Describe tu vida   ¿Cómo quieres que te recuerden los demás cuando hayas dejado tu vida en la tierra? A continuación, escribe una frase que describa tu vida.

_____

_____

_____

_____

Review and Apply

A **Work with Words** Complete each statement with the correct gift of the Holy Spirit.

1. Josh gives his best friend good advice, telling him not to shoplift. _____

2. Kim didn't do her homework, but she decides to tell her teacher the truth. _____

3. Tasha was ready to steal a CD. When she remembered what was talked about in religion class, she put the CD back. _____

4. Madison is overwhelmed with the beauty of the night sky and she thinks of God. _____

5. Amelia is struggling with a decision. She thinks about what Jesus would do. _____

B **Check Understanding** In your own words, explain what will happen at the last judgment.

_____

_____

Activity Live Your Faith

Describe Your Life How do you want to be remembered by others after you leave your life on earth? In the space below, write a sentence that describes your life.

_____

_____

_____

_____

La fe en familia

Lo que creemos

- La Iglesia enseña que al final de los tiempos todos resucitarán de entre los muertos.

- Después de resucitar de entre los muertos, todos comparecerán en presencia de Cristo para ser juzgados.

✝ LA SAGRADA ESCRITURA

Lee *Marcos 7, 31–37* para aprender acerca de una historia sobre la poderosa capacidad de Jesús para curar a los que sufren.

APRENDE en línea Visita **www.osvcurriculum.com** para encontrar recursos basados en el año litúrgico y lecturas semanales de la Sagrada Escritura.

Actividad

vive tu fe

Piensa en maneras de ayudar Piensen juntos en familia sobre las distintas maneras en que padecen los pueblos de todo el mundo. Busquen artículos de periódicos e historias de los noticiarios. Al reunirse para cenar, recen por una persona que esté sufriendo o por una situación que esté provocando sufrimiento. Comenten cómo podría ayudar su familia. Si no hay una acción directa que puedan llevar a cabo, tengan presente a esa persona o situación en sus oraciones todos los días de esta semana.

Siervos de la fe

El 6 de mayo de 1984, la Iglesia canonizó a 103 coreanos y coreanas. La edad de estos santos iba desde los 13 años de **Peter Yu Tae-chol** hasta los 62 de **Mark Chong**. Cada una de esas personas sacrificó su vida en nombre de Jesús y de la fe católica. Once de los mártires eran sacerdotes. Muchos de estos santos eran los primeros cristianos de Corea, entre ellos **Yi Sung-hun**, fundador de la primera comunidad de la Iglesia en dicho país. El día de estos santos y mártires se celebra el 20 de septiembre.

▲ Santos y mártires coreanos 1839–1867

Una oración en familia

Santos y mártires de Corea, rueguen por nosotros para que seamos fuertes en nuestra fe aun cuando nos resulte difícil. Rueguen para que vivamos con sabiduría y con amor preparándonos para el encuentro con Dios al final de los tiempos. Amén.

CIC *Consulta el Catecismo de la Iglesia Católica, números 681 y 682, para obtener más información sobre el contenido del capítulo.*

Family Faith

Catholics Believe

- The Church teaches that at the end of time, all will be raised from the dead.

- After being raised from the dead, all will come into the presence of Christ to be judged.

✝ SCRIPTURE

Read *Mark 7:31–37* to learn a story about Jesus' powerful ability to heal those who are suffering.

GO online www.osvcurriculum.com
For weekly scripture readings and seasonal resources

Activity

Live Your Faith

Think of Ways to Help   As a family, brainstorm ways in which people in the world are suffering. Look for newspaper articles and stories on the news. When you gather for dinner, pray for a person or about a situation in which there is suffering. Discuss how your family could help. If there is no direct action you can take, keep that person or situation in your family's prayers each day this week.

Daily News

People of Faith

On May 6, 1984, the Church canonized 103 Korean people. These saints ranged in age from thirteen-year-old **Peter Yu Tae-chol** to seventy-two-year-old **Mark Chong**. Each of these people sacrificed his or her life for the sake of Jesus and the Catholic faith. Eleven of the martyrs were priests. Many of these saints were the first Christians in Korea, among them **Yi Sung-hun**, founder of the first Church community in that country. The feast day for these saints and martyrs is September 20.

▲ **Korean Saints and Martyrs 1839–1867**

Family Prayer

Saints and martyrs of Korea, pray for us that we will be strong in our faith even when it is difficult to do so. Pray that we may live wisely and lovingly to prepare to meet God at the end of time. Amen.

Trabaja con palabras   Completa cada enunciado con el término correcto.

1. La envidia es sentir_____ por o querer para ti lo que pertenece a otros.

2. La variedad, particularmente entre las personas, se conoce como

   _____ .

3. El _____ tendrá lugar al final de los tiempos, cuando Jesús regrese para juzgar a todos los que vivieron.

4. La virtud de dar a Dios y a los demás lo que les corresponde se conoce

   como _____ .

5. La _____ es el deseo de adquirir bienes terrenales en cantidades ilimitadas o más allá de las propias posibilidades.

6. Los que tienen el _____ son aquellos que no están apegados a sus bienes materiales y que son capaces de ayudar a traer el Reino de Dios.

7. Para comunicar la Buena Nueva de Jesús y el Reino de Dios, se envía a

   las personas en una _____ .

8. La _____ es la responsabilidad de cuidar de toda la creación de Dios.

9. El estado de eterna felicidad con Dios se conoce como el

   _____ .

10. El _____ es el juicio individual que hace Dios en el momento de la muerte de una persona.

A **Work with Words** Complete each sentence with the correct term.

1. To _____ or want for yourself what belongs to others is called envy.

2. Variety, especially among people, is known as

_____.

3. The _____ will occur at the end of time, when Jesus returns to judge all who have ever lived.

4. The virtue of giving to God and people what is due them is called

_____.

5. _____ is the desire to acquire earthly goods without limit or beyond one's means.

6. The _____ are those who do not become too attached to their possessions and are able to help bring about God's reign.

7. To share the good news of Jesus and the kingdom of God, people

are sent on a _____.

8. _____ is the responsibility to care for all of God's creation.

9. The state of eternal happiness with God is known as

_____.

10. _____ is the individual judgment by God at the time of a person's death.

Recursos Católicos

Los libros de la Biblia

La versión católica de la Biblia contiene setenta y tres libros: cuarenta y seis en el Antiguo Testamento y veintisiete en el Nuevo Testamento.

El Antiguo Testamento

El Pentateuco

Génesis	Levítico	Deuteronomio
Exodus	Números	

Los libros históricos

Josué	2 Reyes	Judit
Jueces	1 Crónicas	Ester
Rut	2 Crónicas	1 Macabeos
1 Samuel	Esdras	2 Macabeos
2 Samuel	Nehemías	
1 Reyes	Tobías	

Los libros sapienciales

Job	Eclesiastés	Sabiduría
Salmo	Cantar de los	Sirácides
Proverbios	Cantares	(Eclesiástico)

Datos de fe

Antes de que se inventara la imprenta, la Biblia se copiaba a mano. Muchas veces, al copiar el texto, los monjes también iluminaban o ilustraban pasajes de la Sagrada Escritura.

CATHOLIC SOURCE BOOK

The Books of the Bible

The Catholic version of the Bible contains seventy-three books—forty-six in the Old Testament and twenty-seven in the New Testament.

The Old Testament

The Pentateuch

Genesis	Leviticus	Deuteronomy
Exodus	Numbers	

The Historical Books

Joshua	2 Kings	Judith
Judges	1 Chronicles	Esther
Ruth	2 Chronicles	1 Maccabees
1 Samuel	Ezra	2 Maccabees
2 Samuel	Nehemiah	
1 Kings	Tobit	

The Wisdom Books

Job	Ecclesiastes	Sirach
Psalms	Song of Songs	(Ecclesiasticus)
Proverbs	Wisdom	

Faith Fact

Before the invention of the printing press, the Bible had to be copied by hand. Many times when copying the text, monks would also illuminate, or illustrate, Scripture passages.

Los libros proféticos

Isaías	Oseas	Nahúm
Jeremías	Joel	Habacuq
Lamentaciones	Amós	Sofonías
Baruc	Abdías	Ageo
Ezequiel	Jonás	Zacarías
Daniel	Miqueas	Malaquías

El Nuevo Testamento

Evangelios	**Hechos de los Apóstoles** **Cartas del Nuevo Testamento**		**Revelación**
Mateo	Romanos	1 Tesalonicenses	Santiago
Marcos	1 Corintios	2 Tesalonicenses	1 Pedro
Lucas	2 Corintios	1 Timoteo	2 Pedro
Juan	Gálatas	2 Timoteo	1 Juan
	Efesios	Tito	2 Juan
	Filipenses	Filemón	3 Juan
	Colosenses	Hebreos	Judas

The Prophetic Books

Isaiah	Hosea	Nahum
Jeremiah	Joel	Habakkuk
Lamentations	Amos	Zephaniah
Baruch	Obadiah	Haggai
Ezekiel	Jonah	Zechariah
Daniel	Micah	Malachi

The New Testament

The Gospels	The Acts of the Apostles The New Testament Letters		Revelation
Matthew	Romans	1 Thessalonians	James
Mark	1 Corinthians	2 Thessalonians	1 Peter
Luke	2 Corinthians	1 Timothy	2 Peter
John	Galatians	2 Timothy	1 John
	Ephesians	Titus	2 John
	Philippians	Philemon	3 John
	Colossians	Hebrews	Jude

Datos de fe

Cada uno de los escritores del Evangelio tiene un símbolo. El símbolo que representa a Mateo es un hombre alado y a Marcos, un león alado; el símbolo de Lucas es un toro alado y el de Juan, un águila.

Acerca del Antiguo Testamento

El **Pentateuco** está formado por los primeros cinco libros del Antiguo Testamento. La palabra pentateuco significa "cinco recipientes". Al principio, el Pentateuco se escribió en pergaminos o papiros y cada libro se guardaba en un recipiente. El pueblo judío llama a estos libros la Torá. Los libros del Pentateuco hablan del comienzo de la relación de los seres humanos con Dios. También cuentan el relato de las obras de amor de Dios hacia las personas.

Los libros sapienciales del Antiguo Testamento ofrecen una guía para el comportamiento humano. La sabiduría es un don espiritual que nos permite conocer el propósito y el plan de Dios. Los libros sapienciales nos recuerdan que la sabiduría de Dios siempre supera al conocimiento humano.

Muchos profetas fueron autores de libros del Antiguo Testamento. Un profeta es una persona enviada por Dios para llamar a su pueblo a regresar a su alianza con Dios.

La formación del Nuevo Testamento

El Nuevo Testamento se formó en tres etapas:

1. La vida y la enseñanza de Jesús: Toda la vida y la enseñanza de Jesús proclamaron la Buena Nueva.

2. La tradición oral: Después de la Resurrección, los Apóstoles predicaron la Buena Nueva. Luego, los primeros cristianos transmitieron lo que los Apóstoles habían predicado. Contaron una y otra vez las enseñanzas de Jesús y la historia de su vida, su muerte y su Resurrección.

3. Los cuatro evangelios y otros escritos: Los relatos, enseñanzas y palabras de Jesús fueron recogidos y escritos en los evangelios según Mateo, Marcos, Lucas y Juan. Las acciones y enseñanzas de la Iglesia en sus orígenes quedaron registradas en los Hechos de los Apóstoles y en las cartas del Nuevo Testamento.

About the Old Testament

The Pentateuch is the first five books of the Old Testament. The word pentateuch means "five containers." In the beginning the pentateuch was written on leather or papyrus and each book was kept in a separate container. Jewish people call these books the Torah. The books of the pentateuch tell of the beginning of human relationship with God. They also tell the story of God's loving actions for humans.

The Wisdom books of the Old Testament provide guidance in human behavior. Wisdom is a spiritual gift that allows a person to know God's purpose and plan. They remind us that God's wisdom is always greater than human knowledge.

Many prophets were authors of Old Testament books. A prophet is a person sent by God to call people back to their covenant with God.

The Formation of the New Testament

The New Testament was formed in three stages:
1. The life and teaching of Jesus—Jesus' whole life and teaching proclaimed the good news.
2. The oral tradition—After the Resurrection the Apostles preached the good news. Then the early Christians passed on what the Apostles had preached. They told and retold the teachings of Jesus and the story of his life, death, and Resurrection.
3. The four Gospels and other writings—The stories, teachings, and sayings of Jesus were collected and written down in the Gospels according to Matthew, Mark, Luke, and John. The actions and lessons of the early Church were recorded in the Acts of the Apostles and the New Testament letters.

Faith Fact

Each of the Gospel writers has a symbol. Matthew is represented by a winged man, Mark is represented by a winged lion, Luke is represented by a winged ox, and John is represented by an eagle.

Las citas bíblicas

Para aprender a leer las citas bíblicas, usa el ejemplo de *Mateo 8, 23–27*.

Mateo es el nombre de un libro de la Biblia. El número del capítulo siempre aparece después del nombre del libro. Por lo tanto, 8 es el número del capítulo y los números 23–27 se refieren a los versículos. Para encontrar este pasaje, dirígete a la tabla de contenido de tu Biblia. Busca el número de página del Evangelio según Mateo y abre la Biblia en esa página. El número del capítulo está siempre en la parte superior de la página. Pasa las páginas hasta encontrar el capítulo 8. Cuando llegues al capítulo 8, busca los números pequeños dentro del texto. Esos son los números de los versículos. Busca el versículo 23. Ahí es donde comenzarás a leer. Continúa leyendo hasta el versículo 27, el último versículo de la cita.

Mateo es el nombre del libro de la Biblia.

Mateo

Los números 23–27 se refieren a los versículos. 23-27

La alianza

La alianza es el contrato sagrado que une a Dios y a los seres humanos. Cuando Dios estableció la alianza con Noé después del diluvio, prometió que nunca volvería a destruir la tierra. Dios renovó la alianza con Abram (Abraham) y prometió que los descendientes de Abraham serían tan numerosos como las estrellas. Muchos años después, cuando los descendientes de Abraham eran esclavos en Egipto, Dios utilizó a Moisés para guiar a su pueblo en el *Éxodo* o "la salida". En el Monte Sinaí, Dios renovó la alianza con Moisés y guió a los israelitas a la Tierra Prometida. A cambio, los israelitas estaban llamados a amar únicamente a Dios y a seguir su Ley, los Diez Mandamientos. Finalmente, por medio del Misterio Pascual (vida, muerte y Resurrección de Jesús), la alianza se cumplió y se estableció una nueva alianza. La nueva alianza está abierta a todos los que permanecen fieles a Dios.

How to Locate Bible Passages

To practice finding a particular Bible passage, use the example of *Matthew 8:23–27*.

Matthew is the name of a book in the Bible. The chapter number always comes directly after the name of the book, so 8 is the chapter number. The numbers 23–27 refer to the verses. To find this passage, go to the table of contents in your Bible. Find the page number for the Gospel according to Matthew, and turn to that page. The chapter number will be at the top of the page. Turn the pages to find Chapter 8. When you reach Chapter 8, look for the smaller numbers within the passage. These are the verse numbers. Find verse 23. This is where you will begin reading. Continue reading through verse 27, the last verse in the passage.

Matthew is the name of the book in the Bible.

The numbers 23–27 refer to the verses.

The Covenant

The covenant is the sacred agreement joining God and humans in relationship. When God made the covenant with Noah after the flood, he promised never to destroy the earth again. God renewed the covenant with Abram (Abraham), promising that Abraham's descendants would be as numerous as the stars. Years later, when the descendants of Abraham were slaves in Egypt, God used Moses to lead the people away in the *Exodus,* or "the road out." At Mount Sinai the covenant was renewed with Moses. God guided the Israelites to the Promised Land. In return, the Israelites were called to love only God and to follow his Law, the Ten Commandments. Finally, through the Paschal mystery—Jesus' life, death, and Resurrection—the covenant was fulfilled and a new covenant was created. The new covenant is open to all who remain faithful to God.

La Santísima Trinidad

Dios se revela en tres Personas: Dios Padre y Creador, Dios Hijo y Salvador, Dios Espíritu Santo y Guía. Cada una de las Personas de la Trinidad está separada de las otras. Sin embargo, Padre, Hijo y Espíritu Santo son un único y mismo Dios. La Santísima Trinidad es el misterio central de la fe católica.

La misión de Dios Hijo y de Dios Espíritu Santo es guiar a las personas hacia el amor de la Trinidad, el amor perfecto que existe en el Padre, el Hijo y el Espíritu Santo.

Dios Padre

Dios creó todas las cosas. La belleza de la creación refleja la belleza del Creador. Él cuida y ama todas las cosas. En su divina providencia, Dios guía todas las cosas hacia Él.

Dios Hijo

Jesús es el Hijo de Dios. La Iglesia tiene muchas enseñanzas importantes sobre Él. La **encarnación**, un misterio fundamental de la fe católica, es la creencia de que Dios se hizo hombre. Jesucristo se hizo hombre para salvar a todas las personas del poder del pecado y de la muerte eterna. Jesús fue un hombre de carne y hueso y, al mismo tiempo, era Dios en persona. Al nacer de la Virgen María, Jesús se hizo hombre y compartió todas las experiencias del ser humano, excepto el pecado.

Por medio de las enseñanzas de Jesús, las personas llegan a conocer el Reino de Dios y cómo vivir para el Reino de Dios. Por medio del Sermón en el Monte y otras enseñanzas, las personas aprenden a vivir en el amor. Jesús no rechazó a los pecadores, sino que los llamó a apartarse del pecado y a volverse hacia Dios. Jesús enseñó a todos cómo vivir los Diez Mandamientos, amando a Dios y a toda su creación.

Datos de fe

La Santísima Trinidad se representa por medio de muchos símbolos, entre ellos el triángulo equilátero, tres círculos entrelazados, un círculo de tres peces, y el trébol.

The Holy Trinity

God is revealed in three Persons: God the Father and Creator, God the Son and Savior, God the Holy Spirit and Guide. Each of the Persons of the Trinity is separate from the other Persons. However, the Father, Son, and Holy Spirit are one and the same God. The Holy Trinity is the central mystery of the Catholic faith.

The mission of God the Son and God the Holy Spirit is to bring people into the love of the Trinity—the perfect love that exists in the Father, Son, and Holy Spirit.

God the Father

God created all things. The beauty of creation reflects the beauty of the Creator. He cares for and loves all. In his divine providence, God guides everything toward himself.

God the Son

Jesus is the Son of God. The Church has many important teachings about him. The **Incarnation** is a basic mystery of the Catholic faith and is the belief that God became man. Jesus Christ became man in order to save all people from the power of sin and everlasting death. Jesus was truly man and yet was truly God. Jesus became human, being born of the Virgin Mary. Except for sin, Jesus had all the experiences of being human.

Through the teachings of Jesus, people come to know about the kingdom of God and how to live for God's reign. From the Sermon on the Mount and other teachings, people learn to live in love. Jesus did not reject sinners, but instead called them to turn away from sin and back to God. Jesus taught everyone how to live the Ten Commandments—by loving God and all of his creation.

Faith Fact

The Holy Trinity is represented by many symbols, including the equilateral triangle, three interwoven circles, a circle of three fish, and the shamrock.

La **Resurrección** de Jesús lo mostró como el Mesías, el Salvador. Con su muerte, Jesús venció al pecado. Al resucitar de entre los muertos, Jesús venció a la muerte y así salvó a todas las personas del poder del pecado y de la muerte eterna.

La Ascensión ocurrió cuarenta días después de la Resurrección, cuando Jesús ascendió al cielo para unirse a la gloria de Dios Padre. En la Ascensión, Jesús ordenó a los Apóstoles que continuaran su misión, enseñando y guiando a las personas hacia el Reino de Dios. El envío del Espíritu Santo en Pentecostés es la última parte del acto de salvación de Jesús.

Dios Espíritu Santo

El Espíritu Santo continúa guiando a las personas en la vida cristiana. Mediante las enseñanzas de Jesús, los cristianos aprenden a vivir en el amor. Gracias a la fortaleza y a la sabiduría del Espíritu Santo, son capaces de vivir esta vida de amor. El Espíritu Santo infunde en los fieles sus frutos y sus dones. Los frutos (como la bondad, la paz y la alegría) y los dones (como la sabiduría, la fortaleza y la piedad) ayudan a las personas a dirigirse hacia Dios y colaborar en la construcción del Reino de Dios.

La **Inmaculada Concepción** significa que María fue preservada del pecado original desde el primer instante de su concepción. La fiesta de la Inmaculada Concepción se celebra el 8 de diciembre. Como María no tuvo pecado original, no murió. El 8 de diciembre, los católicos de Paraguay festejan el día de la fiesta de la Virgen de Caacupé. Hace varios siglos, la Virgen María se apareció en el campo paraguayo. En el lugar donde apareció la Virgen se construyó una iglesia, y muchas de las personas que peregrinaron a aquella iglesia experimentaron milagros. En la actualidad, el 8 de diciembre es una celebración tan especial para los católicos paraguayos como la Navidad. Muchos paraguayos honran a María cada año haciendo una peregrinación o larga caminata a la iglesia de la Virgen de Caacupé.

Jesus' **Resurrection** showed him as the Messiah, the Savior. By his death Jesus conquered sin. By rising from the dead, Jesus conquered death and so saved all humans from the power of sin and everlasting death.

The Ascension happened forty days after the Resurrection, when Jesus ascended to heaven to join the glory of God the Father. At the Ascension Jesus commanded the Apostles to continue his mission by teaching and guiding people toward God's kingdom. The sending of the Holy Spirit on Pentecost is the final part of Jesus' act of salvation.

God the Holy Spirit

The Holy Spirit continues to guide people in the Christian life. Through the teachings of Jesus, Christians learned how to live in love. Through the strength and wisdom of the Holy Spirit, they are able to lead this life of love. The Holy Spirit breathes into the faithful his fruits and his gifts. The fruits—such as piety, peace, and joy—and the gifts—such as wisdom, courage, and reverence—help humans turn toward God and cooperate in bringing about the kingdom of God.

The **Immaculate Conception** means that Mary was preserved from original sin from the first moment of conception. The Feast of the Immaculate Conception is December 8. On this date the Catholics of Paraguay celebrate the feast day of the Virgin of Caacupe. Centuries ago, the Virgin Mary appeared in the Paraguayan countryside. A church was built in the place where she had appeared, and many pilgrims to that church have experienced miracles. Today December 8 is as special a celebration to the Catholics of Paraguay as Christmas is. Many Paraguayans honor Mary every year by making a pilgrimage, or long walk, to the church of the Virgin of Caacupe.

Datos de fe

Algunos de los muchos títulos del Papa son: Obispo de Roma Vicario de Cristo, Sumo Pontífice de la Iglesia Universal, Patriarca de Occidente, Primado de Italia, Sucesor de San Pedro, Príncipe de los Apóstoles,

Siervo de los siervos de Dios, y Soberano de la Ciudad del Vaticano.

La Iglesia

La **autoridad** de la Iglesia se basa en el mandato que Jesús dio a sus Apóstoles: hacer que todos los pueblos fueran sus discípulos, enseñándoles a vivir como enseñó Jesús y bautizándolos en el nombre del Padre, del Hijo y del Espíritu Santo (ver *Mateo 28, 18–20*). La autoridad también proviene del Espíritu Santo como el Espíritu de Verdad que guía a la Iglesia.

La autoridad oficial de la Iglesia para enseñar es el **magisterio,** que está formado por el papa y los obispos. El magisterio enseña con la autoridad otorgada por Jesús y la guía del Espíritu Santo.

La misión de la Iglesia

La Iglesia tiene la misión de trabajar para hacer llegar la justicia a todos. Los principios de la justicia social son el respeto hacia todas las personas, la igualdad entre todas las personas y la unidad en la familia de Dios, responsabilizándose unos de otros. Estos principios pueden cumplirse con la justa distribución de los bienes, salarios justos para los que trabajan y la justa resolución de los conflictos.

El papa

El título del papa de "Siervo de los siervos" comenzó a utilizarlo el papa Gregorio el Grande. En Marcos 10, 44 se lee: *"[E]l que quiera ser el primero, se hará esclavo de todos"*.

Church

Church **authority** is based on the command from Jesus to his Apostles to make disciples of people everywhere, teaching them to live as Jesus taught and baptizing them in the name of the Father, Son, and Holy Spirit. (See *Matthew 28:18–20*.) Authority also comes from the Holy Spirit as the Spirit of Truth that guides the Church. The official teaching authority of the Church is the **magisterium,** which is made up of the pope and the bishops. The magisterium teaches with the authority given by Jesus and the guidance of the Holy Spirit.

Mission

The Church has the mission to help bring justice to everyone. The principles of social justice are respect for all persons, equality for all persons, and oneness in the family of God with responsibility for one another. These principles can be accomplished with the fair distribution of goods, fair wages for work, and fair resolution in conflicts.

Pope

The pope's title of "Servant of the Servants" began with Pope Gregory the Great. It is stated at Mark 10:44 *"[W]hoever wishes to be first among you will be the slave of all."*

Faith Fact

The many titles for the Pope include: Bishop of Rome, Vicar of Christ, Supreme Pontiff of the Universal Church, Patriarch of the West, Primate of Italy, Successor of St. Peter, Prince of the Apostles, Servant of the Servants of God, and Sovereign of Vatican City.

Los santos

La canonización es el proceso por el cual la Iglesia reconoce a algunos fieles como santos. En cada una de las etapas que conducen a la canonización, la persona en cuestión recibe un título diferente: primero, venerable; luego, beato o beata y, por último, santo o santa.

En el final

El purgatorio

A la hora de la muerte, algunas personas no están preparadas para el cielo y la amistad eterna de Dios. Sin embargo, su relación con Dios no ha terminado. Estas almas permanecen un tiempo en el purgatorio. *Purgatorio* significa "purificación". El purgatorio ayuda al alma a prepararse para la vida con Dios. Así, el alma aumenta su fidelidad y su amor.

El juicio particular

Cuando las personas mueren, son juzgadas por la vida que llevaron y el amor que mostraron. Este juicio se llama juicio particular. En aquel momento, las almas reciben su recompensa o castigo.

El juicio general

El juicio general o juicio final ocurrirá en la segunda venida de Cristo. Este juicio representa el triunfo de Dios sobre el mal. El juicio general marcará la llegada del Reino de Dios en su plenitud. Afectará a todas las personas, tanto vivas como muertas. Sin embargo, no cambiará el juicio particular que haya recibido cada alma.

Saints

Canonization is the process by which the Church recognizes faithful people as saints. During each of the three stages of becoming a saint, the faithful person has a different title—first Venerable, then Blessed, and finally Saint.

Last Things

Purgatory

At death some people are not ready for heaven and God's eternal friendship. However, they have not broken their relationship with God. These souls are given time in purgatory. *Purgatory* means "purifying." Purgatory helps the soul prepare for life with God. The soul becomes more faithful and loving.

Particular judgment

When people die, they are judged by how well they have lived and loved. This judgment is called particular judgment. Souls will be given reward or punishment at this time.

General judgment

General judgment, or the last judgment, will occur at the Second Coming of Christ. This judgment represents God's triumph over evil. General judgment will mark the arrival of God's kingdom in its fullness. General judgment will happen to all people, living and dead. However, this judgment will not change the particular judgment received by each soul.

El año litúrgico

Adviento
Cuatro domingos
de Adviento

Tiempo de Navidad
Navidad
Fiesta de la Sagrada Familia
Fiesta de la Epifanía

Tiempo Ordinario II
Los domingos entre
Pentecostés y el
primer domingo
de Adviento

Tiempo Ordinario I
Los domingos entre
la Epifanía y el
Miércoles de Ceniza

Cuaresma
Miércoles de Ceniza,
cinco domingos de
Cuaresma y Domingo
de Ramos o de Pasión

Pentecostés
Cincuenta días
después de la Pascua

Pascua
Domingo de Resurrección
o de Pascua, segundo a
séptimo domingo de Pascua
y domingo de Pentecostés

Triduo Pascual
Jueves Santo,
Viernes Santo,
Sábado Santo y
Domingo de
Resurrección o
de Pascua

The Liturgical Year

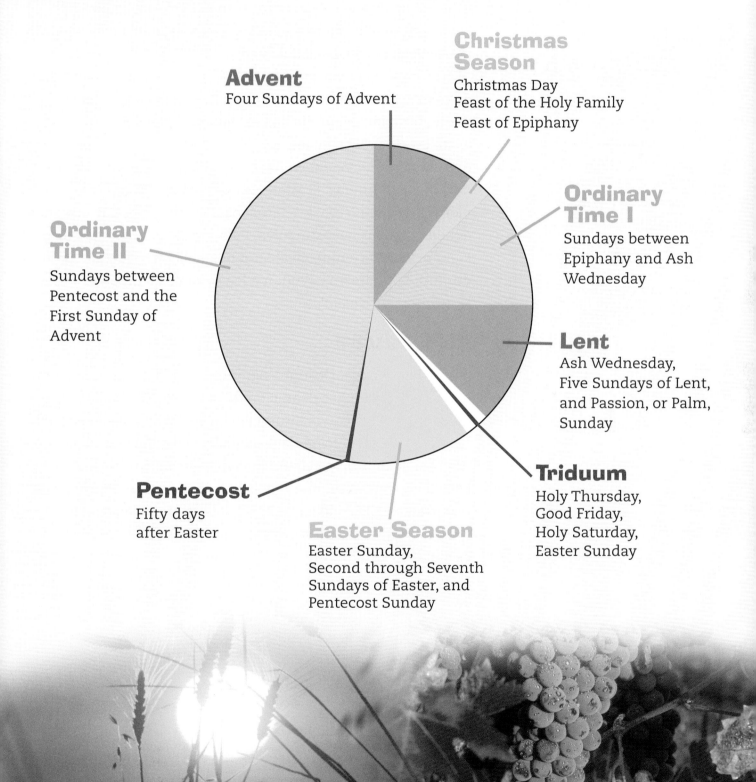

Advent
Four Sundays of Advent

Christmas Season
Christmas Day
Feast of the Holy Family
Feast of Epiphany

Ordinary Time I
Sundays between
Epiphany and Ash
Wednesday

Ordinary Time II
Sundays between
Pentecost and the
First Sunday of
Advent

Lent
Ash Wednesday,
Five Sundays of Lent,
and Passion, or Palm,
Sunday

Pentecost
Fifty days
after Easter

Triduum
Holy Thursday,
Good Friday,
Holy Saturday,
Easter Sunday

Easter Season
Easter Sunday,
Second through Seventh
Sundays of Easter, and
Pentecost Sunday

Cuaresma

La Cuaresma es un tiempo de ayuno, oración y limosnas. Los cuarenta días de Cuaresma recuerdan a los cristianos el número de días que Jesús ayunó en el desierto. También representan el número de años que los israelitas peregrinaron por el desierto después del Éxodo.

La Cuaresma comienza con el Miércoles de Ceniza, un día de penitencia. El último viernes de Cuaresma, el Viernes Santo, también es un día de penitencia. Todos los católicos entre dieciocho y cincuenta y nueve años deben ayunar en los días de penitencia: deben hacer comidas ligeras y no comer nada entre comidas. El Miércoles de Ceniza y todos los viernes de Cuaresma, los católicos a partir de los catorce años deben observar la abstinencia. Esto significa que no pueden comer carne. El ayuno, la abstinencia y la reflexión personal durante la Cuaresma ayudan a los católicos a prepararse para la celebración de la Pascua.

Triduo Pascual

El *Triduo Pascual* ("triduo" significa "tres días") comienza el Jueves Santo con la celebración de la Última Cena. El Viernes Santo se celebra con la Liturgia de la Palabra, la veneración de la cruz y la distribución de la sagrada Comunión. En la noche del Sábado Santo, se celebra la Vigilia Pascual. El Triduo Pascual termina con una oración en la noche del Domingo de Resurrección. Debido a que celebra el misterio Pascual (la vida, la muerte y la Resurrección de Jesús), el Triduo Pascual es el punto culminante del año litúrgico.

Datos de fe

Los ramos del Domingo de Ramos se recogen y se queman. Las cenizas se utilizan para la función litúrgica del Miércoles de Ceniza del año siguiente.

Lent

Lent is a time of fasting, prayer, and almsgiving. The forty days of Lent remind Christians of the number of days Jesus spent fasting in the desert. The forty days also represent the number of years the Israelites spent wandering in the desert after the Exodus.

Lent begins with Ash Wednesday, a day of penance. The last Friday in Lent, Good Friday, is also a day of penance. All Catholics from their eighteenth to their fifty-ninth birthdays must fast on days of penance: They eat light meals and have no food between meals. On Ash Wednesday and on all Fridays during Lent, abstinence is required for Catholics fourteen years of age or older. This means that they may not eat meat. Fasting, abstinence, and personal reflection during Lent help prepare Catholics for the celebration of Easter.

The Triduum

The *Triduum*, which means "three days," starts with the celebration of the Lord's Supper on Holy Thursday. Good Friday is observed with a Liturgy of the Word, Veneration of the Cross, and a Communion service. On Holy Saturday evening the Easter Vigil is celebrated. The Triduum ends with evening prayer on Easter Sunday. Because the Triduum celebrates the Paschal mystery—the life, death, and Resurrection of Jesus—it is the high point of the entire Church year.

Faith Fact

The palms from Palm Sunday are collected and burned. The ashes are then used for the following year's Ash Wednesday service.

463

Los sacramentos

La Iglesia católica celebra siete sacramentos o signos de la presencia de Jesús. Hay tres grupos de sacramentos.

Sacramentos de Iniciación	Bautismo Confirmación Eucaristía
Sacramentos de Curación	Reconciliación Unción de los enfermos
Sacramentos al Servicio de la comunidad	Matrimonio Orden sacerdotal

El agua bendita

El agua bendita es agua que ha sido bendecida. Se usa en el sacramento del Bautismo y en la bendición de personas y de objetos. A la entrada de las iglesias, se colocan pilas de agua bendita para que las personas puedan bendecirse a sí mismas y recordar el significado del Bautismo al hacer la señal de la cruz.

El cirio pascual

El cirio pascual es un símbolo de Cristo y de la Pascua. Este cirio se enciende con el fuego nuevo, que se bendice en la Vigilia Pascual. En los cincuenta días de la Pascua, se enciende el cirio durante la Liturgia. Después de la Pascua, se utiliza en los bautismos y funerales como símbolo de la Resurrección.

The Sacraments

The Catholic Church celebrates seven sacraments, or signs, of Jesus' presence. There are three groups of sacraments.

Sacraments of Initiation	Baptism Confirmation Eucharist
Sacraments of Healing	Reconciliation Anointing of the Sick
Sacraments of Vocation and Service	Matrimony Holy Orders

Holy Water

Holy water is water that has been blessed. It is used during the Sacrament of Baptism as well as for the blessing of people or objects. Fonts of holy water are placed at the entrances of churches so that people may bless themselves and recall the meaning of Baptism as they make the Sign of the Cross.

The Paschal Candle

The Paschal candle is a symbol of Christ and of Easter. This candle is lit from the Easter fire during the Easter Vigil. Throughout the fifty days of the Easter Season, the candle burns during the liturgy. After the Easter Season it is used during Baptisms and funerals as a symbol of the Resurrection.

El sacramento de la Reconciliación

El sacramento de la Reconciliación se conoce también como el sacramento de la Penitencia o el sacramento de la Confesión. En este sacramento, los pecados son perdonados y quien pecó se reconcilia con Dios, consigo mismo y con la comunidad de la Iglesia. Los elementos esenciales para la Reconciliación son:

- contrición (dolor por los pecados)
- confesión
- absolución del sacerdote
- satisfacción (intento de corregir o reparar el daño causado). El sacerdote nunca puede revelar lo que se dice durante la confesión. El silencio del sacerdote se llama *sigilo sacramental* o *secreto de confesión*.

Celebración del sacramento

Rito comunitario de la Reconciliación

1. Saludo
2. Celebración de la Palabra
3. Homilía
4. Examen de conciencia
5. Confesión general de los pecados
6. Oración del Señor
7. Confesión individual de los pecados, aceptación de la penitencia y absolución
8. Oración final

Rito individual de la Reconciliación

1. Bienvenida
2. Lectura de la Sagrada Escritura
3. Confesión de los pecados y aceptación de la penitencia
4. Acto de contrición
5. Absolución
6. Oración final

The Sacrament of Reconciliation

The Sacrament of Reconciliation is also known as the Sacrament of Penance or the Sacrament of Confession. In this Sacrament, sin is forgiven and the one who has sinned is reconciled with God, with himself or herself, and with the Church community. The essential elements for Reconciliation are

- contrition (sorrow for the sin)
- confession
- absolution by the priest
- satisfaction (attempting to correct or undo the wrong done). The priest can never reveal what he is told during a confession. The priest's silence is called the *sacramental seal* or the *seal of confession*.

Celebrating the Sacrament

Communal Rite of Reconciliation

1. Greeting
2. Celebration of the Word
3. Homily
4. Examination of Conscience
5. General Confession of Sin
6. The Lord's Prayer
7. Individual Confession of Sins, Acceptance of a penance, and Absolution
8. Closing Prayer

Individual Rite of Reconciliation

1. Welcome
2. Reading from Scripture
3. Confession of Sins and Acceptance of a Penance
4. Act of Contrition
5. Absolution
6. Closing Prayer

Las Bienaventuranzas

Las Bienaventuranzas son palabras de Jesús que resumen cómo vivir en el Reino de Dios y nos muestran el camino de la verdadera felicidad. Las Bienaventuranzas son uno de los modelos que guían nuestras acciones y decisiones. Estas enseñanzas aparecen en el Evangelio según Mateo (*Mateo 5, 3–10*) y en el Evangelio según Lucas (*Lucas 6, 20–26*). Puedes encontrar las Bienaventuranzas en la página 194.

Datos de fe

Las ocho puntas de la Cruz de Malta representan las Bienaventuranzas.

Los Diez Mandamientos

LOS DIEZ MANDAMIENTOS	SU SIGNIFICADO
1. Amarás a Dios sobre todas las cosas.	Da a Dios el primer lugar en tu vida.
2. No tomarás el nombre de Dios en vano.	Usa siempre el nombre de Dios de manera reverente.
3. Santificarás las fiestas.	Los domingos asiste a Misa y descansa.
4. Honrarás a tu padre y a tu madre.	Obedece a tus padres y a los que te cuidan.
5. No matarás.	Cuida de ti mismo y de los demás.
6. No cometerás actos impuros.	Sé respetuoso con todas las personas.
7. No robarás.	Respeta a las personas y respeta sus pertenencias.
8. No dirás falso testimonio ni mentirás.	Respeta a los demás diciendo siempre la verdad.
9. No desearás la mujer de tu prójimo.	No sientas celos por las amistades de los demás.
10. No codiciarás los bienes ajenos.	No envidies lo que tienen los demás.

The Beatitudes

The Beatitudes are sayings of Jesus that show us the way to true happiness in God's kingdom. The Beatitudes are listed in the Gospel according to Matthew (*Matthew 5:3–10*), see Chapter 7.

The New Commandment

Jesus also gave his followers a new commandment: "love one another. As I have loved you, so you also should love one another." (*John 13:34*)

The Ten Commandments

Faith Fact

The eight points on the Maltese Cross represent the Beatitudes.

THE TEN COMMANDMENTS	THEIR MEANING
1. I am the Lord your God. You shall not have strange Gods before me.	Keep God first in your life.
2. You shall not take the name of the Lord your God in vain.	Always use God's name in a reverent way.
3. Remember to keep holy the Lord's day.	Attend Mass and rest on Sunday.
4. Honor your mother and father.	Obey your father and mother.
5. You shall not kill.	Care for yourself and others.
6. You shall not commit adultery.	Be respectful of every person.
7. You shall not steal.	Respect other people and their property.
8. You shall not bear false witness against your neighbor.	Respect others by always telling the truth.
9. You shall not covet your neighbor's wife.	Don't be jealous of other people's relationships.
10. You shall not covet your neighbor's goods.	Don't be jealous of what other people have.

La conciencia

La conciencia es el regalo de Dios que te ayuda a diferenciar entre el bien y el mal. La conciencia te ayuda a elegir lo correcto. Es la combinación del libre albedrío y la razón. Debes formar tu conciencia de manera adecuada porque, si no está bien formada, puede guiarte a elegir lo que no es correcto.

Formar tu conciencia es un proceso que dura toda la vida. Incluye practicar las virtudes y evitar el pecado y las personas o situaciones que pueden llevarte al pecado. Puedes recurrir a personas buenas para que te aconsejen, a las enseñanzas de la Iglesia para que te guíen y a Dios para que te ayude a educar tu conciencia.

Examinar tu conciencia

Los siguientes pasos te ayudarán a examinar tu conciencia:

1. Ora al Espíritu Santo para que te ayude a examinar tu conciencia.

2. Lee las Bienaventuranzas, los Diez Mandamientos, el gran mandamiento y los preceptos de la Iglesia.

3. Hazte las siguientes preguntas: ¿Cuándo no hice lo que Dios quería? ¿A quién ofendí? ¿Qué cosas hice sabiendo que estaban mal? ¿Qué cosas debería haber hecho, pero no lo hice? ¿Cambié mis malos hábitos? ¿En qué áreas todavía tengo dificultades? ¿Estoy verdaderamente arrepentido de todos mis pecados?

Conscience

Conscience is the gift from God that helps you know the difference between right and wrong. Conscience helps you choose what is right. It involves free will and reason working together. You must form your conscience properly. If not formed properly, your conscience can lead you to choose what is wrong.

Forming your conscience is a lifelong process. It involves practicing virtues and avoiding sin and people or situations that may lead you to sin. You can turn to good people for advice, to Church teachings for guidance, and to God for help in educating your conscience.

Examining Your Conscience

For help with examining your conscience, use the following steps:

1. Pray for the Holy Spirit's help in making a fresh start.

2. Look at your life in the light of the Beatitudes, the Ten Commandments, the Great Commandment, and the precepts of the Church.

3. Ask yourself these questions:
   Where have I fallen short of what God wants for me? Whom have I hurt? What have I done that I knew was wrong? What have I not done that I should have done? Have I made the necessary changes in bad habits? What areas am I still having trouble with? Am I sincerely sorry for all my sins?

La ley

Las leyes son normas que ayudan a las personas a vivir como miembros de una comunidad y a comportarse de una manera aceptable.

La **ley divina** es la ley eterna de Dios. Incluye la ley física y la ley moral. La ley de la gravedad es un ejemplo de ley física. La ley moral es la que los seres humanos entienden a través de la razón (no debes robar) y a través de la revelación divina (santificarás las fiestas).

La **ley moral natural** consiste de las decisiones y los deberes que todos los seres humanos aceptan como buenos. Por ejemplo, todas las personas entienden que nadie puede matar a otra persona injustamente. Todos deben obedecer la ley moral natural.

Preceptos de la Iglesia

Los siguientes preceptos son deberes importantes para todos los católicos.

1. Participa en la Misa los domingos y fiestas de precepto.
2. Celebra el sacramento de la Reconciliación al menos una vez al año.
3. Recibe la Sagrada Comunión al menos una vez al año durante la Pascua.
4. Celebra los domingos y las fiestas sagradas.
5. Guarda ayuno y abstinencia en los días de penitencia.
6. Da tu tiempo, dones y dinero para apoyar a la Iglesia.

Obras de misericordia corporales

Estas obras de misericordia ayudan a los demás en sus necesidades físicas.

Dar de comer al hambriento.
Dar de beber al sediento.
Vestir al desnudo.
Dar techo a quien no lo tiene.
Visitar a los enfermos.
Visitar a los presos.
Enterrar a los muertos.

Datos de fe

El Papa San Juan XXIII enumeró como necesidades básicas del ser humano el alimento, la ropa, la vivienda, la asistencia médica, el descanso y la asistencia social. Todas las personas tienen derecho a la satisfacción de esas necesidades básicas.

Law

Laws are rules that help people live as members of a community and behave in an acceptable manner.

Divine law is the eternal law of God. It includes physical law and moral law. The law of gravity is an example of physical. A moral law is one that humans understand through reasoning (you may not steal) and through divine revelation (keep holy the Lord's Day).

Natural moral law consists of those decisions and duties that all humans accept as right. For example, people everywhere understand that no one may kill another unjustly. Everyone must obey natural moral law.

Faith Fact

Pope Saint John XXIII listed food, clothing, shelter, health care, rest, and social services as basic human needs. All people have a right to those basic needs.

Precepts of the Church

The following precepts are important duties of all Catholics.

1. Take part in the Mass on Sundays and holy days. Keep these days holy and avoid unnecessary work.
2. Celebrate the Sacrament of Reconciliation at least once a year.
3. Receive Holy Communion at least once a year during Easter Season.
4. Fast and abstain on days of penance.
5. Give your time, gifts, and money to support the Church.

Corporal Works of Mercy

These works of mercy help care for the physical needs of others.

Feed the hungry.
Give drink to the thirsty.
Clothe the naked.
Shelter the homeless.
Visit the sick.
Visit the imprisoned.
Bury the dead.

La dignidad humana

La imagen de Dios es su semejanza, que está presente en ti porque eres su creación. Estás llamado a respetar la dignidad de todas las personas porque todos fuimos hechos a imagen de Dios.

La libertad

La libertad significa que eres capaz de tomar decisiones y actuar con pocas limitaciones.

El libre albedrío

El libre albedrío es el don de Dios que permite a los seres humanos tomar sus propias decisiones. Debido a que tienes la libertad de elegir entre el bien y el mal, eres responsable de tus decisiones y tus acciones.

La gracia

Dios te da dos tipos de gracia.
La **gracia santificante** es el don de la vida de Dios en ti. Te da el deseo de vivir y actuar de acuerdo con el plan de Dios. La **gracia actual** es el don de la vida de Dios en ti, que te ayuda a pensar o actuar en una situación particular según el plan de Dios. La gracia actual te abre a la comprensión y fortalece tu voluntad.

Los dones del Espíritu Santo

Recibes los dones del Espíritu Santo a través de los sacramentos del Bautismo y la Confirmación. Estos dones te ayudan a crecer en tu relación con Dios y con los demás.

Sabiduría	Ciencia
Inteligencia	Piedad (*Veneración*)
Consejo (*Buen juicio*)	Temor de Dios (*Asombro y admiración*)
Fortaleza (*Valor*)	

Human Dignity

God's image is his likeness that is present in you because you are his creation. You are called to respect the dignity of all people because everyone is made in God's image.

Freedom

Freedom means you are able to choose and act with few limitations.

Free will

Free will is the gift from God that allows humans to make their own choices. Because you are free to choose between right and wrong, you are responsible for your choices and actions.

Grace

God gives you two types of grace. **Sanctifying grace** is the gift of God's life in you. It gives you the desire to live and act within God's plan. **Actual grace** is the gift of God's life in you that helps you think or act in a particular situation according to God's plan. Actual grace opens you to understanding and strengthens your will.

Gifts of the Holy Spirit

You receive the gifts of the Holy Spirit through the Sacraments of Baptism and Confirmation. These gifts help you grow in relationship with God and others.

Wisdom	Knowledge
Understanding	Reverence (*Piety*)
Right judgment (*Counsel*)	Wonder and awe (*Fear of the Lord*)
Courage (*Fortitude*)	

El pecado

El pecado es alejarse de Dios y falta de amor a los demás. El pecado afecta tanto a la persona como a la comunidad. Una persona puede arrepentirse de sus pecados, pedir perdón, aceptar el castigo y decidir mejorar. En ese caso, la experiencia puede incluso ayudar a la persona a desarrollarse como cristiana y evitar el pecado en el futuro.

Sin embargo, una persona que hace del pecado un hábito dañará su desarrollo, será un mal ejemplo y causará dolor a otros. La sociedad sufre cuando las personas desobedecen la ley de Dios y las leyes justas de la sociedad. Hay varios tipos de pecado.

El **pecado original** es la condición humana de debilidad y la inclinación al pecado como consecuencia de la decisión de Adán y Eva de desobedecer a Dios. El Bautismo restituye la relación de gracia amorosa en que las personas fueron creadas.

El **pecado actual** es todo pensamiento, palabra, acto u omisión contrario a la ley de Dios. El pecado es siempre una decisión, nunca una equivocación.

El **pecado mortal** te separa de Dios. Un pecado mortal es un acto, por ejemplo, un asesinato. Debe existir una decisión deliberada de cometer el acto. Nunca es un accidente.

El **pecado venial** no destruye tu relación con Dios, pero sí la debilita. A menudo, el pecado venial proviene de los malos hábitos. Puede llevar al pecado mortal.

El **pecado social** ocurre cuando el pecado de una persona afecta a una comunidad más grande. La pobreza y el racismo son ejemplos de pecado social.

La virtud

Las virtudes son buenas cualidades o hábitos de bondad. Hay dos tipos de virtudes:

Datos de fe

La palabra *virtud* significa "fortaleza". La práctica de las virtudes puede darte fortaleza para tomar decisiones basadas en el amor.

Virtudes teologales	Virtudes cardinales
Fe	Prudencia (juicio sensato)
Esperanza	Justicia (dar a los demás lo que les corresponde)
Caridad	Fortaleza (valor)
	Templanza (moderación, equilibrio)

Sin

Sin is a turning away from God and a failure to love others. Sin affects both the individual and the community. A person may be sorry for his or her sin, ask forgiveness for it, accept punishment for it, and resolve to do better. In this case, the experience may actually help the person develop as a Christian and avoid sin in the future. However, a person who makes a habit of sin will harm his or her development, set a poor example, and bring sorrow to others. Society suffers when people disobey God's law and the just laws of society. There are many types of sin.

Original Sin is the human condition of weakness and the tendency toward sin that resulted from the first humans' choice to disobey God. Baptism restores the relationship of loving grace in which all people were created.

Actual sin is any thought, word, act, or failure to act that goes against God's law. Sin is always a choice, never a mistake.

Mortal sin separates you from God. A mortal sin is an act, such as murder. There must be a deliberate choice to commit the act; it is never an accident.

Venial sin does not destroy your relationship with God, but it does weaken the relationship. Venial sin often comes from bad habits. It can lead to mortal sin.

Social sin happens when one person's sins affect the larger community. Poverty and racism are examples of social sin.

Virtue

Virtues are good qualities or habits of goodness. These are the two types of virtues:

Theological Virtues	Cardinal Virtues
Faith	Prudence (careful judgment)
Hope	Fortitude (courage)
Love	Justice (giving people their due)
	Temperance (moderation, balance)

Faith Fact

The word *virtue* means "strength." Practicing virtue can give you the strength to make loving choices.

477

La señal de la cruz

En el nombre del Padre, y del Hijo, y del Espíritu Santo. Amén.

La Oración del Señor

Padre nuestro,
   que estás en el cielo,
santificado sea tu Nombre;
venga a nosotros tu reino;
hágase tu voluntad en la tierra
   como en el cielo.
Danos hoy nuestro pan
   de cada día;
perdona nuestras
   ofensas,
como también nosotros perdonamos
   a los que nos ofenden;
no nos dejes caer en la tentación,
y líbranos del mal.
Amén.

Ave María

Dios te salve, María, llena eres de gracia;
el Señor es contigo;
bendita tú eres entre todas las mujeres,
y bendito es el fruto de tu vientre, Jesús.
Santa María, Madre de Dios,
ruega por nosotros pecadores,
ahora y en la hora de nuestra muerte.
Amén.

Gloria al Padre (Doxología)

Gloria al Padre, al Hijo, al Espíritu Santo. Como era en el principio, ahora y siempre, por los siglos de los siglos. Amén.

The Sign of the Cross

In the name of the Father, and of the Son, and of the Holy Spirit. Amen.

The Lord's Prayer

Our Father,
  who art in heaven,
hallowed be thy name;
thy kingdom come,
thy will be done
on earth as it is in heaven.
Give us this day our
  daily bread,
and forgive us our
  trespasses,
as we forgive those who trespass
  against us;
and lead us not into temptation,
but deliver us from evil. Amen.

Hail Mary

Hail, Mary, full of grace,
the Lord is with you!
Blessed are you among women,
and blessed is the fruit of your womb, Jesus.
Holy Mary, Mother of God,
pray for us sinners,
now and at the hour of our death. Amen.

Glory to the Father (Doxology)

Glory to the Father, and to the Son, and to the Holy Spirit:
as it was in the beginning, is now, and will be forever. Amen.

Un acto de fe

¡Oh, Dios! Creo firmemente que Tú eres un solo Dios en tres Personas Divinas: Padre, Hijo y Espíritu Santo: creo que tu Hijo Divino se hizo hombre y murió por nuestros pecados y que vendrá a juzgar a vivos y muertos. Creo en estas y en todas las verdades que la Santa Iglesia Católica nos enseña porque Tú se las revelaste. Tú, que no engañas ni puedes ser engañado.

Datos de fe

Amén significa "Así sea". ¿No es la mejor manera de terminar una conversación con Dios?

Un acto de esperanza

¡Oh, Dios! Confiando en tu gran poder, infinita bondad y promesas, espero el perdón de mis pecados, la ayuda de Tu gracia y la vida eterna. Por los méritos de Jesucristo, mi Señor y Redentor.

Un acto de amor

¡Oh, Dios mío! Te amo sobre todas las cosas, con todo mi corazón y con toda mi alma, pues Tú eres todo bondad y digno de todo mi amor. Amo a mi prójimo como a mí mismo por amor a Ti. Perdono a los que me ofenden y pido perdón a aquellos que he ofendido.

El "Memorare"

Acuérdate, oh piadosísima Virgen María, que jamás se ha oído decir, que uno solo de cuantos han acudido a tu protección, implorando tu socorro, haya sido abandonado por ti. Animado con esta confianza, recurro a ti, oh Virgen de las vírgenes, Madre mía; a ti vengo; ante ti me presento, pecador arrepentido. Oh Madre del Verbo Encarnado, no desprecies mis súplicas, antes bien, escúchalas y acógelas benignamente. Amén.

Act of Faith

O God, we firmly believe that you are one God in three divine Persons, Father, Son, and Holy Spirit; we believe that your divine Son became man and died for our sins, and that he will come to judge the living and the dead. We believe these and all the truths that the holy Catholic Church teaches, because you have revealed them, and you can neither deceive nor be deceived.

Act of Hope

O God, relying on your almighty power and your endless mercy and promises, we hope to gain pardon for our sins, the help of your grace, and life everlasting, through the saving actions of Jesus Christ, our Lord and Redeemer.

Act of Love

O God, we love you above all things, with our whole heart and soul, because you are all-good and worthy of all love. We love our neighbor as ourselves for the love of you. We forgive all who have injured us and ask pardon of all whom we have injured.

Memorare

Remember, most loving Virgin Mary, never was it heard that anyone who turned to you for help was left unaided. Inspired by this confidence, though burdened by my sins, I run to your protection for you are my mother. Mother of the Word of God, do not despise my words of pleading but be merciful and hear my prayer. Amen.

Faith Fact

Amen means "So be it." Isn't that the perfect way to end a conversation with God?

481

Yo confieso/Confíteor

Yo confieso ante Dios todopoderoso,
y ante vosotros, hermanos,
que he pecado mucho
de pensamiento, palabra, obra y omisión.
Por mi culpa, por mi culpa, por mi gran culpa.
Por eso ruego a Santa María, siempre Virgen,
a los ángeles y a los santos
y a vosotros, hermanos,
que intercedáis por mí ante Dios, nuestro Señor.

Oración al Espíritu Santo

Ven, Espíritu Santo, llena los corazones de los
fieles y enciende en ellos el fuego de Tu amor.
Envía Tu Espíritu, y serán creados.
Y renovarás la faz de la tierra.
Oremos:
Oh, Dios, que has instruido los corazones de los fieles
con la luz del Espíritu Santo, concédenos a través del mismo
Espíritu que gocemos siempre de Su divino consuelo.
Por Cristo, nuestro Señor.
Amén.

I Confess / Confiteor

I confess to almighty God
and to you, my brothers and sisters,
that I have greatly sinned,
in my thoughts and in my words,
in what I have done
and in what I have failed to do,

Gently strike your chest with a closed fist.

through my fault, through my fault,
through my most grievous fault;

Continue:

therefore I ask blessed Mary ever-Virgin,
all the Angels and Saints,
and you, my brothers and sisters,
to pray for me to the Lord our God.

Prayer to the Holy Spirit

Come, Holy Spirit, fill the hearts of your faithful.
And kindle in them the fire of your love.
Send forth your Spirit and they will be created.
And you will renew the face of the earth.
Let us pray.
Lord, by the light of the Holy Spirit you have taught the
hearts of your faithful. In the same Spirit help us to relish
what is right and always rejoice in your consolation. We ask
this through Christ our Lord. Amen.

Palabras de Fe

A

absolución Palabras que pronuncia el sacerdote durante el sacramento de la Reconciliación. (382)

administración La responsabilidad humana de cuidar la creación de Dios y de respetar toda la vida como un don de Dios. (402)

alianza Promesa o contrato sagrado entre Dios y los seres humanos. (106)

alma La parte espiritual del ser humano que vive eternamente. (138)

año litúrgico El ciclo de fiestas de la Iglesia y tiempos que componen el año eclesiástico de culto. (346)

asesinato El acto de matar intencionalmente a una persona inocente. (314)

autoridad El poder y la responsabilidad para guiar a otros. (272)

avaricia El deseo de obtener bienes terrenales en cantidades ilimitadas o más allá de las propias posibilidades. (402)

B

Bienaventuranzas Enseñanzas de Jesús que muestran el camino de la verdadera felicidad y te dicen cómo vivir en el Reino de Dios ahora y siempre. (194)

blasfemia El pecado de mostrar desprecio por el nombre de Dios, de Jesucristo, de María o de los santos con palabras o acciones. (226)

C

canonizado Proclamado santo oficialmente por la Iglesia. Los santos canonizados tienen días de fiesta o conmemorativos especiales en el año litúrgico. (256)

caridad La virtud del amor. Lleva a las personas a amar a Dios sobre todas las cosas y a su prójimo como a sí mismas, por amor a Dios. (210)

cielo El estado de eterna felicidad con Dios. (430)

comunidad Un grupo de personas que tienen en común determinadas creencias, esperanzas y objetivos. (154)

conciencia El don de Dios que te ayuda diferenciar entre el bien y el mal, y a elegir lo correcto. (174)

conversión El proceso de alejar nuestras vidas del pecado y volvernos hacia el amor de Dios y los demás. (378)

culto Acción de adorar y alabar a Dios, especialmente en la oración y en la liturgia. (222)

D

Diez Mandamientos Un resumen de la ley de Dios, que Él le dio a Moisés en el Monte Sinaí. Nos dicen lo que es necesario para amar a Dios y a los demás. (120)

dignidad Consiste en valorar y estimar a una persona. Todas las personas merecen respeto porque fueron hechas a imagen de Dios. (138)

diversidad Significa variedad, particularmente entre las personas. (418)

dones del Espíritu Santo Siete dones poderosos que recibimos en el Bautismo y en la Confirmación. Estos dones nos ayudan a crecer en nuestra relación con Dios y con los demás. *(428–430)*

E

envidia Sentimiento de rencor o tristeza por querer para ti lo que pertenece a otros. *(402)*

Eucaristía El sacramento por el cual los católicos se unen en la vida, la muerte y la Resurrección de Jesús. *(366)*

F

falso testimonio Una interpretación errónea de la verdad. *(328)*

fiel Firme y leal en tu compromiso con Dios, de la misma manera que Él te es fiel a ti. *(106)*

G

gracia El don de la vida de Dios en ti. *(170)*

gran mandamiento El doble mandamiento de amar a Dios sobre todas las cosas y a tu prójimo como a ti mismo. *(206)*

I

idolatría El pecado de rendir culto a un objeto o a una persona, en vez de adorar a Dios. Es dejar que algo o alguien sea más importante que Dios. *(222)*

Inmaculada Concepción El título de María que reconoce que Dios la preservó del pecado desde el primer instante de su vida. *(262)*

J

juicio final El juicio que sucederá al fin de los tiempos, cuando Jesús regrese para juzgar a todos los que vivieron. Después, todos verán y comprenderán por completo el plan de Dios para la creación. *(434)*

juicio particular El juicio individual que te hará Dios en el momento de tu muerte. *(434)*

justicia La virtud de dar a Dios y a los demás lo que les corresponde. *(418)*

L

laicado Todos los bautizados de la Iglesia que comparten la misión de Cristo, pero que no son sacerdotes ni hermanas o hermanos consagrados. *(246)*

libre albedrío La capacidad que Dios nos da de elegir entre el bien y el mal. *(170)*

M

magisterio La autoridad de la Iglesia para enseñar e interpretar la Palabra de Dios, que se encuentra en la Sagrada Escritura y en la Tradición. *(278)*

mártir Alguien que entrega su vida para testimoniar la verdad de la fe. *(326)*

misión Ser enviado a comunicar la Buena Nueva de Jesús y del Reino de Dios. *(418)*

Misterio Pascual El misterio de la pasión, la muerte, la Resurrección y la Ascensión de Jesús. *(346)*

modestia La virtud que ayuda a las personas a vestirse, hablar y actuar de manera apropiada. *(298)*

moral Vivir en buena relación con Dios, contigo mismo y con los demás. Es poner en práctica tus creencias. *(158)*

O

obedecer Hacer cosas o actuar de determinadas maneras conforme a lo que piden los que tienen autoridad. *(298)*

obras de misericordia corporales Acciones que ayudan a los demás en sus necesidades físicas. *(210)*

P

parroquia Una comunidad católica que comparte una misma creencia espiritual y un mismo culto. *(158)*

pecado Pensamiento, palabra, acción u omisión deliberada contraria a la ley de Dios. *(142)*

pecado original La decisión que tomaron Adán y Eva de desobedecer a Dios. *(102)*

pecado mortal Un pecado grave que destruye tu relación con Dios. *(140)*

pecado social Una estructura social o institución pecaminosa que se acumula con el tiempo y llega a afectar a toda la sociedad. *(142)*

pecado venial Un pecado menos grave que debilita tu relación con Dios. *(140)*

pena capital El acto de quitar la vida de una persona como castigo por un delito grave, como un asesinato. También se conoce como pena de muerte. *(312)*

penitencia El nombre con que se conocen las oraciones, las ofrendas o las buenas obras que el sacerdote te impone en el sacramento de la Reconciliación. *(382)*

perdón El acto de acoger a alguien que hizo algo malo. El perdón implica aceptar la persona, aunque no apruebes su mal comportamiento. *(378)*

perjurio Mentira que se dice ante un tribunal en un juicio. *(328)*

preceptos de la Iglesia Algunos de los requisitos mínimos promulgados por los líderes de la Iglesia para profundizar tu relación con Dios y con la Iglesia. *(278)*

providencia Es el cuidado amoroso que Dios tiene de todas las cosas, la voluntad y el plan de Dios para la creación. *(90)*

R

Reino de Dios El reino de justicia, amor y paz que está presente aquí y ahora, pero que aún no ha alcanzado su plenitud. *(242)*

reparación Acción que se realiza para remediar el daño causado por el pecado. *(330)*

revelación La forma en que Dios habla a los seres humanos de sí mismo y da a conocer su plan. *(90)*

S

sacramento de la Unción de los enfermos Lleva el don curativo de Jesús a los que están gravemente enfermos o cercanos a la muerte para fortalecerlos, consolarlos y perdonar sus pecados. *(382)*

sacramento de la Reconciliación El sacramento que celebra la misericordia y el perdón de Dios, y la reconciliación de un pecador con Dios y con la Iglesia por medio de la absolución que le da el sacerdote. *(378)*

sacramentos Signos que conceden la gracia. Los sacramentos fueron instituidos por Cristo y los celebra su Iglesia. *(362)*

Sagrada Escritura Otro nombre que se da a la Biblia. Es la Palabra de Dios escrita en palabras humanas. *(90)*

santidad La cualidad de ser lo que Dios quiere que seas. Te conviertes en santo, o semejante a Dios, al compartir la vida de gracia de Dios. *(256)*

santo o santa Una persona que la Iglesia declara que vivió una vida santa y disfruta de la vida eterna con Dios en el cielo. *(258)*

santo patrón Un modelo de fe y tu protector. *(262)*

suicidio El acto de terminar con la propia vida. *(312)*

T

Triduo Pascual Celebración de la pasión, la muerte y la Resurrección de Cristo. En el año litúrgico, el Triduo Pascual comienza la noche del Jueves Santo y concluye la noche del Domingo de Pascua. *(350)*

V

vocación El llamado de Dios a amar y servir a Él y a los demás. *(242)*

votos Promesas solemnes que se hacen a Dios o ante Él. *(298)*

WORDS OF FAITH

A

absolution Words spoken by the priest during the Sacrament of Reconciliation. *(383)*

authority The power and the responsibility to lead others. *(273)*

B

Beatitudes Teachings of Jesus that show the way to true happiness and tell the way to live in God's kingdom now and always. *(195)*

blasphemy The sin of showing contempt for the name of God, Jesus Christ, Mary, or the saints in words or action. *(227)*

C

canonized Officially proclaimed a saint by the Church. Canonized saints have special feast days or memorials in the Church's calendar. *(257)*

capital punishment Taking the life of a person as punishment for a serious crime, such as murder. It is also called the death penalty. *(313)*

charity The virtue of love. It directs people to love God above all things and their neighbor as themselves, for the love of God. *(211)*

community A group of people who hold certain beliefs, hopes, and goals in common. *(155)*

conscience The gift from God that helps us know the difference between right and wrong and helps us choose what is right. *(175)*

conversion The process of turning our lives away from sin and toward the love of God and others. *(379)*

Corporal Works of Mercy Actions that meet the physical needs of others. *(211)*

covenant Sacred promise or agreement between God and humans. *(107)*

D

dignity Is self-worth. Every human is worthy of respect because he or she is made in the image of God. *(139)*

diversity means variety, especially among people. *(419)*

E

envy To resent or be sad from wanting for yourself what belongs to others. *(403)*

Eucharist The Sacrament through which Catholics are united with the life, death, and Resurrection of Jesus. *(367)*

F

faithful To be steadfast and loyal in your commitment to God, just as he is faithful to you. *(107)*

false witness A misrepresentation of the truth. *(329)*

forgiveness An act of welcoming someone back after he or she has done wrong. Forgiveness includes accepting the person, even though you do not approve of the wrong behavior. (379)

free will The God-given ability to choose between good and evil. (171)

— G —

gifts of the Holy Spirit Seven powerful gifts we receive in Baptism and Confirmation. These gifts help us grow in our relationship with God and others. (429, 431)

grace The gift of God's life in you. (171)

Great Commandment The two-fold command to love God above all and your neighbor as yourself. (207)

greed The desire to acquire earthly goods without limits or beyond one's needs. (403)

— H —

heaven The state of eternal happiness with God. (431)

holiness Being what God created you to be. You become holy, or Godlike, by sharing God's life of grace. (257)

— I —

idolatry The sin of worshiping an object or a person instead of God. It is letting anything or anyone become more important than God. (223)

Immaculate Conception The title for Mary that recognizes that God preserved her from sin from the first moment of her life. (263)

— J —

justice The virtue of giving to God and people what is due them. (419)

— K —

kingdom of God God's rule of peace, justice, and love that is here now, but has not yet come in its fullness. (243)

— L —

laity Name for all of the baptized people in the Church who share in God's mission but are not priests or consecrated sisters and brothers. (247)

last judgment The judgment that will occur at the end of time when Jesus returns to judge all who have ever lived. Then, all will fully see and understand God's plan for creation. (435)

liturgical year The cycle of feasts and seasons that makes up the Church's year of worship. (347)

— M —

magisterium The Church's teaching authority to interpret the word of God found in Scripture and Tradition. (279)

martyr A person who gives up his or her life to witness to the truth of the faith. (327)

mission To be sent to share the good news of Jesus and the kingdom of God. *(419)*

modesty The virtue that helps people dress, talk, and act in appropriate ways. *(299)*

morality Living in right relationship with God, yourself and others. It is putting your beliefs into action. *(159)*

mortal sin A serious sin that destroys your relationship with God. *(141)*

murder The deliberate killing of an innocent person. *(315)*

obey To do things or act in certain ways that are requested by those in authority. *(299)*

Original Sin The choice of the first humans to disobey God. *(103)*

P

parish A Catholic community with shared spiritual beliefs and worship. *(159)*

particular judgment The individual judgment by God at the time of your death. *(435)*

Paschal mystery The mystery of Jesus' suffering, death, Resurrection, and Ascension. *(347)*

patron saint A model of faith and protector for you. *(263)*

penance The name for the prayer, offering, or good work the priest gives you in the Sacrament of Reconciliation. *(383)*

perjury A lie that is told in a court of law. *(329)*

precepts of the Church Some of the minimum requirements given by Church leaders for deepening your relationship with God and the Church. *(279)*

providence God's loving care for all things; God's will and plan for creation. *(91)*

reparation The action taken to repair the damage done through a sin. *(331)*

revelation The way God tells humans about himself and makes his plan known. *(91)*

S

Sacrament of the Anointing of the Sick Brings Jesus' healing touch to strengthen, comfort, and forgive the sins of those who are seriously ill or close to death. *(383)*

Sacrament of Reconciliation The Sacrament that celebrates God's mercy and forgiveness and a sinner's reconciliation with God and the Church through the absolution of the priest. (379)

Sacraments Signs that give grace. Sacraments were instituted by Christ and are celebrated by his Church. (363)

saint A person whom the Church declares has led a holy life and is enjoying eternal life with God in heaven. (259)

Scripture Another name for the Bible. Scripture is the word of God written in human words. (91)

sin The deliberate thought, word, deed, or omission contrary to the law of God. (143)

social sin A sinful social structure or institution that builds up over time so that it affects the whole society. (143)

soul The spiritual part of a human that lives forever. (139)

stewardship The human responsibility to care for God's creation and to respect all life as a gift from God. (403)

suicide The taking of one's own life. (313)

T

Ten Commandments The summary of laws that God gave to Moses on Mount Sinai. They tell us what is necessary in order to love God and others. (121)

Triduum The celebration of the passion, death and Resurrection of Christ. The Triduum begins on Holy Thursday evening and concludes on Easter Sunday night. (351)

V

venial sin A less serious sin that weakens your relationship with God. (141)

vocation God's call to love and serve him and others. (243)

vows Solemn promises that are made to or before God. (299)

W

worship To adore and praise God especially in prayer and in liturgy. (223)

Los números en negrita indican las páginas donde están definidos los términos.

Note: Boldfaced numbers refer to pages on which the terms are defined.

Illustration Credits

16-17, 20-21 Frank Ordaz; 24-25, 28-29 Maurie Manning; 32-33, 36-37 Simone Boni; 40-41, 44-45 Dan Brown; 56-57, 60-61 Joel Spector; 64, 68 Nick Harris; 72, 76 Dennis Lyall. 84, 85 (bkgd) Stacey Schuett; 88, 89 (bl) James M. Effler; 90, 91 (br) Judy Stead; 96, 97 (bl) Lois Woolley; 100, 101 (b) Dan Brown; 104, 105 (bl) Michael Jaroszko; 106, 107 (tr) Michael Jaroszko; 106, 107 (br) Judy Stead; 112, 113 (bl) Lois Woolley; 114, 115 (b) Ezra Tucker; 116, 117 (bl) Tom Newsom; 118, 119 (cr) Mark Stevens; 120, 121 (bl) Corey Wolfe; 122, 123 (br) Judy Stead; 128, 129 Lois Woolley. 142, 143 (br) Judy Stead; 148, 149 Lois Woolley; 152, 153 (bl) Cathy Diefendorf; 162, 163 (br) Judy Stead; 164, 165 Lois Woolley; 168, 169 (bl) Jeff Preston; 168, 169 (br) Jeff Preston; 172, 173 (bl) Jeff Spackman; 178, 179 (br) Judy Stead; 180, 181 (bl) Lois Woolley. 188, 189 (b) Peter Church; 192, 193 (br) Steve Adler; 200, 201 (cr) Judy Stead; 200, 201 (bl) Lois Woolley; 204, 205 (bl) Roger Payne; 208, 209 (bl) Karen Patkau; 214, 215 (b) Judy Stead; 216, 217 Lois Woolley; 220, 221 (b) Adam Hook; 226, 227 (br) Judy Stead; 232, 233 (bl) Lois Woolley. 238, 239 (br) Yvonne Gilbert; 240, 241 (b) Mike Jaroszko; 242, 243 (bl) Judy Stead; 252, 253 (bl) Lois Woolley; 256, 257 (bl) Philip Howe; 258, 259 (cr) Philip Howe; 268, 269 (cr) Judy Stead; 268, 269 (bl) Lois Woolley; 272, 273 (b) Dominick D'Andrea; 274, 275 (cr) Dominick D'Andrea; 282, 283 (br) Judy Stead; 284, 285 (bl) Lois Woolley. 294, 295 (tr) Philip Howe; 304, 305 (bl) Lois Woolley; 310, 311 (tr) Robert Sauber; 320, 321 (bl) Lois Woolley; 324, 325 (b) Jeff Preston; 336, 337 (bl) Lois Woolley. 356, 357 (bl) Lois Woolley; 358, 359 (br) Philip Howe; 360, 361 (b) Jeff Preston; 364, 365 (b) Yuan Lee; 372, 373 (bl) Lois Woolley; 376, 377 (b) Doug Fryer; 382, 383 (br) Adam Hook; 388, 389 (bl) Lois Woolley. 396, 397 (bl) Peter Church; 402, 403 (cr) Kevin Torline; 408, 409 (bl) Lois Woolley; 416, 417 (b) Dean Kennedy; 424, 425 (bl) Lois Woolley; 428, 429 (bkgd) Kevin Torline; 440, 441 (bl) Lois Woolley.

Photo Credits

iii, ix Gabe Palmer/Corbis; 2, 3 l Rubberball Productions; 2, 3 r Comstock Images; 4, 5 Richard Hutchings/PhotoEdit; 12-13, 14-15 bg Photomondo/Getty Images; 13, 15 inset Father Gene Plaisted, OSC; 18-19, 22-23 bg PhotoAlto/Creatas; 18-19, 22-23 fg Richard Hutchings; 19, 23 c Richard Hutchings; 26-27, 30-31 bg Don Farrall/Photodisc/Getty Images; 27, 31 inset Ariel Skelley/Corbis; 34-35, 38-39 Benelux Press/Index Stock/Photolibrary; 42-43, 46-47 bg Fridmar Damm/Corbis; 43, 47 c Richard Hutchings; 43, 47 b Richard Hutchings; 48-49, 52-53 Richard Hurtchings; 48-49, 52-53 Richard Hurtchings/PhotoEdit; 50-51, 54-55 bg Jakob Helbig/cultura/Corbis; 51, 55 inset C Squared Studios/Photodisc/Getty Images; 58-59, 62-63 t Corel; 58-59, 62-63 b Daryl Benson/Masterfile; 59, 63 fg Richard Hutchings; 66-67, 70-71 bg Rich Reid/Getty Images; 67, 71 inset Tetra Images/Corbis; 74-75, 78-79 bg Corel; 75, 79 t Photodisc/Getty Images; 75, 79 b Richard Hutchings; 80, 81 l Eric Camden; 80, 81 l Bob Davidson Photography/Getty Images; 80, 81 c Brian Minnich; 82, 83 fg Eric Camden; 82, 83 bg Bob Davidson Photography/Getty Images; 90, 91 Thinkstock/Comstock/Getty Images; 93 Ed McDonald; 98, 99 Brian Minnich; 100, 101 cl Jacqui Hurst; 102, 103 t Katie S. Atkinson/Getty Images; 102, 103 b Sonny Senser; 109 Bill Wittman; 118-119 Sonny Senser; 122-123 John Nakata/Corbis; 125 The Mazer Corporation; 128, 129 Ed McDonald; 132, 133 l Eric Camden; 132, 133 l John Connell/Corbis; 132, 133 c Ed McDonald; 132, 133 r Royalty-Free/Getty Images; 132, 133 r Amos Morgan/Photodisc/Getty Images; 132, 133 r Fuse/Getty Images; 132, 133 r Corbis/Fotosearch; 134, 135 bg John Connell/Corbis; 134, 135 fg Eric Camden; 136, 137 Bettman/Corbis; 138, 139 c Ariel Skelley/Corbis; 138, 139 b Jim Whitmer; 140, 141 LWA-Dann Tardif; 142, 143 James W. Porter/Corbis; 145 Paul Vozdic/Stone/Getty Images; 148, 149 Jack Holtel/Photographik Company; 150, 151 Ed McDonald; 154, 155 c Cleve Bryant/PhotoEdit; 154, 155 b Jim Whitmer; 156, 157 Portland Art Museum/Gift of the Samuel H. Kress Foundation; 158, 159 Richard Hutchings/Photo Edit; 161 Tom &

Dee Ann McCarthy/Corbis; 166, 167 bg Royalty-Free/Getty Images; 166, 167 t Amos Morgan/Photodisc/Getty Images; 166, 167 c Fuse/Getty Images; 166, 167 b Corbis/Fotosearch; 170, 171 t Houghton Mifflin Harcourt; 170, 171 b David Young-Wolffe/PhotoEdit; 174, 175 Sonny Senser; 177 Jeff Grenberg/PhotoEdit; 180, 181 Brian Leng/Corbis; 184, 185 l Ed McDonald; 184, 185 c Brian Minnich; 184, 185 r Ed McDonald; 186, 187 bg Ed McDonald; 190, 191 Sonny Senser; 194, 195 Ed McDonald; 197 Diane Macdonald/Stockbyte/Getty Images; 202, 203 c Brian Minnich; 202 203 bg Ed McDonald; 202, 203 bl Brian Minnich; 202, 203 br Brian Minnich; 206, 207 l Kwame Zikomo/SuperStock; 206, 207 r Steve Skjold/Alamy; 210, 211 Andrew Bret Wallis/Getty Images; 213 Father Gene Plaisted, OSC; 218, 219 Ed McDonald; 222, 223 c Bill Wittman; 222, 223 b Jim Whitmer; 224, 225 Myrleen Ferguson Cate/PhotoEdit; 226, 227 Paul Barton/Corbis; 229 Eric Camden; 232, 233 Ed McDonald; 236, 237 c Culver Pictures, Inc./SuperStock; 236, 237 cl Culver Pictures, Inc./SuperStock; 236, 237 cr David Turnley/Corbis; 236, 237 r Eric Camden; 242, 243 Philippe Lissac/Godong/Corbis; 244, 245 Father Gene Plaisted, OSC; 246, 247 Muscular Dystrophy Association; 249 Eric Camden; 252, 253 Jack Holtel/Photographik Company; 254 255 t Culver Pictures, Inc./SuperStock; 254 255 c David Turnley/Corbis; 254, 255 b Culver Pictures, Inc./SuperStock; 260, 261 Arte & Immagini srl/CORBIS; 262, 263 Father Gene Plaisted, OSC; 265 t Father Gene Plaisted, OSC; 265 cl Father Gene Plaisted, OSC; 265 cr Father Gene Plaisted, OSC; 265 bl Father Gene Plaisted, OSC; 265 br Father Gene Plaisted, OSC; 270, 271 Eric Camden; 274, 275 Jim Whitmer; 276 277 KAI PFAFFENBACH/Reuters/Corbis; 278, 279 Father Gene Plaisted, OSC; 280, 281 SuperStock/SuperStock; 284, 285 Brooklyn Productions/The Image Bank/Getty Images; 288, 289 l Patrick Johns/Corbis; 288, 289 l Ariel Skelley/Corbis; 288, 289 c Eric Camden; 288, 289 r Eric Camden; 290, 291 bg Patrick Johns/Corbis; 290, 291 b Ariel Skelley/Corbis; 292, 293 Eric Camden; 294, 295 Jim Whitmer; 296, 297 Ken Reid; 298, 299 Joel

Sartore/National Geographic/ Getty Images; 301 Frank Siteman/ PhotoEdit; 304, 305 Roy Morsch/ Corbis; 306, 307 Eric Camden; 308, 309 t Bettman/Corbis; 308, 309 c David Turnley/Corbis; 308, 309 bl Pierre Perrin/Zoko/Sygma/ Corbis; 308, 309 br Bettman/ Corbis; 310, 311 c Royalty-Free/ Getty Images; 312, 313 Stephen Simpson/Taxi/Getty Images; 314, 315 Jim Whitmer; 317 Andy Sacks/ Stone/Getty Images; 322, 323 Eric Camden; 326, 327 l Bettman/Corbis; 326, 327 r Bettman/Corbis; 328, 329 Jose Luis Pelaez, Inc./Corbis; 330, 331 Tony Freeman/PhotoEdit; 333 Photodisc/Getty Images; 334, 335 Tom & Dee Ann McCarthy/ CORBIS; 336, 337 Ariel Skelley/ Corbis; 340, 341 l Frank Cezus/ Taxi/Getty Images; 340, 341 l Frank Cezus/Taxi/Getty Images; 340, 341 l Frank Cezus/Taxi/Getty Images; 340, 341 l Frank Cezus/Taxi/Getty Images; 340, 341 l Eric Camden; 340, 341 r Ed McDonald; 342, 343 bg Keith Wood/Corbis; 342, 343 tcl Frank Cezus/Taxi/Getty Images; 342, 343 cl Frank Cezus/Taxi/Getty Images; 342, 343 bl Eric Camden; 342, 343 bcl Frank Cezus/Taxi/ Getty Images; 342, 343 br Frank Cezus/Taxi/Getty Images; 344, 345 t Michael Keller; 344, 345 c Tobi Corney/Stone/Getty Images; 344, 345 bl Pascal Crapet/Stone/ Getty Images; 344, 345 br Sonny Senser; 350, 351 Gene Plaisted/The Crosiers; 353 Eric Camden; 356, 357 Sonny Senser; 362, 363 cl Elio Ciol/ Corbis; 362, 363 c Ed McDonald; 362, 363 cr Royalty-Free/Corbis; 362, 363 bl Jim Whitmer; 362, 363 bcr Royalty-Free/Corbis; 366, 367 Myrleen Ferguson Cate/PhotoEdit; 369 Bill Wittman; 372, 373 Ed McDonald; 374, 375 Ed McDonald; 378, 379 Jim Whitmer; 380, 381 Father Gene Plaisted, OSC; 385 Tony Freeman/PhotoEdit; 392, 393 l Brian Minnich; 392, 393 c Brian Minnich; 392, 393 r Ed McDonald; 394, 395 bg Brian Minnich; 398, 399 t George Disario/Corbis; 398, 399 b Jim Whitmer; 400, 401 Victoria Bowen; 405 David Young-Wolffe/ PhotoEdit; 410, 411 Brian Minnich; 412-413, 414-415 bg Maryknoll Minstries; 412, 413 c Maryknoll Bolivia Photos; 412, 413 b Maryknoll Minstries; 414, 415 t Maryknoll Minstries; 414, 415 c Maryknoll Minstries; 414, 415 b Jim Whitmer; 418, 419 Jim Whitmer; 421 Sonny Senser; 424, 425 Joe Carlson/ Corbis; 426, 427 bg Ed McDonald; 426, 427 fg Ed McDonald; 430, 431 Jim Whitmer; 432, 433 t Michael Newman/PhotoEdit; 432, 433 b Peter Frank/Corbis; 434, 435 l Larry Mulvehill/Corbis; 434, 435 r Guy Cali/Corbis; 437 Peter Burian/Corbis; 446, 447 t Myrleen Ferguson Cate/PhotoEdit; 444-445, 446-447 b Richard Hutchings; 448, 449 Ingram Publishing; 450, 451 Richard Hutchings; 452, 453 Father Gene Plaisted, OSC; 456, 457 t Osservatore Romano/POOL/ Reuters/Corbis; 456, 457 b Jupiter Images/Getty Images; 460 l Father Gene Plaisted, OSC; 460 r Photos. com; 463 l Corel; 463 r Corel; 470, 471 rubberball/Getty Images; 472, 473 t C Squared Studios/ Photodisc/Getty Images; 472, 473 c Photodisc/Getty Images; 472, 473 bl Photodisc/Getty Images; 472, 473 br Photodisc/Getty Images; 478-479 Thinkstock/Getty Images; 480-481 Thinkstock/Getty Images; 482-483 Thinkstock/Getty Images

Acknowledgements

For permission to translate/reprint copyrighted material, grateful acknowledgment is made to the following sources:

Hinshaw Music, Inc.: Lyrics from "Go Now in Peace" by Natalie Sleeth. Lyrics © 1976 by Hinshaw Music, Inc.

Hope Publishing Co., Carol Stream, IL 60188: Lyrics from "Jesu, Jesu" by Tom Colvin. Lyrics © 1969 by Hope Publishing Co. Lyrics from "Shout for Joy" by David Mowbray. Lyrics © 1982 by Jubilate Hymns, Ltd.

Hyperion: From "Peace of Patience" in *Journey Through Heartsongs* by Mattie Stepanek. Text copyright © 2002 by Mattie Stepanek.

International Commission on English in the Liturgy: From the English translation of "Psalm 117: Go Out to All the World" in *Lectionary for Mass.* Translation © 1969, 1997 by International Committee on English in the Liturgy, Inc.

Obra Nacional de la Buena Prensa, A.C.: From "Salmo 99" and "Salmo 116" in *Leccionario I.* Text copyright © by Obra Nacional de la Buena Prensa, A.C. Published by Conferencia Episcopal Mexicana.

Jack Prelutsky: From "Me I Am!" in *The Random House Book of Poetry for Children* by Jack Prelutsky. Text copyright © by Jack Prelutsky.

Patricia Joyce Shelly: Lyrics from "All Grownups, All Children" by Patricia Joyce Shelly. Lyrics © 1977 by Patricia Joyce Shelly.

Viking Penguin, a division of Penguin Group (USA) Inc.: "The Creation" from *God's Trombones* by James Weldon Johnson. Text copyright 1927 by The Viking Press, Inc.; text copyright renewed © 1955 by Grace Nail Johnson.